J. GIRARDET

J. PÉCHEUR

avec la collaboration de

C. GIBBE

www.cle-inter.com

Introduction

Pour grands adolescents et adultes

ÉCHO A2 s'adresse à de grands adolescents et à des adultes ayant suivi au minimum 100 heures de cours. Cette méthode est conçue à partir de supports variés qui reflètent les intérêts et les préoccupations de ce public. Elle s'appuie le plus possible sur des activités naturelles, plus proches de la conversation entre adultes que de l'exercice scolaire. Elle cherche aussi à concilier le dosage obligé des difficultés avec le besoin de posséder très vite les clés de la communication et de s'habituer à des environnements linguistiques riches.

Une approche actionnelle

Comme le niveau précédent, *ÉCHO A2* s'appuie avant tout sur les interactions en classe. D'emblée l'étudiant est acteur. La classe devient alors un espace social où s'échangent des informations, des expériences, des opinions et où vont se construire des projets.
De ces interactions vont naître le désir de maîtriser le vocabulaire, la grammaire et la prononciation, le besoin d'acquérir des stratégies de compréhension et de production et l'envie de mieux connaître les cultures francophones.
Parallèlement, des activités de simulation permettront aux apprenants d'anticiper les situations qu'ils auront à vivre dans des environnements francophones.

Une progression par unités d'adaptation

ÉCHO A2 se présente comme une succession d'unités représentant chacune entre 30 à 40 heures d'apprentissage. Une unité comporte 4 leçons.
Chaque unité vise l'adaptation à un contexte et aux situations liées à ce contexte. Par exemple, l'unité 1, « S'adapter à de nouvelles réalités », prépare l'étudiant à s'intégrer dans la société francophone. Pour cela, il s'initiera à l'organisation politique et administrative de la France et fera connaissance aussi bien avec le monde du travail qu'avec celui des études et des médias.
L'unité 2, « Entretenir des relations », complète les savoir-faire acquis au niveau A1 dans le domaine des relation sociales. On y apprendra à inviter, à répondre à des invitations, à raconter des anecdotes et des souvenirs, etc.
ÉCHO A2 compte 3 unités.

La possibilité de travailler seul

Il est rare que l'étudiant adulte d'aujourd'hui ait la disponibilité nécessaire pour apprendre une langue étrangère uniquement en suivant des cours. ÉCHO A2 lui donne la possibilité de travailler seul.
Le cahier personnel d'apprentissage, accompagné d'un CD, permet de retrouver le vocabulaire nouveau, d'en noter le sens, de vérifier la compréhension d'un texte ou d'un document sonore étudié en classe et d'automatiser les formes linguistiques. Ce cahier s'utilise en relation avec les autres outils de référence, nombreux dans les leçons et dans les pages finales du livre (tableaux de grammaire, de vocabulaire, de conjugaison).

La référence au Cadre européen commun

Par ses objectifs et sa méthodologie, *ÉCHO* s'inscrit pleinement dans le Cadre européen commun de référence pour les langues.
Il prépare également le DELF (Diplôme d'étude en langue française).
Chaque niveau de ÉCHO prépare un niveau du CECR et du DELF.

Auto-évaluation et évaluation institutionnelle

- À la fin de chaque unité, l'étudiant procède avec l'enseignant à un bilan de ses savoirs et de ses savoir-faire.
- Un fichier d'évaluation permet le contrôle des acquisitions à la fin de chaque leçon.
- Dans le portfolio, l'étudiant notera les différents moments de son apprentissage ainsi que ses progrès en matière de savoir et de savoir-faire.

L'organisation de ÉCHO A2

- 3 Unités
- Dans chaque Unité, 4 leçons de 4 doubles pages
- À la fin de chaque unité, 4 pages Bilan
  et 3 pages « Évasion » et « Projet »

L'organisation d'une leçon

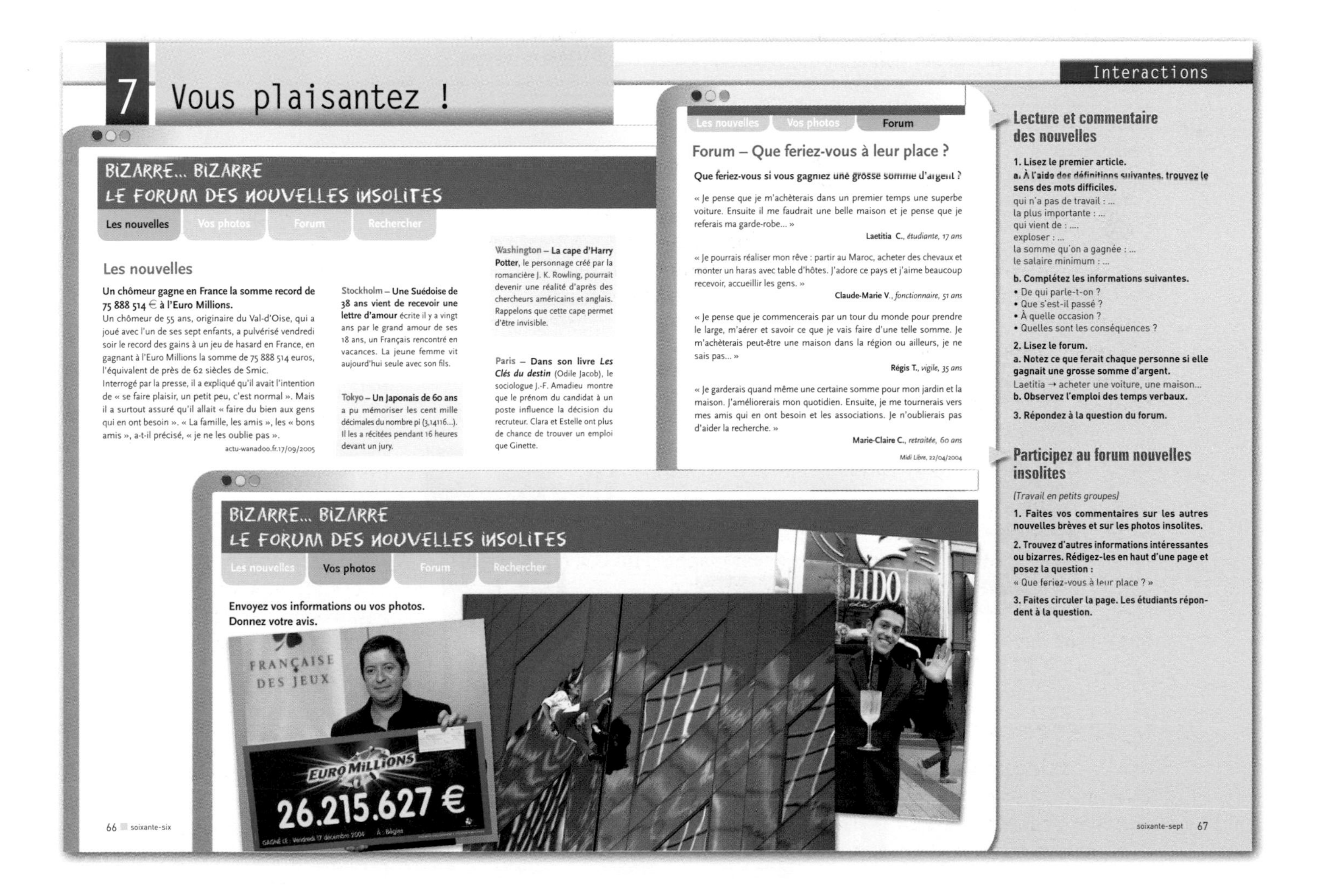

7 Vous plaisantez !

BIZARRE... BIZARRE
LE FORUM DES NOUVELLES INSOLITES

Les nouvelles | Vos photos | Forum | Rechercher

Les nouvelles

Un chômeur gagne en France la somme record de 75 888 514 € à l'Euro Millions.
Un chômeur de 55 ans, originaire du Val-d'Oise, qui a joué avec l'un de ses sept enfants, a pulvérisé vendredi soir le record des gains à un jeu de hasard en France, en gagnant à l'Euro Millions la somme de 75 888 514 euros, l'équivalent de près de 62 siècles de Smic.
Interrogé par la presse, il a expliqué qu'il avait l'intention de « se faire plaisir, un petit peu, c'est normal ». Mais il a surtout assuré qu'il allait « faire du bien aux gens qui en ont besoin ». « La famille, les amis », les « bons amis », a-t-il précisé, « je ne les oublie pas ».

actu-wanadoo.fr.17/09/2005

Stockholm – **Une Suédoise de 38 ans vient de recevoir une lettre d'amour** écrite il y a vingt ans par le grand amour de ses 18 ans, un Français rencontré en vacances. La jeune femme vit aujourd'hui seule avec son fils.

Tokyo – **Un Japonais de 60 ans** a pu mémoriser les cent mille décimales du nombre pi (3,14116...). Il les a récitées pendant 16 heures devant un jury.

Washington – **La cape d'Harry Potter**, le personnage créé par la romancière J. K. Rowling, pourrait devenir une réalité d'après des chercheurs américains et anglais. Rappelons que cette cape permet d'être invisible.

Paris – **Dans son livre *Les Clés du destin*** (Odile Jacob), le sociologue J.-F. Amadieu montre que le prénom du candidat à un poste influence la décision du recruteur. Clara et Estelle ont plus de chance de trouver un emploi que Ginette.

Les nouvelles | Vos photos | Forum

Forum – Que feriez-vous à leur place ?

Que feriez-vous si vous gagniez une grosse somme d'argent ?

« Je pense que je m'achèterais dans un premier temps une superbe voiture. Ensuite il me faudrait une belle maison et je pense que je referais ma garde-robe... »

Laetitia C., *étudiante, 17 ans*

« Je pourrais réaliser mon rêve : partir au Maroc, acheter des chevaux et monter un haras avec table d'hôtes. J'adore ce pays et j'aime beaucoup recevoir, accueillir les gens. »

Claude-Marie V., *fonctionnaire, 51 ans*

« Je pense que je commencerais par un tour du monde pour prendre le large, m'aérer et savoir ce que je vais faire d'une telle somme. Je m'achèterais peut-être une maison dans la région ou ailleurs, je ne sais pas... »

Régis T., *vigile, 35 ans*

« Je garderais quand même une certaine somme pour mon jardin et la maison. J'améliorerais mon quotidien. Ensuite, je me tournerais vers mes amis qui en ont besoin et les associations. Je n'oublierais pas d'aider la recherche. »

Marie-Claire C., *retraitée, 60 ans*

Midi Libre, 22/04/2004

BIZARRE... BIZARRE
LE FORUM DES NOUVELLES INSOLITES

Les nouvelles | Vos photos | Forum | Rechercher

Envoyez vos informations ou vos photos. Donnez votre avis.

Interactions

Lecture et commentaire des nouvelles

1. Lisez le premier article.
a. À l'aide des définitions suivantes, trouvez le sens des mots difficiles.
qui n'a pas de travail : ...
la plus importante : ...
qui vient de : ....
exploser : ...
la somme qu'on a gagnée : ...
le salaire minimum : ...

b. Complétez les informations suivantes.
- De qui parle-t-on ?
- Que s'est-il passé ?
- À quelle occasion ?
- Quelles sont les conséquences ?

2. Lisez le forum.
a. Notez ce que ferait chaque personne si elle gagnait une grosse somme d'argent.
Laetitia → acheter une voiture, une maison...
b. Observez l'emploi des temps verbaux.

3. Répondez à la question du forum.

Participez au forum nouvelles insolites

(Travail en petits groupes)

1. Faites vos commentaires sur les autres nouvelles brèves et sur les photos insolites.

2. Trouvez d'autres informations intéressantes ou bizarres. Rédigez-les en haut d'une page et posez la question :
« Que feriez-vous à leur place ? »

3. Faites circuler la page. Les étudiants répondent à la question.

66 soixante-six — soixante-sept 67

Deux pages « Interactions »

Un ou plusieurs documents permettent aux étudiants d'échanger des informations ou de s'exprimer dans le cadre d'une réalisation commune. Ces prises de parole permettent d'introduire les éléments lexicaux et grammaticaux.

L'organisation d'une leçon

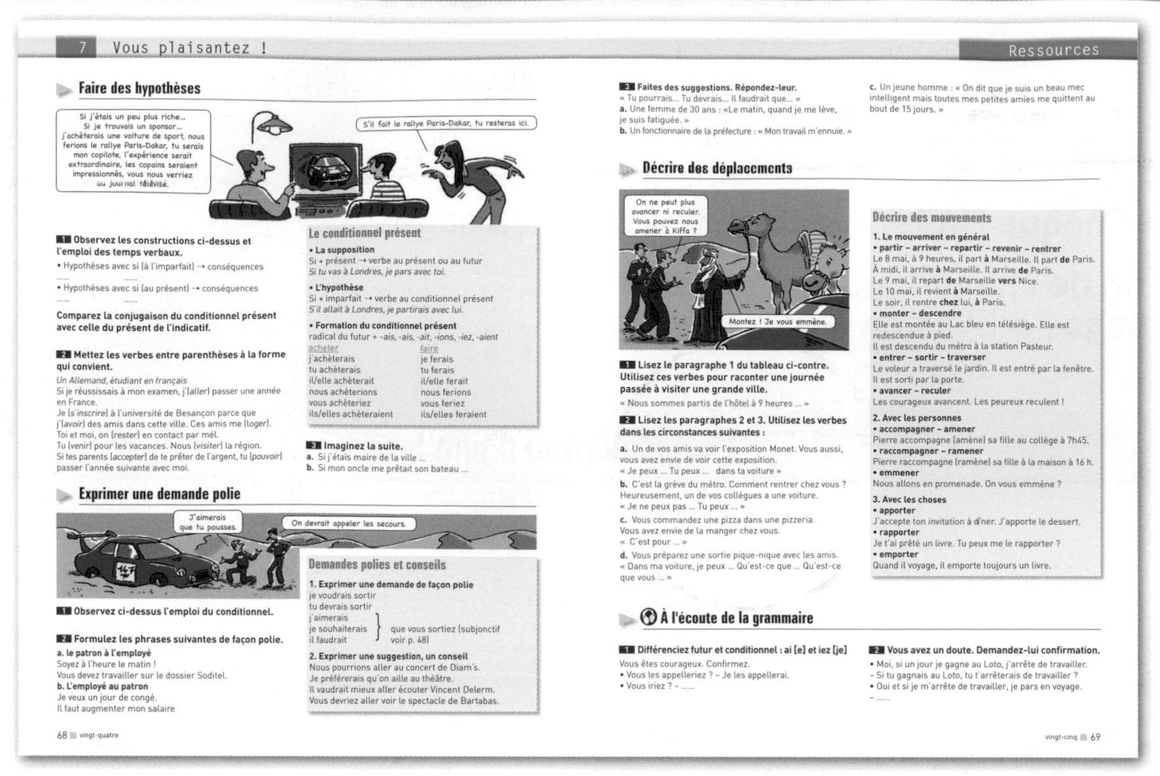

7 Vous plaisantez ! — Ressources

Faire des hypothèses

1 Observez les constructions ci-dessus et l'emploi des temps verbaux.
• Hypothèses avec si (à l'imparfait) → conséquences
• Hypothèses avec si (au présent) → conséquences
Comparez la conjugaison du conditionnel présent avec celle du présent de l'indicatif.

Le conditionnel présent
• **La supposition**
Si + présent → verbe au présent ou au futur
Si tu vas à Londres, je pars avec toi.
• **L'hypothèse**
Si + imparfait → verbe au conditionnel présent
S'il allait à Londres, je partirais avec lui.
• **Formation du conditionnel présent**
radical du futur + -ais, -ais, -ait, -ions, -iez, -aient

acheter	faire
j'achèterais	je ferais
tu achèterais	tu ferais
il/elle achèterait	il/elle ferait
nous achèterions	nous ferions
vous achèteriez	vous feriez
ils/elles achèteraient	ils/elles feraient

2 Mettez les verbes entre parenthèses à la forme qui convient.
Un Allemand, étudiant en français
Si je réussissais à mon examen, j'(aller) passer une année en France.
Je (s'inscrire) à l'université de Besançon parce que j'(avoir) des amis dans cette ville. Ces amis me (loger).
Toi et moi, on (rester) en contact par mél.
Tu (venir) pour les vacances. Nous (visiter) la région.
Si tes parents (accepter) de te prêter de l'argent, tu (pouvoir) passer l'année suivante avec moi.

3 Imaginez la suite.
a. Si j'étais maire de la ville …
b. Si mon oncle me prêtait son bateau …

Exprimer une demande polie

1 Observez ci-dessus l'emploi du conditionnel.

2 Formulez les phrases suivantes de façon polie.
a. le patron à l'employé
Soyez à l'heure le matin !
Vous devez travailler sur le dossier Soditel.
b. L'employé au patron
Je veux un jour de congé.
Il faut augmenter mon salaire

Demandes polies et conseils
1. Exprimer une demande de façon polie
je voudrais sortir
tu devrais sortir
j'aimerais / je souhaiterais / il faudrait } que vous sortiez (subjonctif voir p. 48)
2. Exprimer une suggestion, un conseil
Nous pourrions aller au concert de Diam's.
Je préférerais qu'on aille au théâtre.
Il vaudrait mieux aller écouter Vincent Delerm.
Vous devriez aller voir le spectacle de Bartabas.

68 vingt-quatre

3 Faites des suggestions. Répondez-leur.
« Tu pourrais… Tu devrais… Il faudrait que… »
a. Une femme de 30 ans : « Le matin, quand je me lève, je suis fatiguée. »
b. Un fonctionnaire de la préfecture : « Mon travail m'ennuie. »
c. Un jeune homme : « On dit que je suis un beau mec intelligent mais toutes mes petites amies me quittent au bout de 15 jours. »

Décrire des déplacements

1 Lisez le paragraphe 1 du tableau ci-contre. Utilisez ces verbes pour raconter une journée passée à visiter une grande ville.
« Nous sommes partis de l'hôtel à 9 heures … »

2 Lisez les paragraphes 2 et 3. Utilisez les verbes dans les circonstances suivantes :
a. Un de vos amis va voir l'exposition Monet. Vous aussi, vous avez envie de voir cette exposition.
« Je peux … Tu peux … dans ta voiture »
b. C'est la grève du métro. Comment rentrer chez vous ? Heureusement, un de vos collègues a une voiture.
« Je ne peux pas … Tu peux … »
c. Vous commandez une pizza dans une pizzeria. Vous avez envie de la manger chez vous.
« C'est pour … »
d. Vous préparez une sortie pique-nique avec les amis.
« Dans ma voiture, je peux … Qu'est-ce que … Qu'est-ce que vous … »

Décrire des mouvements
1. Le mouvement en général
• **partir – arriver – repartir – revenir – rentrer**
Le 8 mai, à 9 heures, il part à Marseille. Il part de Paris. À midi, il arrive à Marseille. Il arrive de Paris.
Le 9 mai, il repart de Marseille vers Nice.
Le 10 mai, il revient à Marseille.
Le soir, il rentre chez lui, à Paris.
• **monter – descendre**
Elle est montée au Lac bleu en télésiège. Elle est redescendue à pied.
Il est descendu du métro à la station Pasteur.
• **entrer – sortir – traverser**
Le voleur a traversé le jardin. Il est entré par la fenêtre. Il est sorti par la porte.
• **avancer – reculer**
Les courageux avancent. Les peureux reculent !
2. Avec les personnes
• **accompagner – amener**
Pierre accompagne (amène) sa fille au collège à 7h45.
• **raccompagner – ramener**
Pierre raccompagne (ramène) sa fille à la maison à 16 h.
• **emmener**
Nous allons en promenade. On vous emmène ?
3. Avec les choses
• **apporter**
J'accepte ton invitation à dîner. J'apporte le dessert.
• **rapporter**
Je t'ai prêté un livre. Tu peux me le rapporter ?
• **emporter**
Quand il voyage, il emporte toujours un livre.

À l'écoute de la grammaire

1 Différenciez futur et conditionnel : ai [e] et iez [je]
Vous êtes courageux. Confirmez.
• Vous les appelleriez ? – Je les appellerai.
• Vous iriez ? – ……

2 Vous avez un doute. Demandez-lui confirmation.
• Moi, si un jour je gagne au Loto, j'arrête de travailler.
– Si tu gagnais au Loto, tu arrêterais de travailler ?
• Oui et si je m'arrête de travailler, je pars en voyage.
– ……

vingt-cinq 69

Deux pages « Ressources »

Pour chaque point de langue important, ces pages proposent un parcours qui va de l'observation à la systématisation.

Les automatismes et les incidences de la grammaire sur la prononciation sont travaillés dans la partie « À l'écoute de la grammaire ».

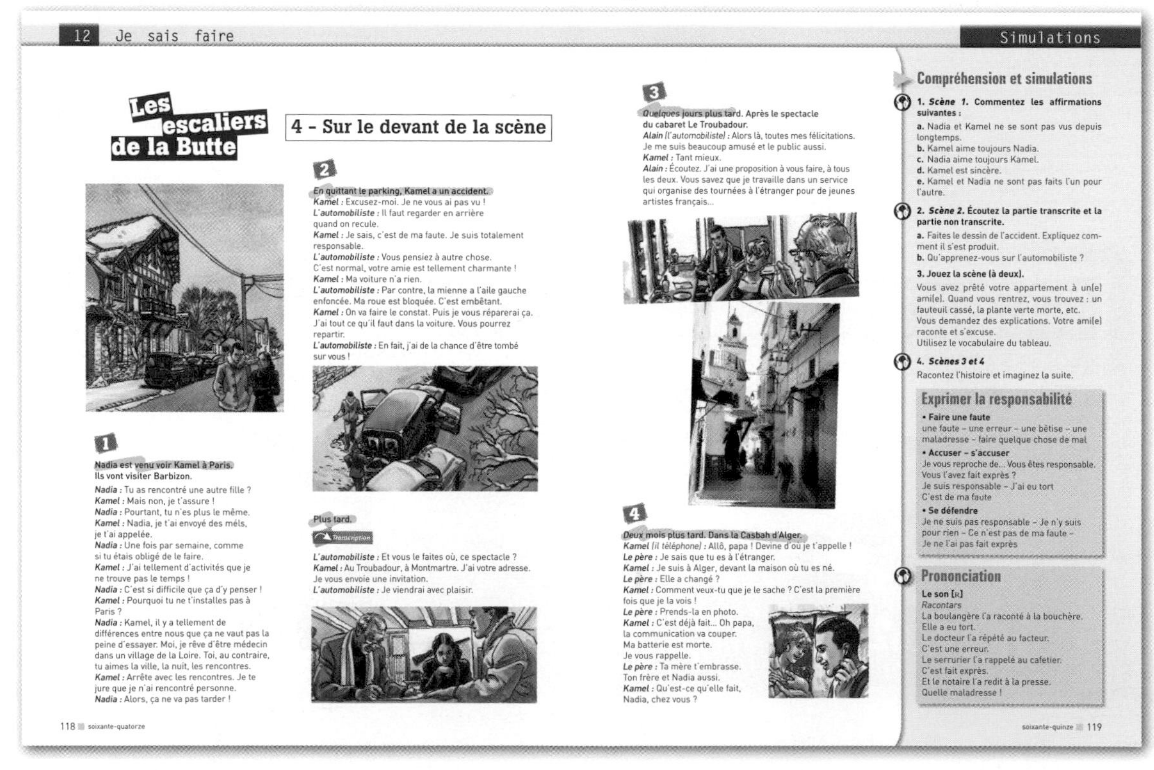

12 Je sais faire — Simulations

Les escaliers de la Butte

4 - Sur le devant de la scène

1
Nadia est venu voir Kamel à Paris. Ils vont visiter Barbizon.
Nadia : Tu as rencontré une autre fille ?
Kamel : Mais non, je t'assure !
Nadia : Pourtant, tu n'es plus le même.
Kamel : Nadia, je t'ai envoyé des méls, je t'ai appelée.
Nadia : Une fois par semaine, comme si tu étais obligé de le faire.
Kamel : J'ai tellement d'activités que je ne trouve pas le temps !
Nadia : C'est si difficile que ça d'y penser !
Kamel : Pourquoi tu ne t'installes pas à Paris ?
Nadia : Kamel, il y a tellement de différences entre nous que ça ne vaut pas la peine d'essayer. Moi, je rêve d'être médecin dans un village de la Loire. Toi, au contraire, tu aimes la ville, la nuit, les rencontres.
Kamel : Arrête avec les rencontres. Je te jure que je n'ai rencontré personne.
Nadia : Alors, ça ne va pas tarder !

2
En quittant le parking, Kamel a un accident.
Kamel : Excusez-moi. Je ne vous ai pas vu !
L'automobiliste : Il faut regarder en arrière quand on recule.
Kamel : Je sais, c'est de ma faute. Je suis totalement responsable.
L'automobiliste : Vous pensiez à autre chose. C'est normal, votre amie est tellement charmante !
Kamel : Ma voiture n'a rien.
L'automobiliste : Par contre, la mienne a l'aile gauche enfoncée. Ma roue est bloquée. C'est embêtant.
Kamel : On va faire le constat. Puis je vous réparerai ça. J'ai tout ce qu'il faut dans la voiture. Vous pourrez repartir.
L'automobiliste : En fait, j'ai de la chance d'être tombé sur vous !

Plus tard.
Transcription
L'automobiliste : Et vous le faites où, ce spectacle ?
Kamel : Au Troubadour, à Montmartre. J'ai votre adresse. Je vous envoie une invitation.
L'automobiliste : Je viendrai avec plaisir.

118 soixante-quatorze

3
Quelques jours plus tard. Après le spectacle du cabaret Le Troubadour.
Alain (l'automobiliste) : Alors là, toutes mes félicitations. Je me suis beaucoup amusé et le public aussi.
Kamel : Tant mieux.
Alain : Écoutez. J'ai une proposition à vous faire, à tous les deux. Vous savez que je travaille dans un service qui organise des tournées à l'étranger pour de jeunes artistes français…

4
Deux mois plus tard. Dans la Casbah d'Alger.
Kamel (il téléphone) : Allô, papa ! Devine d'où je t'appelle !
Le père : Je sais que tu es à l'étranger.
Kamel : Je suis à Alger, devant la maison où tu es né.
Le père : Elle a changé ?
Kamel : Comment veux-tu que je le sache ? C'est la première fois que je la vois !
Le père : Prends-la en photo.
Kamel : C'est déjà fait… Oh papa, la communication va couper. Ma batterie est morte. Je vous rappelle.
Le père : Ta mère t'embrasse. Ton frère et Nadia aussi.
Kamel : Qu'est-ce qu'elle fait, Nadia, chez vous ?

Compréhension et simulations
1. Scène 1. Commentez les affirmations suivantes :
a. Nadia et Kamel ne se sont pas vus depuis longtemps.
b. Kamel aime toujours Nadia.
c. Nadia aime toujours Kamel.
d. Kamel est sincère.
e. Kamel et Nadia ne sont pas faits l'un pour l'autre.
2. Scène 2. Écoutez la partie transcrite et la partie non transcrite.
a. Faites le dessin de l'accident. Expliquez comment il s'est produit.
b. Qu'apprenez-vous sur l'automobiliste ?
3. Jouez la scène (à deux).
Vous avez prêté votre appartement à un(e) ami(e). Quand vous rentrez, vous trouvez : un fauteuil cassé, la plante verte morte, etc.
Vous demandez des explications. Votre ami(e) raconte et s'excuse.
Utilisez le vocabulaire du tableau.
4. Scènes 3 et 4
Racontez l'histoire et imaginez la suite.

Exprimer la responsabilité
• **Faire une faute**
une faute – une erreur – une bêtise – une maladresse – faire quelque chose de mal
• **Accuser – s'accuser**
Je vous reproche de… Vous êtes responsable.
Vous l'avez fait exprès ?
Je suis responsable – J'ai eu tort
C'est de ma faute
• **Se défendre**
Je ne suis pas responsable – Je n'y suis pour rien – Ce n'est pas de ma faute – Je ne l'ai pas fait exprès

Prononciation
Le son [R]
Racontars
La boulangère l'a raconté à la bouchère.
Elle a eu tort.
Le docteur l'a répété au facteur.
C'est une erreur.
Le serrurier l'a rappelé au cafetier.
C'est fait exprès.
Et le notaire l'a redit à la presse.
Quelle maladresse !

soixante-quinze 119

Deux pages « Simulations »

L'étudiant retrouvera les éléments linguistiques étudiés précédemment dans des scènes dialoguées qui s'enchaînent pour raconter une histoire.
À chaque unité correspond une histoire qui est représentative de l'objectif général travaillé dans l'unité. Par exemple, l'histoire « Les escaliers de la Butte », dans l'unité 3 « Se débrouiller au quotidien », raconte l'installation à Paris d'un jeune fils d'immigrés de la banlieue de Saint-Étienne qui rêve de devenir comédien. Il devra faire face aux problèmes du quotidien : recherche d'un logement, de petits boulots, participation à des casting souvent décevants, etc.
Chaque scène illustre une situation concrète de communication et donne lieu à des activités d'écoute et de simulation.
Cette double page comporte aussi des exercices de prononciation.

L'organisation d'une leçon

9 À vos risques et périls ! Écrits

Environ 35 000 concurrents au départ du Marathon de Paris

35 000 concurrents s'élanceront par une matinée annoncée ensoleillée dimanche dès 8h15 de la place Charles-de-Gaulle pour descendre les Champs-Élysées, départ de la 31e édition du Marathon de Paris.

L'Éthiopien Gashaw Melese, vainqueur des 42,195 km en 2006, le Français Driss El Himer, meilleur temps du plateau, avec un 02h 06min et 48s sur son CV, l'Espagnol Julio Rey, auteur d'un 02h 06mn 52s lors de sa victoire à Hambourg en 2006, le jeune Kényan de 27 ans Barus Benson, 2e à Milan en 2006, et le Qatari Shami Mubarak, premier à Venise en 2005, figurent parmi les favoris.

Le record à battre à Paris date de 2003, lorsque le Kényan Mike Rotich, en 02h 06mn et 33s, l'avait emporté de trois secondes sur le Français Benoît « Z » Zwierschiewski.

Du côté des femmes, 16,4 % des inscrits cette année, la favorite, l'Éthiopienne Asha Gigi, 2e à Paris en 2004, aura comme principales concurrentes l'Espagnole Maria Abel, vainqueur à Francfort en 2002, ou une autre Éthiopienne, Tafa Magarsa, vainqueur à Dubaï cette année.

Après les 36 680 inscrits de 2006, pour la 30e édition, les organisateurs ont arrêté les dossards au numéro 35 000 cette année, et les Français sont largement en tête parmi les 87 pays participants, avec 72 % des inscrits. Le contingent étranger sera mené par quelque 3 000 Britanniques et un peu plus de 1 000 Italiens, la surprise venant de la présence de 459 Brésiliens.

Le parcours, entièrement tracé sur la rive droite de la Seine, passe par la rue de Rivoli, la Bastille, le Bois de Vincennes, les quais rive droite, l'hippodrome d'Auteuil avant de remonter sur l'Arc de Triomphe par l'avenue Foch.

Les organisateurs ont prévu de distribuer pas moins de 17 tonnes de bananes, autant d'oranges, 2 tonnes de fruits secs, 6 tonnes de pommes et 436 800 bouteilles d'eau.

AFP (Agence France Presse), 18/04/2007

Lecture et compréhension de l'article

Lisez l'article et dites si les phrases suivantes sont vraies ou fausses.

a. L'article parle d'une course à pied. ...
b. C'est la première fois que cette course a lieu. ...
c. C'est l'Éthiopien Gashaw Melese qui a gagné la course. ...
d. 35 000 personnes vont participer. ...
e. D'autres personnes voulaient participer mais n'ont pas pu s'inscrire. ...
f. C'est une course de 3 kilomètres. ...
g. Le parcours est un circuit (une boucle). ...
h. Beaucoup d'étrangers sont inscrits. ...
i. Les Français sont en minorité. ...
j. Les premiers arrivés gagneront des fruits et des bouteilles d'eau. ...

Rédigez un bref article

Le Téléthon est une manifestation organisée pour aider la recherche contre une maladie : la myopathie. Votre université (ou votre entreprise) décide de participer au Téléthon et organise des événements.

a. Écoutez la fin de la réunion et prenez des notes. Pour chaque activité proposée, notez l'heure, le lieu et les caractéristiques.
b. Rédigez un bref article pour annoncer ce programme dans le journal local.

96 cinquante-deux

Civilisation

PLAISIR DES SPORTS

Les sports les plus regardés

Depuis que l'équipe de France de football a gagné la Coupe du Monde en 1998 (et a failli la gagner en 2006), la plupart des Français s'intéressent au football. On suit les grandes compétitions internationales (le Mondial, le championnat d'Europe, la Ligue des Champions, etc.) mais aussi les grandes équipes nationales : l'OM (Olympique de Marseille), le PSG (Paris Saint-Germain), Lyon, Bordeaux, etc.

Les soirs de grands matchs, la France ressemble un peu au Brésil ou à l'Italie et la violence n'est pas absente des stades.

On suit aussi avec intérêt le Tour de France cycliste qui, chaque année en juillet, permet de redécouvrir à la télévision les régions touristiques du pays.

Le rugby, pratiqué depuis longtemps dans le Sud-Ouest, est devenu aujourd'hui un sport médiatisé. Des millions de téléspectateurs regardent le tournoi de Six-Nations et la Coupe du Monde.

Les célébrités du cinéma, de la politique et des médias aiment se montrer au tournoi de tennis de Roland-Garros et les championnats de patinage artistique intéressent beaucoup de téléspectateurs.

Les grands sportifs sont des stars qui marquent leur époque. On se souvient de Michel Platini (football), Yannick Noah (tennis), Jeannie Longo (vélo), Philippe Candeloro (patinage artistique). On se souviendra sans doute longtemps de Zinedine Zidane (football), Laure Manaudou (natation), Amélie Mauresmo (tennis) et Brian Joubert (patinage artistique).

Les sports les plus pratiqués en France
(en pourcentage de la population)

	Jeunes (jusqu'à 30 ans)	Ensemble de la population
Le vélo et le VTT	50	38
La natation et la plongée	44	30
Le footing, la course à pied	31	17
Le ski et le surf	24	15
Le football	25	9
La randonnée	18	22
Le basket-ball, le volley-ball, le handball	21	6
Le tennis de table, le badminton, le squash	22	10
Le tennis	16	8
La gymnastique	14	13
Le roller, le skate	6	3
Le rugby	4	1
La voile et la planche à voile	4	3
La danse	9	6
Le patinage	8	3
L'équitation	6	3
Le golf	3	2

Services INSEE et SOFRES

43 % des Français déclarent pratiquer un sport au moins une fois par semaine.

Les valeurs du sport

Enquête

Quand on parle de sports et de sportifs, quels sont les mots qui vous viennent à l'esprit ?

☐ argent ☐ beauté (minceur) ☐ bien-être ☐ commerce ☐ compréhension des autres ☐ courage ☐ détente ☐ dopage ☐ équilibre ☐ esprit d'équipe ☐ exploit ☐ forme (santé) ☐ malhonnêteté ☐ nature (plein air) ☐ plaisir ☐ publicité ☐ violence ☐ volonté

Les sports en France

Lisez le texte et le sondage.

1. Classez les différents sports.
(1) à la montagne (2) à la mer (3) en salle (4) en plein air (5) individuel (6) par deux (7) par équipe (8) les moins chers (9) les plus chers

Complétez avec d'autres sports que vous connaissez.

2. Faites des comparaisons avec votre pays.
Quels sont les sports les plus pratiqués, les plus regardés ?

Les valeurs du sport

1. Lisez l'enquête. Expliquez chaque réponse.
a. l'argent : « parce que certains champions gagnent beaucoup d'argent », ...

2. Quels sportifs admirez-vous le plus ? Pourquoi ?

cinquante-trois 97

Une page « Écrits »

Différents types de textes sont proposés aux étudiants afin qu'ils acquièrent des stratégies de compréhension et d'expression écrite.

Une page « Civilisation »

Des documents permettent de faire le point sur un sujet de civilisation.

À la fin de chaque unité

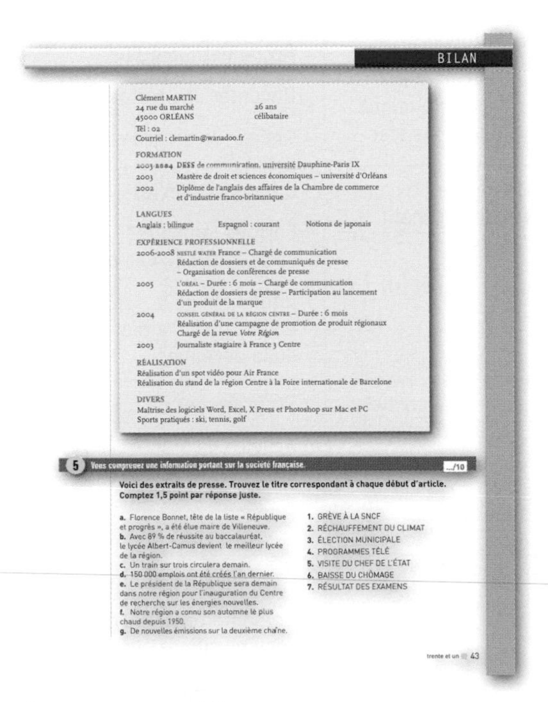

BILAN

Clément MARTIN
24 rue du marché
45000 ORLÉANS
26 ans
célibataire
Tél : 02
Courriel : clemartin@wanadoo.fr

FORMATION
2003-2004 DESS de communication, université Dauphine-Paris IX
2003 Mastère de droit et sciences économiques – université d'Orléans
2002 Diplôme de l'anglais des affaires de la Chambre de commerce et d'industrie franco-britannique

LANGUES
Anglais : bilingue Espagnol : courant Notions de japonais

EXPÉRIENCE PROFESSIONNELLE
2006-2008 NESTLÉ WATER France – Chargé de communication
Rédaction de dossiers et de communiqués de presse – Organisation de conférences de presse
2005 L'ORÉAL – Durée : 6 mois – Chargé de communication
Rédaction de dossiers de presse – Participation au lancement d'un produit de la marque
2004 CONSEIL GÉNÉRAL DE LA RÉGION CENTRE – Durée : 6 mois
Réalisation d'une campagne de promotion de produit régionaux
Chargé de la revue *Votre Région*
2003 Journaliste stagiaire à France 3 Centre

RÉALISATION
Réalisation d'un spot vidéo pour Air France
Réalisation du stand de la région Centre à la Foire internationale de Barcelone

DIVERS
Maîtrise des logiciels Word, Excel, X Press et Photoshop sur Mac et PC
Sports pratiqués : ski, tennis, golf

5 Vous comprenez une information portant sur la société française. .../10

Voici des extraits de presse. Trouvez le titre correspondant à chaque début d'article. Comptez 1,5 point par réponse juste.

a. Florence Bonnet, tête de la liste « République et progrès », a été élue maire de Villeneuve.
b. Avec 89 % de réussite au baccalauréat, le lycée Albert-Camus devient le meilleur lycée de la région.
c. Un train sur trois circulera demain.
d. 150 000 emplois ont été créés l'an dernier.
e. Le président de la République sera demain dans notre région pour l'inauguration du Centre de recherche sur les énergies nouvelles.
f. Notre région a connu son automne le plus chaud depuis 1950.
g. De nouvelles émissions sur la deuxième chaîne.

1. GRÈVE À LA SNCF
2. RÉCHAUFFEMENT DU CLIMAT
3. ÉLECTION MUNICIPALE
4. PROGRAMMES TÉLÉ
5. VISITE DU CHEF DE L'ÉTAT
6. BAISSE DU CHÔMAGE
7. RÉSULTAT DES EXAMENS

trente et un 43

Quatre pages « Bilan »

À la fin de chaque unité quatre pages d'évaluation permettent de vérifier les capacités de l'étudiant à transposer les savoir-faire qu'il a acquis.

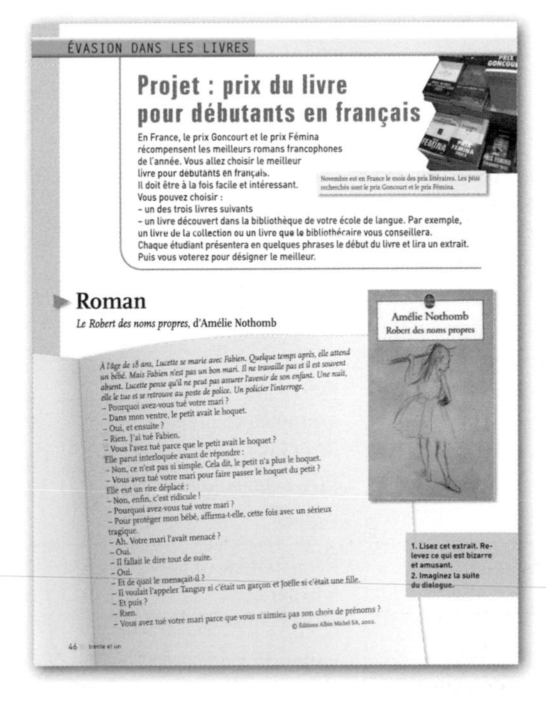

ÉVASION DANS LES LIVRES

Projet : prix du livre pour débutants en français

En France, le prix Goncourt et le prix Fémina récompensent les meilleurs romans francophones de l'année. Vous allez choisir le meilleur livre pour débutants en français.
Il doit être à la fois facile et intéressant.
Vous pouvez choisir :
- un des trois livres suivants
- un livre découvert dans la bibliothèque de votre école de langue. Par exemple, un livre de la collection ou un livre que le bibliothécaire vous conseillera.
Chaque étudiant présentera en quelques phrases le début du livre et lira un extrait.
Puis vous voterez pour désigner le meilleur.

Novembre est en France le mois des prix littéraires. Les plus recherchés sont le prix Goncourt et le prix Fémina.

Roman

Le Robert des noms propres, d'Amélie Nothomb

À l'âge de 18 ans, Lucette se marie avec Fabien. Quelque temps après, elle attend un bébé. Mais Fabien n'est pas un bon mari. Il ne travaille pas et il est souvent absent. Lucette pense qu'il ne peut pas assurer l'avenir de son enfant. Une nuit, elle le tue et se retrouve au poste de police. Un policier l'interroge.
– Pourquoi avez-vous tué votre mari ?
– Dans mon ventre, le petit avait le hoquet.
– Oui, et ensuite ?
– Rien. J'ai tué Fabien.
– Vous l'avez tué parce que le petit avait le hoquet ?
Elle parut interloquée avant de répondre :
– Non, ce n'est pas si simple. Cela dit, le petit n'a plus le hoquet.
– Vous avez tué votre mari pour faire passer le hoquet du petit ?
Elle eut un rire déplacé :
– Non, enfin, c'est ridicule !
– Pourquoi avez-vous tué votre mari ?
– Pour protéger mon bébé, affirma-t-elle, cette fois avec un sérieux tragique.
– Ah. Votre mari l'avait menacé ?
– Oui.
– Il fallait le dire tout de suite.
– Oui.
– Et de quoi le menaçait-il ?
– Il voulait l'appeler Tanguy si c'était un garçon et Joëlle si c'était une fille.
– Et puis ?
– Rien.
– Vous avez tué votre mari parce que vous n'aimiez pas son choix de prénoms ?

© Éditions Albin Michel SA, 2002.

1. Lisez cet extrait. Relevez ce qui est bizarre et amusant.
2. Imaginez la suite du dialogue.

46 trente et un

Trois pages « Évasion... » et « Projet »

Ces pages sont prévues pour inciter les étudiants à s'évader de la méthode pour aller lire et écouter du français par d'autres moyens. Elles proposent à l'étudiant un projet de réalisation concrète.

Un portfolio

L'étudiant notera dans le portfolio les étapes de son apprentissage, ses expériences en français en dehors de la classe et les différentes compétences qu'il a acquises.

Unité 1 S'adapter à de nouvelles réalités

	LEÇONS			
	1 Vivement demain ! p. 10	2 Tu as du boulot ? p. 18	3 Qu'en pensez-vous ? p. 26	4 C'est tout un programme ! p. 34
Grammaire	• Le futur • La comparaison des qualités, des quantités et des actions	• Le pronom « en » • Le pronom « y » • Expression de la condition	• Le subjonctif (emploi lié à quelques verbes) • Expression de la quantité (poids et mesure – évaluation – restriction)	• Les propositions relatives introduites par « qui , que, où » • Les adverbes (place, formation des adverbes en *-ment*) • La forme « en + participe présent »
Vocabulaire	• Le travail • L'éducation et la formation • Le changement	• L'entreprise • Le travail	• L'administration • La politique	• La télévision et la radio • La presse écrite
Discours en continu	• Parler du futur à propos de domaines déjà étudiés	• Relater le contenu d'un bref article de presse Faire un bref commentaire de cet article	• Exposer brièvement un fait et porter un jugement sur ce fait	• Donner son avis sur un programme de télévision ou de radio
Situations orales	• Faire des projets • Exprimer l'inquiétude – Rassurer • Faire une proposition	• Choix et achat d'un vêtement • Exprimer des goûts et des préférences • Faire des suppositions	• Accuser / défendre quelqu'un • Interdire / demander une autorisation • Proposer de faire quelque chose / refuser / insister	• Donner des instructions • Porter un toast • Accueillir quelqu'un • Raconter une histoire • Choisir un programme
Phonétique	• Le [ə] dans la conjugaison du futur • Le [r] • Différenciation des voyelles nasales	• Rythme et enchaînement des constructions avec le pronom « en » • Différenciation [k] et [g]	• Différenciation des formes du présent de l'indicatif et du subjonctif • Différenciation [t] et [d]	• Différenciation [u] – [o] – [w] • Formes familières contractées (« t'es où ? ») • Intonation de la surprise, de la satisfaction et de la déception
Compréhension des textes	• Compte rendu de table ronde : l'avenir de l'éducation	• Extraits de magazines : exemples de création de petites entreprises • Lettre de demande d'emploi (stage)	• Extraits de presse : articles relatant des interdictions • Articles de presse sur la vie politique	• Programmes de télévision • Articles de presse : événements insolites
Écriture	• Rédaction de la partie « Études et formation » d'un CV • Développer brièvement une opinion sur un sujet d'éducation	• Rédaction de la partie « Expérience professionnelle d'un CV » • Lettre de motivation	• Contester ou approuver une décision ou un fait	• Faire un programme • Présenter un fait d'après des indications orales
Civilisation	• L'enseignement en France	• Le travail en France	• L'organisation administrative et politique de la France	• La télévision et la presse en France

Unité 2 Entretenir des relations

	LEÇONS			
	5 On se retrouve p. 50	**6 C'est la fête !** p. 58	**7 Vous plaisantez !** p. 66	**8 On s'entend bien !** p. 74
Grammaire	• Emploi et conjugaison des quatre temps de l'indicatif : présent, passé composé, imparfait et futur	• Les pronoms objets directs • Les pronoms objets indirects	• Le conditionnel présent – expression de l'hypothèse – demandes polies – suggestions et conseils	• Les constructions du discours rapporté • Les constructions « faire + verbe » et « laisser + verbe »
Vocabulaire	• L'apprentissage d'une langue étrangère • Connaissance et souvenir	• Les fêtes et les animations locales • La cuisine	• Mouvements et déplacements • Rire et plaisanteries • Les jeux	• Le caractère et la personnalité • Les relations humaines : sympathie et antipathie
Discours en continu	• Parler de son apprentissage du français langue étrangère • Raconter une rencontre et ses circonstances	• Parler d'une fête • Exposer une recette de cuisine	• Commenter une information en faisant des hypothèses • Raconter une anecdote ou une histoire drôle	• Décrire le caractère ou le comportement d'une personne • Parler de ses habitudes de vie
Situations orales	• Demander et donner des nouvelles de quelqu'un • Dire si on connaît, si on se souvient • Choisir une activité de loisir	• Retrouver quelqu'un • Aborder quelqu'un • Exprimer des goûts et des préférences	• Proposer quelque chose • Réagir à une proposition	• Exprimer l'incompréhension – S'expliquer • Exprimer l'accord et le désaccord – Se réconcilier • Se dire au revoir
Prononciation	• Rythmes de la construction négative • Prononciation des participes passés en [y] • Marques du présent, du passé composé et du futur	• L'enchaînement dans les groupes avec pronoms compléments	• Différenciation du futur et du conditionnel • Les sons [u] et [y]	• Différenciation [ɑ̃] - [a] - [ɔ] - [ɔ̃]
Compréhension des textes	• Test sur les façons d'apprendre • Lettres de prise de contact • Récits de rencontres	• Programmes et descriptifs de fêtes – Célébrations • Recettes de cuisine	• Nouvelles brèves de presse • Récit d'une anecdote	• Tests de psychologie et tests à caractère sociologique
Écriture	• Lettres ou messages de prise de contact	• Recettes de cuisine • Projet de fête	• Donner son opinion en faisant des hypothèses (*Si j'étais à votre place...*)	• Rédiger des conseils (Comment se comporter dans votre pays)
Civilisation	• Les rencontres : modes et comportements • La vie de quartier dans les grandes villes • Les relations amicales	• Le calendrier – Temps forts et animation dans la ville de Bourges • Fêtes traditionnelles, importées (Saint-Patrick) ; fêtes francophones • Un repas de fête	• L'Art au début du xxe siècle • Un humoriste : Gad Elmaleh • Jeux de mots et blagues en français • Le Périgord	• Images et expressions verbales liées aux couleurs • Habitudes et interdits en France et dans le monde

Évaluation p. 82 **Évasion :** ...au cinéma p. 86 **Projet :** Cérémonie des Césars p. 87

Unité 3 Se débrouiller au quotidien

Unité 1

S'adapter à de nouvelles réalités

*POUR VOUS **ADAPTER** À LA SOCIÉTÉ FRANÇAISE, VOUS ALLEZ **FAIRE CONNAISSANCE** AVEC...*

La Bibliothèque nationale François Mitterrand.

*LE MONDE DES **ÉTUDES** ET CELUI DU **TRAVAIL***

*L'ORGANISATION **ADMINISTRATIVE** ET **POLITIQUE** DU PAYS*

*LA **PRESSE** ET LES **MÉDIAS***

Sondage

ÊTES-VOUS OPTIMISTE FACE AU FUTUR ?

**Le monde est en train de changer. Que pensez-vous de cette évolution ? Avez-vous peur du futur ou êtes-vous optimiste ?
Lisez les phrases suivantes. Cochez le chiffre qui correspond à votre opinion.**

- 2 oui, c'est sûr
- 1 peut-être
- 0 non, c'est impossible

◆ Les villes dans trente ans

• Les voitures seront interdites dans les centres-villes	2	1	0
• Les villes seront moins bruyantes	2	1	0
• Les transports en commun se développeront	2	1	0
• La population des villes n'augmentera pas	2	1	0

◆ Les campagnes

• Beaucoup de gens iront habiter à la campagne	2	1	0
• Il y aura plus de forêts et d'espaces naturels	2	1	0
• Il y aura moins d'accidents sur les routes	2	1	0
• Des trains rapides iront dans toutes les régions du pays	2	1	0

◆ La santé

• On guérira le cancer et le sida	2	1	0
• On vivra plus longtemps	2	1	0
• On pourra remplacer les parties malades du corps	2	1	0
• La nourriture du futur sera bonne pour notre santé	2	1	0

◆ Les grands problèmes

• Des énergies nouvelles remplaceront le pétrole	2	1	0
• Les différences entre les pays riches et les pays pauvres diminueront	2	1	0
• Les pays aujourd'hui en guerre auront signé la paix	2	1	0
• Le climat de la Terre ne changera pas	2	1	0

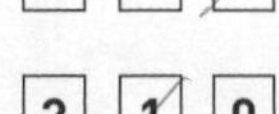

◆ Le travail dans trente ans

• Nous travaillerons moins qu'aujourd'hui	2	1	0
• Nous changerons plusieurs fois de métiers dans notre vie	2	1	0
• Beaucoup de gens travailleront chez eux	2	1	0
• Tout le monde aura un travail	2	1	0

◆ La vie quotidienne

• Le travail de la maison sera plus facile	2	1	0
• Vous serez moins stressé	2	1	0
• Vous aurez plus de loisirs	2	1	0
• Les relations entre les gens seront plus faciles	2	1	0

Le futur BGV, bateau à grande vitesse, imaginé par Gilles Vaton. Il peut transporter 1600 passagers et 250 voitures à 120 km/h.

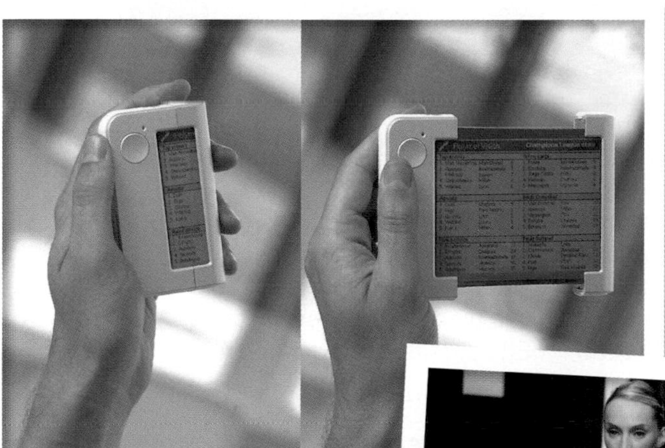

Avec l'arrivée du livre électronique, les prochaines années verront-elles la fin des bibliothèques ?

Les vêtements du futur seront équipés contre le froid et le chaud et pourront échanger des informations.

Notre micro trottoir

C'est bientôt le 1er janvier. Pour la nouvelle année, prendrez-vous de grandes décisions ?

Répondez au sondage

1. Pour chaque question :

a. Lisez la question avec l'aide du professeur. Observez la forme des verbes.
Exemple : seront → « être » au futur

b. Discutez chaque phrase en groupe.

c. Cochez la case qui correspond à votre opinion.

2. Faites le compte de vos points.

16... / 48

3. Faites le bilan du sondage.

- de 0 à 15 points, vous êtes pessimiste
- de16 à 26 points, vous êtes indécis
- de 27 à 48 points, vous êtes optimiste

Rédigez un commentaire du sondage

(Commentaire collectif)
Pour chacun des six sujets du sondage, un optimiste et un pessimiste donnent leur opinion.

Écoutez le micro-trottoir

a. Écoutez les réponses et complétez le tableau.

	personnes interrogées		
sujets	1	2	...
décision(s) prise(s)			

b. Répondez à la question du micro-trottoir.

Pour parler d'un changement

- changer (un changement) – Ce quartier a beaucoup changé.
- (se) développer (le développement) – Les espaces verts se sont développés.
- devenir – Le quartier est devenu agréable.
- augmenter (une augmentation) / diminuer (une diminution) – La population a augmenté. (Il y a une augmentation de la population.) – La pollution a diminué.
- évoluer (une évolution) – Les opinions ont évolué.

Parler du futur

1 Dans les phrases ci-dessus, observez les formes des verbes.

aller → j'irai
acheter → ...achèterai augmenter → ... augmenterai
avoir → ... aurai être → ... serai
partir → ... partirai pouvoir → ... pourrai

Trouvez toutes les formes du futur de ces verbes.

aller → j'irai, tu iras...

2 Mettez les verbes entre parenthèses au futur.

Préparatifs de pique-nique

« Demain matin, nous (*se lever*) à 7 heures.
Pierre, tu (*aller*) acheter du pain. Puis Julie et toi, vous (*faire*) des sandwichs. Vous (*trouver*) du jambon dans le réfrigérateur.
Chacun (*préparer*) ses affaires.
Moi, j'(*aller*) chercher la voiture au garage.
Nos amis (*arriver*) à 9 heures. Nous (*devoir*) être prêts. »

3 Continuez en utilisant les mots de la rubrique n° 3 du tableau ci-contre.

15 février, à midi → **maintenant**
15 février à midi et demie → **tout à l'heure**
15 février à une heure → ...
16 févier → ...demain 14 février → ... hier
17 février → ...après-demain 13 février → ... avant-hier
20 février → ...dans cinq jours 10 février → ... il y a 5 jours
23 février → ... la semaine prochaine 15 janvier → ... le mois dernier

Le futur

1. Trois façons de parler du futur

a. le présent, quand on veut rendre l'action future vivante → Demain, elle part en voyage.
b. la forme « aller + infinitif », quand l'action paraît proche → Elle va bientôt partir en voyage.
c. le futur → Elle partira en voyage en juillet.

2. Formation du futur

- **Avec les verbes en -*er* et beaucoup d'autres verbes → infinitif + *-ai, -as, -a, -ons, -ez, -ont***

je mangerai	nous mangerons
tu mangeras	vous mangerez
il/elle mangera	ils/elles mangeront

- **Cas particuliers**

être : je serai, tu seras, il/elle sera, etc.

avoir : j'aurai	*faire :* je ferai
aller : j'irai	*venir :* je viendrai
voir : je verrai	*pouvoir :* je pourrai

- **Avec les verbes du type « se lever »**
je me lèverai, tu te lèveras, il/elle se lèvera, etc.

3. Préciser le moment futur

Elle partira...
bientôt... tout à l'heure... dans une heure
demain... après-demain... la semaine prochaine
dans quinze jours
jusqu'au 31 juillet

4 Imaginez ce qu'ils disent. Utilisez les verbes entre parenthèses.

a. Un jeune couple fait des projets d'avenir.
(*vivre ensemble – louer un appartement – faire une fête – avoir des enfants – se marier* – etc.)
« Nous vivrons ensemble... »

b. Elle vient de gagner un million d'euros.
Elle fait des projets.
(*aller – acheter – visiter – donner – offrir – inviter – avoir* – etc.)
« J'achèterai un bateau... »

Comparer

Comparer

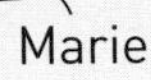

1. Comparer des qualités

Pierre est **plus** grand **que** Tony.
Marie est **aussi** grande **que** Pierre.
Tony est **moins** grand **que** Marie.
Pierre est grand. Marie est **aussi** grande.

La note de Tony est **meilleure** que la note de Pierre.
Pierre travaille **moins** bien **que** Tony.
Marie travaille **aussi** bien **que** Tony.
Tony et Marie travaillent **plus** vite **que** Pierre et ils travaillent **mieux**.

2. Comparer des quantités

Durée hebdomadaire du travail
Pauline : 35 heures
Mathieu : 35 heures
Corentin : 20 heures

Pauline a **plus de** travail **que** Corentin.
Elle a **autant de** travail **que** Mathieu.
Corentin a **moins de** travail **que** Pauline.

3. Comparer des actions

Pauline travaille **plus que** Corentin.
Elle travaille **autant que** Mathieu.
Corentin travaille **moins que** Pauline.

1 Observez le tableau et complétez.

En France, on travaille ... dans les autres pays d'Europe.
Les Espagnols travaillent ... les Italiens.
En Grande-Bretagne, on travaille ... France.
Les Espagnols ont ... jours de congés ... les autres pays d'Europe.
Les Anglais ont ... jours de congés ... les Français.
Le salaire d'un cadre anglais est ... élevé ... le salaire d'un cadre français.
Le salaire d'un cadre italien est ... élevé.
Un cadre français gagne ... cadre espagnol.

Le travail en Europe

	Heures travaillées par an	Jours de congés par an	Salaire annuel moyen d'un cadre
Espagne	1 764	38	40 000
France	1 561	36	40 000
Grande-Bretagne	1 787	31	44 000
Italie	1 764	33	38 000

Sources Eurostat, 2004.

À l'écoute de la grammaire

1 Le [ə] non prononcé dans la conjugaison du futur

Monde idéal

Je donnerai... Tu partageras...
On échangera... On prêtera...
On s'appellera... On s'invitera...
Ils se parleront... Ils recommenceront...
Ils espéreront...

2 Prononciation de [ʀ]

Pessimiste

Je la regarderai... Elle tournera la tête...
Je lui parlerai... Elle s'ennuiera...
Nous sortirons... Il pleuvra...
Elle m'invitera... J'oublierai...
Nous jouerons... Nous perdrons...
On se mariera... On divorcera...

Les parfums de Laura

1– Coup de tête

COSMELABO RACHÈTE SYNTEX

Le groupe international Cosmelabo vient de racheter une petite entreprise du Val de Loire spécialisée dans la création de parfums.

En mars, un vendredi soir chez Laura et Tarek, à Orléans.

Laura : Salut !... Ah ! Ce soir, c'est curry de poulet.
Tarek : Dix sur dix !
Laura : Et tu as mis un nouveau parfum... Jazz, Yves Saint Laurent !
Tarek : Quel nez !
Laura : Que veux-tu, c'est mon métier. Justement, le DRH veut me voir lundi.
Tarek : Pour le poste de chef de projet ?
Laura : C'est possible.
Tarek : Mais alors, tu vas avoir une augmentation !
Laura : J'espère.
Tarek : Tu pourras changer ta voiture ! On achètera une nouvelle télé ! On ira à Venise le mois prochain !
Laura : Du calme ! Nous ferons surtout des économies.
Tarek : Tu penses déjà à ta retraite ?
Laura : Non, monsieur. Mais dans un an, on fait un bébé et je prends un congé. Tu es toujours d'accord ?
Tarek : Bien sûr !
Laura : Alors il faudra vivre avec ton salaire de contrôleur de gestion.

2

Le lundi, dans le bureau du DRH de l'entreprise Syntex.

Laura : Je vous dérange ?
Le DRH : Pas du tout, je vous attendais. Asseyez-vous... Voilà... Vous savez que notre contrôleur de qualité part à la retraite.
Laura : Oui.
Le DRH : Eh bien, nous avons pensé à vous pour le remplacer.
Laura : Mais je suis très contente à la production !
Le DRH : Vous serez encore mieux au contrôle. Vous aurez autant de liberté, moins de stress, un bureau agréable, vous gagnerez plus...
Laura : Peut-être, mais moi, j'aime créer des parfums. Je suis faite pour ça !
Le DRH : Comprenez-moi, mademoiselle Mirmont, dans un an, nous fabriquerons nos produits en Turquie.
Laura : Je veux bien aller en Turquie.
Le DRH : Un jour peut-être, mais aujourd'hui, j'ai besoin de vous au service qualité.
Laura : Alors je n'ai pas le choix ?
Le DRH : Réfléchissez, notre proposition est intéressante !

3

Plus tard, dans le laboratoire de Syntex.

Une collègue : Alors, qu'est-ce que tu vas faire ?
Laura : Je pars.
La collègue : Réfléchis bien ! Transcription
Laura : C'est tout réfléchi.

Le soir, Laura raconte sa journée à Tarek.

Compréhension et simulations

1. *Scène 1.* Écoutez et répondez.

a. Les phrases suivantes sont-elles vraies ou fausses ?

Tarek et Laura vivent ensemble. VRAI
Ils ont des projets d'avenir. VRAI
Tarek ne travaille pas. FAUX
Laura travaille dans une entreprise de parfums. VRAI

b. Quels sont... TÉLÉ, VOITURE
– les projets de Tarek ?
– les projets de Laura ?
– leurs projets communs ? ECONOMISER
ILS FAIT UN BÉBÉ DANS UN AN

2. Jouez une des scènes (à deux).

a. Votre ami(e) organise une soirée. Vous lui demandez des précisions.
« Ce sera quand ? Qui sera invité ?... »

b. Vous pouvez prédire l'avenir. Votre voisin(e) vous consulte.
« Est-ce que je ferai une rencontre ? »

3. *Scène 2.* Écoutez. Complétez.

Le DRH propose à Laura ...
La proposition est intéressante parce que ...
Mais Laura répond ...

4. *Scène 3.* Écoutez et transcrivez la fin de la scène.

5. Jouez la scène (à deux). Utilisez le vocabulaire du tableau.

Votre ami va passer un examen (ou un entretien pour trouver du travail). Il n'est pas sûr de lui. Vous le rassurez.

6. *Scène 4.* Imaginez et jouez la scène.

Pour exprimer la peur et l'inquiétude – Pour rassurer

- J'ai peur – J'ai peur d'être au chômage.
  je suis inquiet (inquiète) – Je m'inquiète pour sa santé.
  Je n'ai pas le courage d'aller voir le directeur.
  Je ne suis pas sûr (sûre) de moi.
- N'aie pas peur ! Aie du courage !
  Ne t'inquiète pas !

Sons, rythmes, intonations

Les sons [ɑ̃], [ɛ̃], [œ̃]

Il est comment ton copain ?
Il est grand, mince, brun
Il met du parfum Guerlain
Il est attentif à chacun
Dans les transports en commun
Et il ressemble à ton cousin

Table ronde

Quelle école pour demain ?

Notre journal a réuni des parents d'élèves et des professeurs pour parler de l'avenir de l'école. Extraits.

LE QUOTIDIEN – On dit que l'école va mal. Certains élèves ne travaillent pas et ne respectent pas les professeurs. Il y a eu des incidents graves dans quelques collèges.

UN PARENT – Le problème est qu'on a mélangé tous les élèves. Dans la classe de 5e de ma fille, il y a des enfants qui ne savent pas lire. Quand le professeur s'occupe d'eux, les autres n'écoutent pas. Quand il s'occupe des élèves qui ont le niveau, les autres ne comprennent pas. Résultat, il y a toujours une partie de la classe qui ne s'intéresse pas au cours. Il faut des classes spéciales pour les élèves en difficulté.

UN PROFESSEUR – Vous avez raison. La vie d'un professeur n'est pas toujours facile mais je ne suis pas d'accord avec votre solution. L'école est faite pour apprendre les maths, l'histoire, les sciences, les langues. Mais elle est aussi faite pour apprendre à vivre ensemble. Les élèves qui ont des difficultés viennent de familles qui ont des problèmes (le chômage, la pauvreté, un divorce...). Vous ne devez pas les couper des autres. Quand nous aurons quinze élèves dans nos classes, nous pourrons passer plus de temps avec eux.

UN PARENT – Il y aura toujours des différences entre les bons et les moins bons. Les programmes sont les mêmes pour tous. Certains apprendront très vite. D'autres ne réussiront pas.

LE PROFESSEUR – Chacun doit pouvoir avancer à son rythme. Je suis sûr que les nouvelles technologies nous apporteront des solutions. Dans dix ans peut-être, l'école sera différente. Chaque élève sera devant un ordinateur. Le professeur sera là, bien sûr. Il animera le groupe et donnera des conseils à chacun. Et il y aura moins de problèmes. Quand on s'occupe d'un élève en difficulté, il vous respecte.

LE PARENT – Mais cela va coûter très cher !

LE PROFESSEUR – Pour les trois années de lycée, notre région dépense 500 € par élève pour payer les livres. C'est le prix d'un ordinateur.

Le Quotidien, 18 octobre 2007.

Lecture et compréhension de l'article

1. Lisez le titre et les premières lignes de l'article. Quel est le sujet de l'article ?

2. Lisez l'article en entier. Précisez l'opinion des participants.

Ils sont d'accord sur...
Ils ne sont pas d'accord sur...

3. De quoi parlent les participants ? Cochez les sujets abordés et donnez des précisions.

Exemple : **b.** → Il y a trop d'élèves dans les classes. Il faut...

a. le salaire des professeurs
b. le nombre d'élèves par classe
c. les relations entre élèves et professeurs
d. les programmes
e. la formation des professeurs
f. le rôle du professeur
g. les différences de niveaux
h. le nombre d'heures de cours
i. les méthodes d'enseignement
j. le prix des études

Quelle école pour demain ?

(Recherche en petits groupes)

Vous devez organiser une table ronde sur l'avenir de l'école dans votre pays.

Faites une liste des sujets qui pourraient être abordés.

Rédigez

1. Développez en 5 lignes un des sujets trouvés ci-dessus.

2. Rédigez la partie « Formation » de votre CV. (Voir le CV p. 43)

L'ENSEIGNEMENT EN FRANCE

L'école publique obligatoire et laïque

En France, l'école est **obligatoire** entre 6 et 16 ans. **L'école publique** est **gratuite**. Les communes et les régions paient les livres et les cahiers.
L'école publique est **laïque**. Elle respecte toutes les religions. On ne doit pas porter de signes religieux dans les écoles.
Il existe des **écoles privées**. Elles accueillent 15 % des élèves.

De l'école maternelle au baccalauréat

- **L'école maternelle (de 2 à 6 ans).** À 3 ans, presque tous les enfants vont à l'école.
- **L'école primaire (de 6 à 11 ans).** L'enfant apprend à lire, à écrire et à compter.
- **Le collège (de 11 à 15 ans).** Dans la classe de sixième (6e) puis de 5e, 4e et 3e, les collégiens étudient les connaissances générales.
- **Le lycée (de 15 à 18 ans) :** classe de seconde, première et terminale. Les jeunes commencent à se spécialiser. Beaucoup font des études générales (lettres, maths et sciences, etc.). D'autres se préparent à un métier dans les lycées professionnels.

70 % des jeunes Français réussissent à l'examen final : le baccalauréat (on dit aussi le « bac »).

Les études supérieures

• L'université
60 % des étudiants qui ont réussi au bac entrent à l'université.
Dans une université, il y a plusieurs facultés :
lettres et sciences humaines (34 % des étudiants), *droit et économie* (25 %), *sciences* (20 %), *médecine* (8 %), *pharmacie* (2 %), *sport* (2 %).
Les études se font en trois étapes :
– la licence (3 ans)
– le mastère (2 ans)
– le doctorat (3 ans)
On peut suivre aussi une formation professionnelle courte de technicien dans les IUT (institut universitaire de technologie).

• Les grandes écoles
Ces grandes écoles forment les ingénieurs, les cadres des entreprises et de l'administration.
La plus célèbre est l'ENA (École nationale d'administration). Beaucoup d'hommes et de femmes politiques sont sortis de l'ENA (Jacques Chirac, Laurent Fabius, Dominique de Villepin, Ségolène Royal).

• Les autres écoles supérieures
Beaucoup d'écoles publiques ou privées proposent des formations professionnelles courtes. Elles accueillent 40 % des étudiants et forment des techniciens, des infirmières, des artistes, etc.

• Les étudiants étrangers
15 % des étudiants de l'enseignement supérieur sont des étrangers.

• Les bourses
Dans les universités et les écoles supérieures publiques, les études sont presque gratuites.
Certains étudiants peuvent avoir des bourses d'études.

Depuis 1880, l'école (de la maternelle à l'enseignement supérieur) est un service public très contrôlé par l'État.

La Sorbonne : la plus ancienne université de France.

Élèves ingénieurs à l'IUT de Cachan.

L'enseignement en France

Lisez les informations de cette page. Faites des comparaisons avec l'enseignement dans votre pays.

Des idées pour créer votre entreprise

Si vous êtes au chômage, si vous vous ennuyez dans votre travail, si vous avez besoin de liberté, créez votre entreprise.
Beaucoup l'ont fait. Pourquoi pas vous ?
Imaginez quels vont être les nouveaux besoins.
Renseignez-vous sur les emplois de demain.
Recherchez des idées autour de vous.
Que manque-t-il ? De quoi les gens ont-ils besoin ?
Chez eux... au travail... en vacances...
dans les villes... à la campagne... etc.

▶ D'OÙ VIENDRONT LES NOUVEAUX BESOINS ?

- Il y aura plus de retraités (plus de 60 ans).
- Il y aura plus de personnes âgées seules qui auront besoin d'aide.
- Une partie importante de la population sera plus riche. Elle sera très occupée par son travail et aura besoin d'aide pour la maison et les enfants.
- Une partie importante de la population restera pauvre. Elle aura besoin de formation.
- La France accueillera de nouveaux émigrés.
- On changera plus souvent de métier et de lieu d'habitation.

▶ IL SUFFIT D'Y PENSER

- **Café pour tous les goûts**

Les Américains, on le sait, boivent beaucoup de café. Mais en boire beaucoup n'est pas bon pour la santé. Une société a trouvé la solution : ajouter au café des vitamines et des plantes qui guérissent. Elle propose un café qui augmente la mémoire, un café qui donne de l'énergie et un café qui calme !

➔ Les emplois de demain

- les services d'aide aux personnes (garde d'enfants, repas à domicile, travaux de la maison, etc.)
- l'aide aux personnes âgées
- l'enseignement
- la construction : immeubles, maisons, travaux publics (routes, ponts, etc.)
- le tourisme (voyages, hôtels, restaurants)
- la santé (médecins, infirmières)
- les loisirs (sports, activités artistiques, etc.)
- la sécurité (gardiens, policiers, pompiers)
- l'industrie (ingénieurs et techniciens très qualifiés)
- le commerce (ouvert sur le monde)

Source : Commissariat général du Plan.

- **Le retour de la vente ambulante**

Au chômage depuis 6 mois, José va un jour chez des amis qui habitent un petit village de 500 habitants dans le sud du Massif central. Il observe qu'il n'y a plus un seul commerce dans le village. Si vous voulez acheter une baguette de pain ou mettre une lettre à la poste, il faut faire 10 km. Normal : un boulanger ne gagne pas sa vie dans un village de 500 personnes. Mais José observe aussi que la population du village augmente. Des retraités, des étrangers viennent s'y installer. Et tous les villages de la région sont dans cette situation.
José décide alors d'être vendeur ambulant. Sa banque est d'accord et lui prête 30 000 €.
Tous les jours, il fait le tour d'une quinzaine de villages et propose des produits et des services. Il vend du pain, des conserves, le journal, mais vous porte aussi un rôti si vous l'avez commandé. Il apporte aussi vos lettres à la poste et votre téléviseur chez le réparateur.
Et les affaires marchent !

- **« Boire ou conduire » n'est plus un problème**

En France, quand on sort pour faire la fête avec des amis, il y en a toujours un qui ne boit pas. C'est lui qui conduira la voiture au retour.
Au Japon, tout le monde peut faire la fête. Si, au retour, personne n'est capable de conduire, on appelle la société Daïton Taxi. Elle vous enverra quelqu'un qui vous ramènera chez vous dans votre voiture.

- **Réponse à tout**

Souvent, vous vous posez des questions sans pouvoir y répondre ! En quelle année l'Uruguay a-t-elle gagné la Coupe du monde ? Peut-on faire des études de droit à Chalon-sur-Saône ? Pourquoi la mer est-elle salée ?
Un couple de Strasbourgeois propose un service téléphonique « Réponse à tout ». Plus cher qu'Internet mais souvent plus rapide et plus sûr.

Réflexions sur la création d'une entreprise

1. Avec l'aide du professeur, lisez « D'où viendront les nouveaux besoins ? ».
- Êtes-vous d'accord avec ces évolutions ?
- Ces évolutions vont-elles créer des emplois ? Quels emplois ?

2. Lisez « Les emplois de demain ». À quel besoin correspond chaque type d'emploi ?

3. La classe se partage la lecture des quatre exemples de « Il suffit d'y penser ». Donnez votre avis sur ces idées.

Créer votre petite entreprise

(Travail en petits groupes)

1. Cherchez en groupe une idée d'entreprise et développez cette idée.
- **Présentation de l'entreprise.** Quel est son nom, que fait-elle, où est-elle installée ?
- **Justification de la création.** Quels sont les besoins ? Comment l'entreprise répond-elle à ces besoins ?
- **Organisation de l'entreprise** (Aidez-vous du tableau ci-dessous)

2. Rédigez votre projet et présentez-le à la classe.

Pour parler d'une entreprise

- **les services et le personnel**

la direction – un chef d'entreprise – un directeur – un cadre (supérieur) – diriger (gérer) une entreprise – un(e) assistant(e) – un(e) secrétaire – le service du personnel – un DRH (directeur des ressources humaines) – un(e) employé(e) – du personnel qualifié, formé, compétent – le service administratif, commercial, financier, etc.

- **la production**

un besoin – un manque – Il manque trois employés dans le service.
– Trois employés manquent.
créer (la création) – produire (la production) – fabriquer (la fabrication) – construire (la construction) – commercialiser (la commercialisation)

Le pronom personnel indirect « en »

1 Dans les phrases ci-dessus, que remplace le pronom « en » ?

Buvez-**en**. → Buvez **du Punchy**.

Observez les constructions.
Faites la différence entre les emplois de « en » et de « le ».

2 Dans le texte suivant, utilisez un pronom pour éviter des répétitions.

Un chef d'entreprise reçoit un journaliste.
« Je vous offre un café ? Ah, vous ne buvez pas de café ! Moi, je prends dix tasses de café par jour. J'ai besoin de café pour être en forme.
Alors, mon entreprise ! Vous voulez qu'on parle de mon entreprise ? Qu'est-ce que vous voulez savoir ?
Le nombre d'employés ? Il y a 210 employés. Mon salaire ? Je ne dis mon salaire à personne. Si j'ai des projets ? Oui, j'ai un projet. Je présenterai ce projet à la presse la semaine prochaine. »

3 Complétez le dialogue entre un demandeur d'emploi et un recruteur.

R : Vous avez une voiture ?
D : Oui, ... Pourquoi ? J'aurai besoin de ma voiture ?
R : Oui, vous ....
D : Je ferai des voyages à l'étranger ?
R : Oui, ... Vous parlez combien de langues ?
D : J'...... trois : anglais, italien et japonais.
R : Vous parlez couramment le japonais ?
D : Non, je ...... couramment. Mais je ...... comprends très bien.
R : Vous avez des enfants ?
D : Non, je ....
R : Vous faites du sport ?
D : Non, Je ...... beaucoup.

Emploi du pronom « en »

Le pronom « en » reprend un nom complément d'un verbe et :

1. **précédé de « du, de la, des »**
   Vous voulez **du café** ? – Oui, j'**en** veux.
   Il y a **des employés** dans le bureau ? – Oui, il y **en** a.
   Vous avez **de l'argent** ? – Non, je n'**en** ai pas.
2. **précédé de la préposition « de »**
   Il a besoin **d'un dictionnaire** ? – Il **en** a besoin.
3. **précédé d'un mot de quantité** (un, une, deux, trois, quatre, etc. – beaucoup de, peu de, etc .)
   Dans ce cas, « en » remplace le nom mais pas la quantité.
   Tu as **une sœur** ? – J'**en** ai **une**.
   Tu as **un frère** ? – Je n'**en** ai pas.
   Il a **beaucoup de cousins**. Il **en** a **beaucoup**. (Il **en** a **dix**)
   - **Au passé composé**
     Vous avez mangé **du gâteau** ?
     – J'**en** ai mangé. Elle n'**en** a pas pris.
   - **À l'impératif**
     Voici **des gâteaux**. Prenez-**en** !
     Ce **jus de fruits** n'est pas bon. N'**en** buvez pas !

→ **Ne confondez pas les pronoms.**
- Vous connaissez **le jus de fruits Punchy** ?
  – Je **le** connais. (« le, la, les » sont des compléments directs)
- Vous buvez **du Punchy** ? – J'**en** bois.
  Vous connaissez **un bon jus de fruits** ? – J'**en** connais **un** (« en » est complément indirect ou précédé d'un mot de quantité)

Voir le tableau complet des pronoms p. 132.

Le pronom « y »

1 Dans les phrases ci-dessus, que remplace le pronom « y » ?

Il faut y mettre du soleil → Il faut mettre du soleil...

Comparez les emplois de « y » et de « lui » ou « leur ».

2 Remplacez les groupes de mots soulignés par un pronom.

- Tu connais la station de sports d'hiver Courchevel ?
Moi, je vais souvent à Courchevel. Mon amie et moi, nous passons une semaine à Courchevel pour Noël.
– Je n'aime pas les stations de ski. Je m'ennuie dans les stations de ski.
- Tu ne fais pas de ski ?
– Non, je ne fais pas de ski.
- Tu ne joues pas aux cartes ?
– Non, je ne joue pas aux cartes.
- Alors, je te conseille le restaurant « L'Avalanche ». On mange très bien dans ce restaurant. Ils ont de très bonnes tartiflettes. Je prends toujours des tartiflettes.

Emploi du pronom « y »

Le mot « y » reprend :

1. un lieu
Les employés sont **dans le bureau** ? – Ils **y** sont.

2. une chose ou une idée complément indirect d'un verbe et précédé de la préposition « à »
Il pense **à son travail** ? – Il **y** pense.

- **Au passé composé**
Tu as réfléchi **au problème** ? – Non, je n'**y** ai pas réfléchi mais je vais **y** penser.
- **À l'impératif**
Vous ne connaissez pas **Venise** ? Allez-**y** ! Mais n'**y** allez pas en été ! Il y a trop de monde.

NB – On ne met pas « y » avant le verbe « aller » au futur.
Tu iras à Venise ? – Oui, j'irai.

Exprimer une condition

1 Observez la construction. Complétez les phrases.

a. avec une conséquence
S'il fait beau dimanche ...
Si je réussis à mon examen ...

b. avec une condition
Nous irons en France si ...
Je sortirai samedi soir si ...

Expression d'une condition

- **Si + présent → présent ou futur**
Si j'ai mes congés en juillet, nous ferons un voyage.
Si nous allons en Espagne, nous prenons la voiture.
- **Si + passé composé → présent ou futur**
S'il est parti en voyage, il ne trouvera pas notre message.

Attention : si + imparfait → conditionnel.

À l'écoute de la grammaire

1 Rythme et enchaînement des constructions avec le pronom « en »

Tout le monde en parle
Vous en avez un ?... Vous en êtes content ?...
Les Martin en ont un... Ils en parlent beaucoup.
Il y en a au marché. Charles en a trouvé...
Il en a acheté deux. Il va m'en donner un.

2 Constructions négatives avec le pronom « en »

Pas au top
Un 4x4 ? – Nous n'en avons pas.
Du golf ? – Nous n'en faisons pas.
Du bordeaux ? – Pierre n'en boit pas.
Du rap ? – On n'en écoute pas.
Des sushis ? – Je n'en mange pas.
Des jeans ? – Je n'en mets pas.

2- Coup d'essai

LABORATOIRE DE COSMÉTIQUES RECHERCHE CHEF DE PROJET
Vous avez une bonne expérience dans la création de produits cosmétiques et dans l'animation d'une équipe de production.
Vous êtes créatif, créative, disponible, dynamique, vous aimez les contacts et vous parlez anglais couramment.
Dans notre entreprise, vous serez responsable d'un produit depuis sa création jusqu'à sa commercialisation.

En mai, dans une boutique de vêtements d'Orléans.

La vendeuse : Je peux vous aider ?
Laura : Merci, je regarde.
La vendeuse : Pour aller avec cette veste, nous avons la jupe ou le pantalon.

Un peu plus tard.

Laura : Qu'est-ce que tu en penses ? Je prends la jupe ou le pantalon ?
Tarek : Les deux me plaisent. Ils te vont bien. Mais si tu veux mon avis, prends plutôt la jupe, elle est plus sexy.
Laura : Ils cherchent un chef de projet, pas un top model !
Tarek : Justement, la jupe fait moins décontractée. Elle fait « femme qui a réussi ».
Laura : J'ai horreur des jupes.
Tarek : Alors, prends le pantalon !
Laura : J'en ai dix dans l'armoire.
Tarek : Pourquoi tu ne prends pas les deux ?

Quelques jours plus tard, Laura a un entretien avec la DRH d'une société de cosmétiques. À la fin de l'entretien...

La DRH : Je peux vous parler franchement ?
Laura : Je vous en prie.
La DRH : Je vois que vous n'avez pas d'enfant.
Laura : C'est exact. Je n'en ai pas.
La DRH : Et... vous pensez en avoir un, disons, dans les deux années qui viennent ?
Laura : Mon compagnon et moi, nous y pensons.
La DRH : Mademoiselle Mirmont, pour ce poste de chef de produit, il faudra être très disponible. Nous ne voulons pas quelqu'un qui nous laisse tomber dans six mois.
Laura : Pourquoi vous ne prenez pas un homme ?
La DRH : Il y a des femmes disponibles.
Laura : Je serai disponible.
La DRH : J'en suis sûre, mademoiselle Mirmont !

Chambord, un des châteaux de la Loire.

Quelques jours plus tard, un samedi matin chez Laura et Tarek.

Tarek : Alors ?
Laura : Ils ne veulent pas de moi.
Tarek : Ils sont nuls !
Laura : Tu sais, Tarek, je crois que les entretiens, j'en ai assez.
Tarek : Si tu ne cherches pas de travail, tu n'en trouveras pas.
Laura : Je n'ai plus envie de chercher. J'ai envie de créer mon entreprise.

Laura MIRMONT
17 bis rue du Marché
45000 ORLÉANS
Tél : 06 ...
Courriel :
30 ans
Célibataire

FORMATION
1996 : baccalauréat
1998 : diplôme de l'université de Cambridge
1999 : licence de chimie
2001 : mastère de chimie des arômes et des parfums (université de Versailles)

EXPÉRIENCE PROFESSIONNELLE
2002-2008 : formulatrice chez Syntex.

Compréhension et simulations

1. Lisez l'offre d'emploi.

- Quel est le travail proposé ?
- Quelles qualités faut-il avoir ? Pour chaque qualité, donnez un exemple.
  créatif → La personne pourra créer de nouveaux produits.

2. *Scène 1.*
Écoutez les deux moments de la scène. Imaginez ce que les personnages disent entre ces deux moments.

Exprimer des préférences

- J'aime... J'aime bien... J'aime beaucoup... J'adore
  plaire : Cette robe me plaît. – Elle te plaît ?
- J'aime plus ou moins. – Ça m'est égal.
- Je n'aime pas. – Je n'aime pas du tout. – Cette robe ne me plaît pas du tout. – J'ai horreur de cette robe.
- Je préfère le pantalon. Je vais **plutôt** essayer le pantalon.

3. Jouez la scène (à trois).

Vous êtes avec un(e) ami(e). Vous entrez dans un magasin pour acheter un vêtement (ou un sac, etc.). La vendeuse vous accueille. Vous demandez conseil. Vous choisissez. Vous essayez le vêtement, etc.

4. *Scène 2.* Écoutez la scène.

a. De quoi a peur la DRH ? Laura dit-elle la vérité ?
b. Imaginez le début de l'entretien.

5. *Scène 3.*

a. Écoutez le début de la scène (partie transcrite dans le livre).
Quelle nouvelle apprend-on ?
Que décide Laura ?
b. Imaginez la suite de la scène.
c. Écoutez et transcrivez la fin de la scène.

Sons, rythmes, intonations

Différenciez [k] et [g].
Musique
Quatre garçons
Qui jouent de la guitare
Chantent tangos et flamencos
Sur un quai pas très gai
De la gare de Calais
Et un groupe d'Anglais
En oublie sa correspondance

Samia KADOURI
BP 2007
Héliopolis
Le Caire
ÉGYPTE
Tél. : ...
Courriel : ...

Le Caire, le 20 avril 2007

LESCOT ARCHITECTURES
84 rue de Vaugirard
75006 PARIS

Madame, Monsieur,

Diplômée de l'École d'architecture du Caire, j'ai eu l'occasion d'étudier plusieurs des réalisations de Lescot Architectures. La médiathèque de Villeneuve, le musée de Châtillon et le théâtre d'été de Laroche m'ont beaucoup impressionnée.

Pour améliorer mes compétences, je souhaiterais faire un stage dans votre bureau d'architecture. Je suis en effet très intéressée par la création de bâtiments culturels.

J'ai déjà eu deux expériences dans ce domaine en Égypte : la réalisation d'une bibliothèque et la création d'un musée.

Je parle couramment l'anglais, l'arabe et le français. J'ai étudié votre langue au centre culturel français du Caire et à l'Alliance française de Paris.

Je vous remercie par avance de me dire si ce stage est possible. Je pourrais être disponible pour un entretien à partir du 1er juillet.

Dans l'attente de votre réponse et dans l'espoir de travailler avec vous, je vous prie d'agréer, Madame, Monsieur, l'expression de mes sentiments les meilleurs.

Samia Kadouri

Pièce jointe : curriculum vitae

Lecture de la lettre

1. Lisez la lettre et répondez aux questions.

a. Qui écrit ? À qui ? Pourquoi ?

b. Quelle est la formation de Samia ?

c. Quelles sont ses compétences ?

d. Comment Samia essaie-t-elle d'intéresser Lescot Architectures ?

2. Observez l'organisation de la lettre. Comparez avec l'organisation d'une lettre administrative dans votre pays.

Écrivez une lettre de demande d'emploi

Vous êtes intéressé(e) par l'emploi ci-dessous. Écrivez au Conseil régional de Bourgogne.

CONSEIL RÉGIONAL DE BOURGOGNE
Recherche hôtes et hôtesses trilingues, toutes nationalités, pour représenter la région dans les salons internationaux du tourisme.

Rédigez

Rédigez la partie « Expérience professionnelle » de votre CV. (Voir le CV p. 43)

En Normandie, la Snecma travaille sur les moteurs de la fusée Ariane.

L'ÉCONOMIE EN FRANCE

LA CRÉATION DES PÔLES DE COMPÉTENCES

C'est fait. Depuis août 2005, les pôles de compétences existent. Ils groupent dans une même région les centres de recherche et les entreprises créatives qui peuvent travailler ensemble sur des projets de recherche.
Par exemple, la Normandie sera spécialisée dans les moteurs d'avion et d'automobile et les cartes électroniques.
Ces pôles recevront des aides de l'État.

Le travail en dix points

① **Durée du travail :** 35 heures par semaine pour beaucoup de salariés (personnes qui travaillent dans une entreprise ou une administration). On peut travailler plus si on le souhaite.

② **Les congés :** 5 semaines par an. Si on travaille plus de 35 heures par semaine, on peut avoir des congés en plus.

③ **La retraite :** à 60 ans. Mais on peut travailler plus longtemps.

④ **Le salaire :** le salaire minimum (Smic) est 1 100 € net ; le salaire moyen 2200 €.

⑤ **Les syndicats :** 7 % des travailleurs français sont syndiqués. Les syndicats ne gèrent pas les aides sociales comme dans certains pays mais ils ont le pouvoir de mettre beaucoup de gens en grève.

⑥ **Les catégories professionnelles :** on distingue :
- les fonctionnaires : employés de l'État (6 millions)
- les salariés des grandes entreprises (8 millions)
- les salariés des petites entreprises (PME) (7 millions)
- les travailleurs indépendants (2 millions)

⑦ **Les chômeurs :** en 2007, 2 millions de personnes étaient au chômage (8 % des personnes en âge de travailler). Ce nombre a augmenté avec la crise économique.

⑧ **Les personnes en difficulté :** plus de 3 millions de personnes : jeunes sans travail, retraités avec une petite retraite, personnes qui n'ont pas d'emploi à plein-temps.

⑨ **La population qui travaille :** 25 millions (quatre Français sur dix). La moitié sont des femmes. Les Français commencent à travailler plus tard qu'avant.

⑩ **La Sécurité sociale :** elle prend 10 % sur tous les salaires. Elle paie les soins à l'hôpital, une partie des consultations chez le médecin et des médicaments. Elle paie aussi certaines retraites.

L'économie et le travail en France

1. Lisez le document ci-dessus. Quels sont les points positifs et les points négatifs dans le monde du travail en France ?
Faites des comparaisons avec votre pays et les pays que vous connaissez.

2. Écoutez ces courtes scènes. Faites-les correspondre avec un des points du document « Le travail en dix points ».
Exemple : a → 3. (la retraite) ...

Revue de presse

Jusqu'où faut-il interdire ?

Plus de boissons à la récré

Depuis le 1er septembre 2005, les distributeurs de boissons sucrées et de petits biscuits sont interdits dans les écoles.
Les spécialistes de l'alimentation ont peur que les enfants mangent trop et grossissent. Pourtant, il y a quelques années, les mêmes spécialistes disaient que beaucoup d'enfants ne mangeaient pas assez au petit déjeuner et à la cantine. Le petit croissant du distributeur, pris à 10 h et à 16 h, était alors le bienvenu.

Source : *Aujourd'hui en France*, 10/09/2005.

DES VACHES, OUI… MAIS SANS CLOCHES

D… est un dessinateur installé dans un petit village de Savoie (région des Alpes). Depuis des années, jour et nuit, D… entend les cloches des vaches de son voisin F… et il ne les supporte plus.
D… n'est pas contre les cloches mais il dit qu'il ne peut plus dormir et qu'il ne peut plus travailler. Il veut que son voisin mette ses vaches un peu plus loin dans la montagne. F… refuse et répète que ses vaches ont toujours été là, que les cloches sont des outils de travail et qu'elles font partie des traditions locales.

Source : Le Monde.fr, 06/10/2006.

Magasins ouverts le dimanche POUR ou CONTRE ?

En France, les magasins qui emploient des salariés ne peuvent pas ouvrir le dimanche et les jours fériés. Il n'y a que les cafés, les restaurants, les pharmacies et quelques commerces d'alimentation qui sont autorisés à le faire.
Pourtant, au Portugal, au Québec, en Grande-Bretagne et en Suède, les règles sont différentes.
Les Français, eux, sont partagés. Les uns pensent que l'ouverture des magasins sept jours sur sept sera une bonne chose pour l'économie. Les salariés qui travaillent le dimanche seront mieux payés.
Les autres ont peur que le dimanche devienne un jour comme les autres. Si les parents doivent travailler le week-end, quand la famille pourra-t-elle se retrouver ?

Source : *Aujourd'hui en France*, 02/01/2005

Irresponsable ou artiste ?

En 1995, Thierry E., un homme d'affaires, achète une belle maison du XVIIe siècle dans un village près de Lyon.
Mais Thierry E. est un artiste. En quelques années, il va totalement transformer sa maison. De la rue, on peut voir des murs peints en rouge, couverts de fumée et de portraits de Ben Laden ou de Fidel Castro. Le jardin ressemble à un théâtre de guerre : canons, voitures accidentées, morceaux d'avions.
Tout cela fait bizarre dans ce pittoresque village qui compte beaucoup de monuments historiques.
Le maire et une partie de la population sont en colère. Ils font un procès. Mais le juge autorise Thierry E. à garder son « œuvre d'art ».
Et d'autres habitants, séduits par ce travail d'artiste, veulent imiter Thierry E.

Source : AFP, 15/09/2006

Lecture de la revue de presse

Lisez les articles avec l'aide du professeur. Pour chaque article, complétez le tableau.

	Article 1
Où se passe l'histoire ?	
Quel est le problème ?	
Qui est son auteur ?	
Qui accuse ?	

Jugez les quatre affaires

(Travail en petits groupes)

1. Faites quatre groupes. Partagez-vous les quatre affaires.

Dans chaque groupe, chacun choisit la personne qu'il va défendre.

2. Chaque étudiant cherche des idées pour défendre la personne qu'il a choisie et pour accuser les autres.

3. Chaque groupe présente son affaire à la classe.

La classe vote pour dire qui a tort et qui a raison.

Pour juger quelqu'un

- **accuser quelqu'un**
  Pierre a tort. Il a tort de dépenser beaucoup d'argent.
  J'accuse Pierre de dépenser beaucoup d'argent. Il n'y a plus d'argent. C'est la faute de Pierre.
  Il est responsable du manque d'argent.
- **défendre quelqu'un**
  Pierre a raison. Il a raison de dépenser beaucoup d'argent.
  Je le défends.
  S'il a un problème d'argent, ce n'est pas (de) sa faute.

Racontez

Connaissez-vous une histoire, une affaire pour compléter la « revue de presse » ?

Comprendre l'emploi du subjonctif

1 Observez les phrases ci-dessus et complétez les deux tableaux.

a. Phrases de Paul Roux

Verbe d'introduction	que	Temps du verbe de la proposition complément
Je dis (dire) ...	que ...	il y aura (futur) ...

b. Phrases du public

Verbe d'introduction	que	Temps du verbe de la proposition complément
Nous voulons (vouloir)	que	il y ait (subjonctif)

Après quels verbes emploie-t-on le subjonctif ?

2 Lisez le tableau de grammaire ci-dessous.

L'emploi du subjonctif

Quand le verbe principal exprime : – **un savoir, une connaissance** (savoir, dire, répéter, vouloir dire, voir, oublier, se rappeler, se souvenir) – **une opinion positive** (penser, croire) – **un espoir** (espérer) → **le verbe de la proposition complément est à l'indicatif (présent, passé composé, imparfait, futur).** Je sais que Marie **est** absente aujourd'hui. Je crois qu'elle **viendra** demain. J'espère qu'elle n'**a** pas **été** malade.	**Quand le verbe principal exprime :** – **une volonté ou une obligation** (vouloir, demander, avoir besoin, il faut) – **une préférence** (aimer, adorer, préférer, détester, avoir envie, avoir horreur) – **certains sentiments** (avoir peur, souhaiter) → **le verbe de la proposition complément est au subjonctif.** Je veux qu'elle **vienne**. J'ai envie qu'on **soit** ensemble.

Formation du subjonctif présent

Verbes en *-er*

Il faut que je parl**e**
que tu parl**es**
qu'il/elle parl**e**
que nous parl**ions**
que vous parl**iez**
qu'ils/elles parl**ent**

N.B. – Quand la proposition complément a le même sujet que le verbe principal, on utilise la construction à l'infinitif.
Je veux partir.
(mais « **Je veux que tu partes.** »)

Autres verbes

avoir : il faut que j'aie – que tu aies – qu'il/elle ait – que nous ayons – que vous ayez – qu'ils/elles aient
être : il faut que je sois – que tu sois – qu'il/elle soit – que nous soyons – que vous soyez – qu'ils/elles soient
aller : il faut que j'aille – que tu ailles – qu'il/elle aille
venir : ... que je vienne
dire : ... que je dise
prendre : ... que je prenne
savoir : ... que je sache
finir : ... que je finisse
faire : ... que je fasse

Comme avec le futur, il suffit de connaître la première personne pour trouver les autres.
Voir ces conjugaisons p. 138.

3 Employez le subjonctif.

a. Le professeur dit souvent ces phrases en classe. Écrivez le verbe à la forme qui convient.

Il faut que vous (*apprendre*) le vocabulaire.
Je voudrais que vous (*faire*) les exercices du cahier d'exercices.
Il faut que nous (*parler*) toujours français en classe.
Il faut que vous (*être*) présents à tous les cours et que vous (*avoir*) votre livre.

b. Trouvez d'autres phrases qui commencent par « Il faut » ou « Je voudrais » et qui sont utilisées en classe.

c. Donnez les instructions de la partie a. à votre voisin(e). Il faut que tu...

d. Prenez des décisions. Il faut que je...

4 Indicatif ou subjonctif ? Mettez les verbes à la forme qui convient.

Un chef d'entreprise donne des instructions.

- Florence, je sais que vous (*être*) en vacances la semaine prochaine. Je voudrais que vous (*finir*) les comptes pour vendredi.
- Samir, il faut que vous (*aller*) au Canada. Notre bureau de Montréal (*avoir*) un problème.
- Myriam, n'oubliez pas que nous (*offrir*) un cocktail le 10 février. Il faut qu'on (*faire*) les invitations.
- Je ne (*pouvoir*) pas être au Salon de Berlin. Pierre, je voudrais que vous y (*être*).

5 Imaginez des phrases. Laura et Tarek décorent leur appartement.

Je voudrais que... J'aime bien que... J'ai horreur que... Je préfère que... Il faut que...

Indiquer la quantité

1 Répondez en utilisant la construction « ne ... que ».

Exemple : **a.** Je ne connais que Saint-Tropez.

Un homme sélectif

a. Tu connais le sud de la France ? – ... Saint-Tropez.
b. Tu vas dans les boîtes de nuit ? – ...
c. Tu bois des cocktails ? – ...
d. Tu danses avec mes copines ? – ... Flora.

Pour évaluer une quantité

1. Poids et mesures

- peser. Cette lettre pèse 20 grammes.
  Ce paquet pèse 1,5 kg (1 kilo 500)
  Combien pèses-tu ? – 55 kilos.
- mesurer. Mon appartement mesure 10 m sur 5.
  Il mesure (il fait) 50 m² (mètres carrés).
  Combien tu mesures ? – 1,70 m (1 mètre 70).

2. Ne ... que – Seulement

Beaucoup d'étudiants ont la grippe. Il **n'**y a **que** cinq étudiants dans la classe. Il y a **seulement** deux garçons.

3. Évaluer

Dans ce quartier, il y a **trop de** voitures. Est-ce qu'il y a **assez de** parkings ? Non, il **n'**y en a **pas assez**.

À l'écoute de la grammaire

1 Écoutez ces phrases. Notez le deuxième verbe. Quand ce verbe est au subjonctif, expliquez pourquoi.

Espoir
Je voudrais que Claudia vienne demain.
J'espère qu'elle me téléphonera.
Il faut que ...

2 Différenciez le présent de l'impératif et le présent du subjonctif.

Avant le départ en week-end
Préparez-vous ! Il faut que vous vous prépariez.
Rangez vos affaires ! Il faut que vous rangiez vos affaires.
...

3- Coup de blues

UN NOUVEAU LABORATOIRE DE PARFUMS À GRASSE

Quand on lui dit que le secteur de la parfumerie est en difficulté, Laura Mirmont n'y croit pas. Cette jeune femme courageuse et pleine d'idées vient d'installer à Grasse un nouveau laboratoire spécialisé dans la création de parfums : Floréal.
Laura Mirmont est optimiste. Pour elle, « le monde de demain sera parfumé ». Et pas seulement les produits de beauté mais aussi les vêtements, les voitures, les salles de cinéma et de théâtre.
Son équipe vient de créer un livre extraordinaire qui produit des ambiances parfumées selon les pages. Une révolution !

Un an plus tard chez Laura et Tarek à Grasse.

Laura : Laura Mirmont, bonjour. ...... Ah, bonjour, Leïla, comment ça va ? ...... Ben moi, je n'arrête pas. ......
Oui, on loue une maison à deux kilomètres de Grasse. ...... Il va bien. Il travaille avec moi maintenant. ......
Oh, c'est pour plus tard. ......
Ben tu sais, on commence. C'est pas facile. ......
On a créé des produits. Maintenant, il faut les commercialiser. ...... Ah, il faut passer nous voir. ......
Le week-end du 11, pas de problème. ...... Non, on a une chambre d'amis. ...... Alors, à bientôt. Ciao !

2

Le mardi.

Tarek : Laura, c'est le dernier soir pour aller voir le film de Klapisch !
Laura : Pas ce soir, Tarek. Il faut que je prépare la réunion de demain.
Tarek : Laura, tu ne penses qu'à ton travail. Il faut qu'on sorte, qu'on aille au resto, qu'on voit des gens !
Laura : Quand on aura moins de problèmes.
Tarek : Dommage. C'est un bon film.
Laura : Vas-y seul.
Tarek : J'ai l'autorisation ?
Laura : Oui, mais je t'interdis de rentrer après minuit !
Tarek : Reçu cinq sur cinq. À minuit, je te raconte le film.

Le vendredi, dans les bureaux de Floréal.

Laura : Tu as fait les comptes ?
Tarek : Oui, on ne peut tenir que trois mois !
Laura : Il faut qu'on ait l'aide du pôle de compétences.
Tarek : J'ai peur que ce soit long.
Laura : Et la banque ?
Tarek : Je leur ai montré le prototype. Ça les a amusés, mais ils n'y croient pas.
Laura : Et si on trouve des marchés ?
Tarek : Ça change tout.

Samedi, chez Laura et Tarek.

Leïla : Il est génial, votre truc !
Tarek : On est d'accord mais personne n'en veut !
Leïla : J'ai un copain éditeur. Je suis sûre qu'il sera intéressé !
Laura : Une hirondelle ne fait pas le printemps !
Leïla : Sauf si l'hirondelle fait de la publicité.
Tarek : Et on la paie comment la publicité ?
Leïla : J'ai une copine à la télé... Laura, il faut que tu passes à la télé !

Compréhension et simulations

1. *Texte et scène 1.*
a. Transcrivez les questions de Leïla.
b. Qu'apprenez-vous de nouveau ?

2. *Scène 2.* Écoutez la scène.
Le mercredi matin, Laura raconte sa soirée à une assistante. Continuez.
« Hier soir, Tarek a voulu... Mais... »

3. Jouez une de ces scènes à deux. Utilisez le vocabulaire du tableau.
a. Vous voulez organiser une fête dans votre classe (ou dans votre entreprise). Vous demandez l'autorisation au directeur mais certaines choses sont interdites.
b. Vous devez aller d'urgence dans une pharmacie. Vous garez votre voiture sur une place de stationnement interdit. Un policier arrive...

Interdire – Autoriser

- **Interdire – Défendre**
C'est interdit – Je vous interdis de fumer
C'est défendu – Il nous défend de fumer
- **Demander une autorisation**
Est-ce que je peux entrer ? Est-ce que vous m'autorisez à prendre un jour de congé ?
Je demande l'autorisation de prendre un jour de congé.
- **Autoriser**
C'est autorisé. – Je vous autorise à prendre un congé.
Vous avez l'autorisation de sortir à 16 h.

4. *Scènes 3 et 4.*
Écoutez les scènes. Faites la liste :
– des problèmes de l'entreprise Floréal
– des solutions possibles

Sons, rythmes, intonations

Différenciez [t] et [d].

1. Écoutez ces mots. Notez-les dans le tableau.

[t]	[d]
C'est tôt ...	Le dos ...

2. Interdiction
Dites donc !
L'entrée est interdite.
Vous êtes dans un studio... de télévision sans autorisation. Quelle idée !

ENTRÉE EN POLITIQUE

1790 – la naissance des départements

Quand la Révolution française de 1789 commence, la France est divisée en une trentaine de provinces. Mais ces provinces sont très différentes. Les unes sont plus riches que les autres. Elles n'ont pas les mêmes lois et on n'y parle pas la même langue.
Les députés de la Révolution veulent que les Français soient égaux. Ils partagent la France en 83 **départements**. Chaque département est créé autour d'une ville importante. Il est dirigé par un **préfet** nommé par l'État qui fait respecter les lois de la République.
Aujourd'hui, la France compte **96 départements** et **4 départements d'outre-mer** (La Martinique, la Guadeloupe, la Guyane et la Réunion). Avec la création des **régions** en 1982, certains pensent que le département est une administration inutile.
Mais les Français se reconnaissent dans leur département. On dit « Je suis du Doubs » (département de la ville de Besançon) et un Normand du Calvados se sent différent d'un Normand de l'Eure.

Élections municipales – 18 mars 2001

Comme Paris et Lyon DIJON PASSE À GAUCHE

La liste de François Rebsamen, numéro 2 du Parti socialiste, est arrivée en tête avec 52,14 % des voix contre 47,86 au RPR François Bazin.
Les Dijonnais ont donc élu leur premier maire de gauche depuis 1945.
François Rebsamen dirigera la commune de Dijon jusqu'en 2007 avec ses 55 conseillers municipaux.

LA RÉGION POITOU-CHARENTES

Située dans l'ouest de la France, la région Poitou-Charentes est une des 22 régions de l'Hexagone. Créée en 1982, elle regroupe quatre départements : la Charente, la Charente-Maritime, les Deux-Sèvres et la Vienne. Elle est administrée par un conseil régional et un président de région installés à Poitiers. Ils sont élus pour 6 ans par les habitants de la région.
En France, la région a moins de pouvoir qu'en Allemagne ou en Espagne. Pour l'éducation, par exemple, c'est Paris (le gouvernement) qui décide des programmes, des jours de vacances, etc.

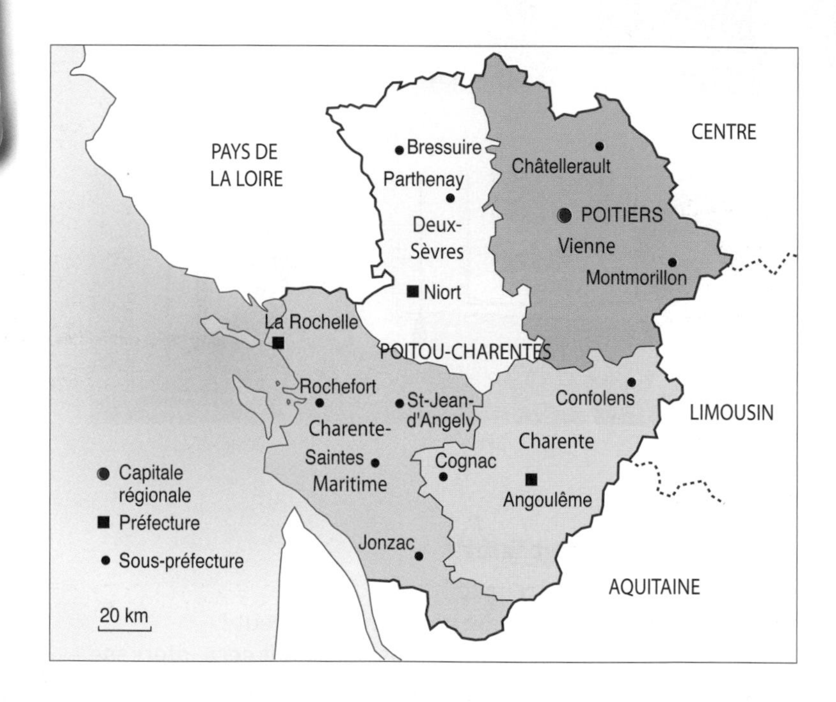

L'organisation administrative de la France

Lisez les documents ci-dessus et complétez le tableau.

Division administrative	La commune	...	...
Qui la gouverne ?			
Comment est-il élu ?			
Par qui ?			
Pour combien de temps ?			

Le gouvernement

En utilisant les documents de la page 149, complétez le schéma suivant.

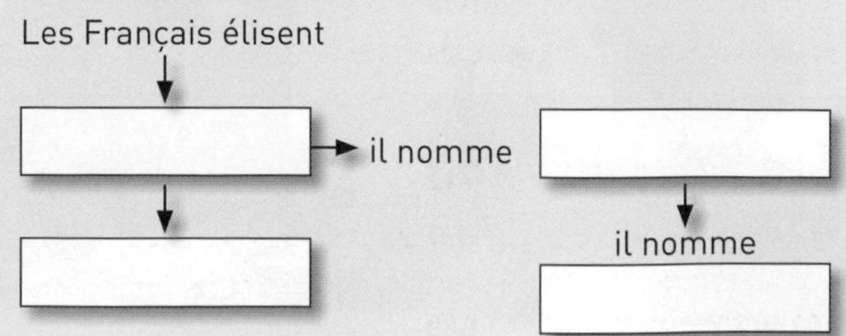

ÉLECTION PRÉSIDENTIELLE AVRIL 2007

NICOLAS SARKOZY président de la République

Les électeurs ont fait leur choix. la droite garde le pouvoir en France. Nicolas Sarkozy, candidat de l'UMP (Union pour un mouvement populaire) a été élu par 53,06 % des voix contre Ségolène Royal, candidate du Parti socialiste.
M. Sarkozy a été élu pour 5 ans. Il succède à Jacques Chirac.
Il vient de nommer son Premier ministre, François Fillon, ancien ministre des Affaires sociales puis de l'Éducation nationale. Dans les jours qui viennent, M. Fillon va nommer les ministres du nouveau gouvernement.
Marié et père de trois enfants, Nicolas Sarkozy a 52 ans. Entré très jeune en politique, il a été maire de la ville de Neuilly à 28 ans, ministre du Budget à 38 ans, puis ministre de l'Économie et des Finances et ministre de l'Intérieur.

Nicolas Sarkozy et trois autres présidents de la République :
Charles de Gaulle (1958-1969)
François Mitterrand (1981-1995)
Jacques Chirac (1995-2007)

ÉLECTIONS LÉGISLATIVES

LES FRANÇAIS DONNENT UNE MAJORITÉ À LEUR PRÉSIDENT

Les élections d'hier ont donné les résultats suivants :
- UMP (Union pour un mouvement populaire) : 323 députés
- Nouveau Centre : 22
- Autres partis du centre : 13
- PS (Parti socialiste) : 186
- Verts : 5
- PC (Parti communiste) et divers gauche : 30

La nouvelle chambre des députés est élue pour cinq ans.

Les vœux des jeunes

À l'occasion de l'élection présidentielle, on pose à quatre jeunes la question : « Que doit faire le nouveau président ? »
Notez les vœux de ces jeunes.

UN DIMANCHE À LA TÉLÉ...

Notre sélection

VOTRE MATINÉE

6.00-6.30 • 3 • **Euronews**

6.30-6.45 • TF1 • **Informations**

6.45-10.15 • TF1 • **Jeunesse et Club Disney** : les films et les dessins animés que les enfants adorent.

10.10-12.40 • 5 • **Le bateau livre** : les livres qui viennent de sortir. Interview de Michel Butor.

12.00-13.00 • 2 • **Chanter la vie** : émission de chansons animée par Pascal Sevran. Les folles années quatre-vingt. Invités : Pascal Obispo, Richard Clayderman.

12.40-13.35 • 5 • **Arrêt sur images** : Daniel Schneidermann étudie comment les différentes chaînes de télévision ont rapporté un événement récent. Aujourd'hui, les événements dans les banlieues.

13.00-13.25 • 2 • **Le journal**

6.00-9.30 • M6 • **M6 music et star 6 music** : des interviews, des clips et des chansons françaises et internationales qu'on va bientôt entendre partout.

9.35-10.00 • 5 • **L'atelier de la mode** : au sommaire : la mode dans les hypermarchés, le goût du relooking.

10.00-11.00 • TF1 • **Auto-moto** : le magazine des passionnés de motos et de voitures.

11.30-12.00 • 2 • **La vie d'ici** : émission régionale. Chaque région présente sa vie locale et ses traditions.

12.50-13.25 • 3 • **Trente millions d'amis** : le magazine des animaux familiers.

L'émission « Arrêt sur images ». Quand la télé parle de la télé.

VOTRE APRÈS-MIDI

13.25-15.35 • 2 • **Vivement dimanche :** Michel Drucker invite une personnalité qui raconte les grands moments de sa vie professionnelle et de sa vie privée. Invitée de l'émission : Céline Dion.

16.00-17.00 • TF1 • **Les experts, Manhattan :** série policière, E.-U., 2004. Réal. : *Alex Zakrzewski*. Danny et Mac enquêtent dans le milieu de la Bourse de New York, suite au meurtre d'un agent de change.

17.00-18.00 • TF1 • **Vidéo gag :** les meilleurs gags. Les moments les plus drôles.

18.00-19.00 • TF1 • **Star Académie :** en direct du château. Interview des élèves de la Star Ac.

13.15-13.45 • 2 • **J'ai rendez-vous avec vous :** Rachid Arhab donne la parole aux gens de la rue. En direct de Caen. Les médias sont-ils libres ?

16.10-18.00 • 3 • **Trop, c'est trop :** théâtre. Mise en scène de Georges Beller, avec Georges Beller et Ariane Abadie.
Un psychanalyste a des problèmes avec sa femme. Avant de se séparer, le couple décide de se donner une dernière chance.

17.25-18.00 • arte • **La cuisine des terroirs**

18.00-19.00 • 5 • **Ripostes :** Serge Moati anime un débat sur une question d'actualité.

VOTRE SOIRÉE

19.00-20.00 • TF1 • **Le sept à huit :** Anne-Sophie Lapix et Harry Roselmack reviennent sur les principaux moments de l'actualité de la semaine. Suites de courts reportages.

20.00-20.30 • France 2 • **Le journal – la météo – les info routes**

21.00-23.00 • TF1 • **Qui veut gagner des millions ? :** jeu animé par Jean-Pierre Foucault. Des couples célèbres à la ville ou sur la scène vont essayer de gagner de l'argent pour l'association qu'ils aident.

23.00-24.00 • CANAL+ • **L'équipe du dimanche :** toute l'actualité du football du week-end en France et dans le monde.

Le plateau de l'émission « Qui veut gagner des millions ? »

19.00-20.00 • arte • **Concert classique :** l'orchestre Europa Galante, sous la direction de Fabio Biondi, joue du Corelli et du Vivaldi.

20.50-23.00 • M6 • **Capital :** émission d'économie animée par Guy Lagache. Au programme ce soir : « Femme ou patron, faut-il choisir ? »

23.00-00.20 • M6 • **Secret d'actualité :** enquêtes. Présentation : Éric Delvaux. Chaque semaine, Éric Delvaux enquête sur un événement mystérieux ou incompréhensible de l'actualité. Cette semaine : le mystère du coup de tête de Zidane au Mondial 2006.

Votre programme télé

1. Avec l'aide du professeur, lisez la sélection télé du dimanche.

a. Classez chaque émission.
- actualité
- débat
- économie
- émission jeunesse
- fiction (film, téléfilm, etc.)
- jeu
- magazine de société
- musique et chanson
- théâtre
- sport

b. Ce programme ressemble-t-il aux programmes de télévision de votre pays ?

2. Choisissez vos émissions.

Pour chaque moment de la journée, vous avez le choix entre deux émissions.
Sélectionnez l'émission que vous préférez et faites votre programme de la journée.

Créez votre programme télé

(Travail en petits groupes)

1. Imaginez et rédigez votre programme télé idéal. Pour chaque émission rédigez trois lignes de présentation.

2. Présentez votre programme. Discutez.

Pour parler de la télévision et de la radio

• La télévision

une chaîne de télévision
– une télécommande – changer de chaîne – zapper – les chaînes publiques : France 2, France 3, France 5, Arte, TV5
les chaînes privées : TF1, M6, Canal Plus, LCI, etc.
les chaînes régionales, locales

• La radio

une radio (un poste de radio) – une station de radio
les stations publiques : France Inter, France Info, France Culture, France Musique, RFI (Radio France Internationale)
les stations privées : RTL, RMC, Europe 1, Fun radio, Sky Rock

• Les émissions (de télévision ou de radio)

le journal (les informations) – un débat – un magazine – un reportage
– un documentaire – un film (un téléfilm)
– un jeu – une émission de téléréalité

Caractériser, préciser avec une proposition relative

1 Observez les phrases ci-dessus. Quel mot caractérise chaque groupe en gras ? Réécrivez les phrases sans utiliser les pronoms relatifs (qui, que, où).

Exemple : Voici une maison. Nous tournons « Les parfums de Laura » dans cette maison.

2 Combinez les deux phrases en utilisant « que ».

- Ce soir, nous allons regarder une émission de télé. J'aime beaucoup cette émission.
- « Thalassa » est une belle émission. Je la regarde toujours.
- J'y découvre des pays extraordinaires. Je ne connais pas ces pays.

3 Ajoutez l'information entre parenthèses en utilisant « qui », « que », « où ».

- Pierre m'a prêté un CD. (J'ai écouté ce CD)
- J'ai découvert un chanteur. (On connaît mal ce chanteur)
- Il fait de belles chansons. (Les chansons parlent du Brésil)
- Il a des rythmes super. (Ces rythmes me plaisent)
- Le Brésil est un beau pays. (J'ai envie d'y aller)

4 Transformez les phrases en présentant le mot souligné.

Exemple : **a.** C'est un film que j'adore.

a. *Astérix aux Jeux olympiques* : j'adore ce film.
b. Clovis Cornillac. Cet acteur joue très bien.
c. Adriana Karembeu. Cette actrice est très belle.
d. Alain Delon. J'ai vu très souvent cet acteur.
e. Jamel Debbouze. Ce comédien est amusant.

Les propositions relatives

Une proposition relative caractérise un nom (personne, chose ou idée). Cette proposition peut être introduite par :

- **qui**
  Le mot caractérisé est sujet du verbe de la proposition relative.
  J'ai vu un film. **Il** a été tourné en Provence.
  → J'ai vu un film **qui** a été tourné en Provence.
- **que**
  Le mot caractérisé est complément direct du verbe de la proposition relative.
  Nous avons vu un film. Pierre a beaucoup aimé **ce film**.
  → Nous avons vu un film **que** Pierre a beaucoup aimé.
- **où**
  Le mot caractérisé est complément de lieu de la proposition relative.
  Je suis retourné au cinéma La Pagode. Nous avons vu le film *Amélie Poulain* **dans ce cinéma**.
  → Je suis retourné au cinéma La Pagode **où** nous avons vu le film *Amélie Poulain*.

Constructions pour présenter ou définir

- Qui est Anne Rivière ?
- **C'est** l'actrice **qui** joue le rôle de Laura.
- **Voici** un livre **que** j'aime beaucoup et **que** j'offrirai à Paul pour son anniversaire.
- Toulouse : **c'est** la ville **où** je suis né(e).

Le mot caractérisé peut être défini ou indéfini.
Je connais **un acteur qui** peut jouer le rôle de Tarek.
Je connais bien **l'actrice qui** joue le rôle de Laura.

Caractériser une action

1 Recherchez et classez les formes qui caractérisent les groupes verbaux en gras.

entre → rapidement

2 Remplacez l'expression ou la phrase soulignées par un adverbe en *-ment*.

Réussite à l'examen
Inès a étudié avec beaucoup de patience.
Elle est allée passer l'examen. Elle était tranquille.
Elle a répondu aux questions avec intelligence.
Elle a trouvé ça facile. Elle a réussi.
Elle a fêté son succès avec joie.

3 Placez l'adverbe entre parenthèses dans la phrase.

Une fête
Nous avons mangé (beaucoup).
Nous nous sommes amusés (beaucoup).
Nous avons dansé (bien).
Nous avons chanté (joyeusement).
Nous sommes partis (très tard).

4 Complétez en utilisant la forme « en + participe présent ».

Parlez de vos habitudes
a. J'écoute de la musique en prenant mon bain, en ...
b. Je téléphone sur mon portable en ...
c. Je regarde la télévision ...
d. Je travaille ...

Caractériser une action

1. Les adverbes

- Quelques adverbes fréquents : bien – mal – vite – fort – souvent – très – etc.
- **Les adverbes en *-(e)ment***
  Ils sont formés à partir d'un adjectif.
  lent → lentement — régulier → régulièrement
  vrai → vraiment — heureux → heureusement
- **La place de l'adverbe**
  → aux temps simples
  Elle parle **bien, rapidement, correctement.**
  → aux temps composés
  Il est sorti **rapidement**. Il est sorti **tôt**.
  Certains adverbes courts peuvent se placer après l'auxiliaire.
  Il est **vite** sorti.
- **Nuancer le sens d'un adverbe**
  Elle chante **assez** bien.
  Cette entreprise marche **parfaitement** bien.

2. La forme « en + participe présent »
Le participe présent se forme généralement à partir de la forme « nous » du présent.
nous parlons → **parlant** — nous allons → **allant**
La forme « en + participe présent » caractérise une action ou donne une information sur cette action.
Il dîne **en regardant la télévision.**
Ils se sont salués **en se serrant la main.**

3. Caractériser une action par un superlatif
C'est Marie qui joue **le mieux**.
L'artiste qui joue **le plus mal** est parti.

À l'écoute de la grammaire

1 Le son [u] opposé à [o] et à [w]

Jalousie
Voici le château où tu es née
Voici l'hôtel où il vit
Pourquoi vous et pas moi ?
Voici le bureau où je travaille
Voici le vieux bateau où je vis
Pourquoi moi et pas vous ?

2 Formes orales familières. Notez ce qui n'est pas prononcé.

Il y a quelqu'un ?
Tu es où ?
Il n'y a personne ?
Tu ne m'entends pas ?
Tu n'es pas loin ?
Tu n'as pas pris tes affaires !

4- Coup de cœur

Paris. Sur un plateau de télévision.
Une heure avant l'émission « Il faut tout essayer ».

Laura : J'ai un peu le trac !
La réalisatrice de l'émission : C'est normal. Ne vous inquiétez pas. Ça va passer en arrivant sur le plateau.
Laura : Je l'espère !
La réalisatrice : On va faire une répétition... Entrez !... En souriant, s'il vous plaît !... Descendez l'escalier !... Plus rapidement... en regardant le public !
Laura : On vit dangereusement, chez vous.
La réalisatrice : Maintenant, allez vers l'animateur et serrez-lui la main en lui disant bonjour.
Laura : C'est lui qui me présente ?
La réalisatrice : Oui, mais attention, il va commencer par une plaisanterie...

Deux jours plus tard dans les bureaux de Floréal.

Tarek : C'est formidable. Tous les journaux parlent de l'émission. Écoutez... *Le Figaro* : « Après le livre qu'on écoute, voici le livre qu'on respire ».
Un employé : Pas mal !
Tarek : Le Parisien : « Des histoires bien senties ».
L'employé : Très fort !

Six mois plus tard. À l'aéroport de Nosy Be, à Madagascar.

M. Andriavolo : Bonjour, madame Mirmont, bonjour, monsieur Issifi. Je suis très heureux de faire votre connaissance.
Laura : Nous aussi. C'est très gentil d'être venu à l'aéroport.
M. Andriavolo : Vous avez fait bon voyage ?
Tarek : Excellent !
M. Andriavolo : Alors, bienvenue à Nosy Be, qu'on appelle l'île aux parfums !
Tarek : C'est tout un programme... C'est ici que vous avez vos plantations ?
M. Andriavolo : Mes petites plantations. Justement, je suis surpris...
Laura : De quoi, monsieur Andriavolo ?
M. Andriavolo : Pour acheter vos fleurs, c'est moi que vous choisissez, moi, un petit producteur et pas la Sodexport. C'est étonnant.
Laura : On cherche un partenaire commercial, c'est vrai. Mais on veut aussi quelqu'un qui participe à la création de nos parfums...

À la fin du séjour à Madagascar.

Laura : Je lève mon verre à Madagascar et à M. Andriavolo. Avec lui, nous serons les meilleurs !
M. Andriavolo : Pourquoi voulez-vous toujours être les meilleurs ?
Laura : C'est plus fort que nous !
M. Andriavolo : Vous voyez cet arbre ?
Laura : Oui, c'est un baobab.
M. Andriavolo : Je vais vous raconter une histoire...
Au commencement du monde, le baobab était le plus bel arbre de la forêt. L'arbre qui faisait les plus belles branches, les plus belles feuilles, les plus belles fleurs, l'arbre que tout le monde admirait.
Mais comme on lui disait toujours qu'il était beau, il est devenu orgueilleux.
Alors Dieu a voulu le punir. Il l'a arraché et l'a replanté à l'envers. Les racines vers le haut. Et c'est comme ça qu'il est aujourd'hui !
Laura : C'est une belle histoire. On en fera un livre qui aura les parfums de Nosy Be !
M. Andriavolo : Vous ne perdez pas le nord, vous !

Compréhension et simulations

1. *Scène 1.* Écoutez la scène.
a. Faites les gestes et les mouvements de Laura.
b. Imaginez comment le présentateur va présenter Laura.

2. Jouez la scène à deux.
Utilisez les constructions qui caractérisent les verbes (voir p. 37).
Votre ami(e) va à un entretien pour trouver du travail. Vous lui donnez des conseils.
« Habille-toi... Arrive... Entre dans la pièce... »

3. *Scène 2.*
Écoutez et transcrivez la scène. Relevez :
a. les titres des articles de presse qui parlent de Laura
b. les propositions des entreprises

4. *Scène 3.*
a. Écoutez le début de la scène. Notez les formules d'accueil.
b. Écoutez la fin de la scène. Notez pourquoi Laura et Tarek sont allés voir M. Andriavolo.

5. *Scène 4.* Écoutez la scène.
a. Racontez l'histoire du baobab.
b. Quel est le sens de cette histoire ? Connaissez-vous des histoires qui ont le même sens ?

6. Imaginez une suite de l'histoire « Les parfums de Laura ».

Pour présenter quelqu'un – Pour porter un toast

• Présenter quelqu'un
Mesdames et messieurs... Chers amis... Madame... Je vous présente... Je voudrais vous présenter Marie Durand...
C'est quelqu'un qui a fait... que nous connaissons bien...

• Porter un toast
Je voudrais porter un toast à nos amis...
Je lève mon verre à... Je lève mon verre en l'honneur de la visite de Marie Durand...

Sons, rythmes, intonations

Intonations de la surprise, de la satisfaction et de la déception
Classez les expressions dans le tableau.

surprise	satisfaction	déception
1. Quoi ? ...	2. Ah ! ...	3. Oh ! ...

Dans les journaux, à la télé, à la radio *il n'y a pas que des mauvaises nouvelles*

LE KILO FRANÇAIS A PERDU DU POIDS

C'est au Bureau international des poids et mesures de Sèvres, à côté de Paris, que se trouve depuis 1889 le prototype international du kilo.
Tous les pays du monde qui utilisent le kilo sont venus au BIPM pour faire une copie de ce prototype.
Mais en comparant récemment les différentes copies, on vient de découvrir qu'elles ne font pas exactement le même poids.
Le kilo espagnol pèse 56 microgrammes de plus que le prototype, le kilo russe, 32, le kilo norvégien, 49.
Une bonne nouvelle pour les Espagnols, les Russes et les Norvégiens. Ils viennent de perdre du poids en lisant cet article.
Sauf si c'est le prototype français qui ne fait plus le poids.

Source : *Le Monde* 27/04/2005.

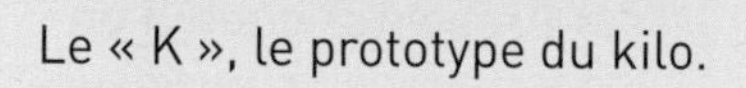

Le « K », le prototype du kilo.

IL Y A DES GENS BIEN

De graves inondations ont eu lieu dans la province de Fukui au Japon. De nombreuses familles sont sans logement.
Alors, imaginez la surprise du gouverneur de cette province quand il découvre dans son courrier le billet gagnant du Loto japonais : un billet qui vaut 1,8 million de dollars.
Le généreux envoyeur ne donnait pas son nom mais précisait qu'il offrait son billet aux familles en difficulté.

Source : *Marianne*, 17/08/2005.

LE JUGE A DE L'HUMOUR

La municipalité de Miami Beach ne supporte pas qu'on mette trop fort la musique dans les voitures. On ne doit pas l'entendre à plus de 30 mètres.
Michaël C., un passionné de rap, n'a pas observé le règlement et s'est retrouvé devant le juge. Heureusement, le juge avait de l'humour. Michaël C. a été condamné à écouter l'opéra de Verdi *La Traviata* pendant deux heures et demie.

Source : *Marianne*, 09/02/2004.

Poésie record

Patrick H., qui est écrivain public à Lyon, occupe son temps libre à faire de la poésie.
Il vient d'écrire le plus long poème de la langue française. Écrit sur du tissu, il compte 7 547 vers et mesure 994 mètres.
De plus, en lisant la première lettre de chaque vers, on retrouve la Déclaration des droits de l'homme.
Bonne chance aux élèves qui devront peut-être un jour l'apprendre par cœur.

Source : *Marianne*, 12/08/2006.

Lecture des articles

(Travail en quatre groupes)

1. Chaque groupe choisit un article et répond aux questions.
a. Où se passe l'histoire ?
b. De qui (de quoi) parle-t-on ?
c. Qu'a-t-il fait ? Que s'est-il passé ?

2. Chaque groupe raconte l'histoire qu'il a lue.

3. Chaque groupe recherche et raconte une autre histoire.

Écoutez une histoire

1. Notez la succession des faits (1) Découverte...

2. Relevez les détails de l'événement initial (lieu, date, personne, etc.).

3. Quelle information n'est pas sûre ?

Écrivez

À partir des détails que vous avez relevés, rédigez un bref article sur l'information que vous venez d'entendre.

Comment les Français s'informent

▸ JOURNAUX NATIONAUX EN BAISSE

Un Français sur six lit un journal national. C'est moins qu'il y a vingt ans et moins qu'en Grande-Bretagne ou qu'en Allemagne.

Pourquoi cette diminution ? D'abord parce qu'avec la radio, la télévision et les journaux gratuits, on a facilement les informations essentielles. Ensuite parce que, quand on veut réfléchir à un sujet d'actualité, on préfère les magazines.

Mais les grands titres sont toujours présents : *Le Figaro* développe plutôt des idées de droite, *Libération*, des idées de gauche. Tout le monde apprécie le sérieux du *Monde*, la simplicité d'*Aujourd'hui en France* (qu'on appelle *Le Parisien* à Paris), l'humour du *Canard enchaîné* et les informations sportives de *L'Équipe*.

▸ L'IMPORTANCE DES JOURNAUX RÉGIONAUX

Les journaux régionaux sont en meilleure santé. *Ouest-France*, par exemple, se vend plus que *Le Monde* ou que *Le Figaro*. Un Français sur deux lit le journal de sa région : *Sud-Ouest*, *La Voix du Nord*, *Le Dauphiné libéré* (région de Grenoble), *Le Progrès* (région de Lyon), etc.

Il y trouve les principales informations nationales et régionales mais surtout des pages sur sa ville ou son village. C'est là qu'il trouvera les dernières décisions du conseil municipal, les programmes des cinémas, les prochains spectacles et qu'il se verra peut-être en photo au milieu des participants de la fête locale.

▸ LE GOÛT POUR LES MAGAZINES

Les Français achètent beaucoup de magazines selon leurs intérêts ou leurs passions. Les plus lus sont les magazines de télévision (*TV Magazine*, *Télé 7 jours*), les magazines féminins (*Femme actuelle*, *Elle*), ceux qui parlent des célébrités (*Voici*), ceux qui parlent politique et culture (*Le Nouvel Observateur*, *Le Point*, *L'Express*, *Marianne*). Mais il n'y en a aussi pour tous les goûts (*Voyager*, *Capital*, etc.).

Les Français et la presse

1. Lisez « Comment les Français s'informent ». Relevez ce qui est surprenant pour vous.

2. Observez les journaux et les magazines ci-dessus. Quels sont les sujets qui sont annoncés ?

Évaluez-vous

1 Pensez-vous être capable de vous adapter à la vie en France. .../10

Répondez « oui » ou « non ». Comptez les « oui ».

• Si vous allez en France, vous saurez comment faire pour :

a. étudier le français ...
b. vous inscrire à l'université ou dans une école supérieure ...
c. chercher du travail ...
d. vous loger ...
e. rencontrer des gens ...

• En comparant la France à votre pays, vous pouvez citer quelques particularités de la France...

f. dans l'éducation des enfants et des jeunes
g. dans les conditions de travail
h. dans l'organisation administrative du pays
i. dans la vie politique
j. dans la presse et la télévision

2 Vous comprenez un curriculum vitae. .../10

Lisez le curriculum vitae de la page 43. Répondez aux questions.

a. À qui s'adresse ce document ?
b. Quelle est la formation principale du candidat ?
c. Quelle est sa situation de famille ?
d. Est-ce un jeune demandeur d'emploi ?
e. A-t-il des compétences en plus de sa formation principale
f. A-t-il fait des stages ou a-t-il eu des contrats de courte durée ?
g. A-t-il une expérience professionnelle plus longue dans une entreprise ?
h. Est-il compétent en informatique ?
i. Connaît-il bien l'anglais ?
j. Clément Martin pourrait-il faire la promotion touristique de votre pays en France ?

Comptez un point par réponse juste.

3 Vous pouvez présenter votre formation et votre parcours professionnel. .../5

Vous cherchez du travail en France. Rédigez votre CV.
Vous pouvez aussi rédiger le CV d'une personne imaginaire.
Lisez votre CV à la classe. Décidez ensemble d'une note.

4 Vous comprenez des informations portant sur des projets et des changements. .../5

Le maire d'une ville de la région Languedoc-Roussillon (sud de la France) parle de l'avenir de sa ville. Notez ce qui va changer dans les secteurs suivants :

a. Population ...
b. Transport : ...
c. Éducation : ...
d. Logement : ...
e. Environnement : ...

Clément MARTIN
24 rue du marché
45000 ORLÉANS
26 ans
célibataire
Tél : 02
Courriel : clemartin@wanadoo.fr

FORMATION

2003-2004 DESS de communication, université Dauphine-Paris IX
2003 Mastère de droit et sciences économiques – université d'Orléans
2002 Diplôme de l'anglais des affaires de la Chambre de commerce et d'industrie franco-britannique

LANGUES

Anglais : bilingue Espagnol : courant Notions de japonais

EXPÉRIENCE PROFESSIONNELLE

2006-2008 NESTLÉ WATER France – Chargé de communication
Rédaction de dossiers et de communiqués de presse – Organisation de conférences de presse
2005 L'ORÉAL – Durée : 6 mois – Chargé de communication
Rédaction de dossiers de presse – Participation au lancement d'un produit de la marque
2004 CONSEIL GÉNÉRAL DE LA RÉGION CENTRE – Durée : 6 mois
Réalisation d'une campagne de promotion de produit régionaux
Chargé de la revue *Votre Région*
2003 Journaliste stagiaire à France 3 Centre

RÉALISATION

Réalisation d'un spot vidéo pour Air France
Réalisation du stand de la région Centre à la Foire internationale de Barcelone

DIVERS

Maîtrise des logiciels Word, Excel, X Press et Photoshop sur Mac et PC
Sports pratiqués : ski, tennis, golf

5 Vous comprenez une information portant sur la société française. .../10

Voici des extraits de presse. Trouvez le titre correspondant à chaque début d'article. Comptez 1,5 point par réponse juste.

a. Florence Bonnet, tête de la liste « République et progrès », a été élue maire de Villeneuve.
b. Avec 89 % de réussite au baccalauréat, le lycée Albert-Camus devient le meilleur lycée de la région.
c. Un train sur trois circulera demain.
d. 150 000 emplois ont été créés l'an dernier.
e. Le président de la République sera demain dans notre région pour l'inauguration du Centre de recherche sur les énergies nouvelles.
f. Notre région a connu son automne le plus chaud depuis 1950.
g. De nouvelles émissions sur la deuxième chaîne.

1. GRÈVE À LA SNCF
2. RÉCHAUFFEMENT DU CLIMAT
3. ÉLECTION MUNICIPALE
4. PROGRAMMES TÉLÉ
5. VISITE DU CHEF DE L'ÉTAT
6. BAISSE DU CHÔMAGE
7. RÉSULTAT DES EXAMENS

6 Vous comprenez une annonce. .../5

Écoutez ces cinq personnes. Trouvez l'annonce qui peut intéresser chacune d'elle.

1. ... **2.** ... **3.** ... **4.** ... **5.** ...

a.
VENDS Peugeot 206, bleue,
90 000 km, très bon état,
4 000
Tél. : 06...

b.
Étudiante en droit, 20 ans,
Garde enfants, aide aux devoirs
À partir de 17 h
Tél. : 06...

c.
2 places pour Paris
Départ vendredi 08/05 vers 8 h
Retour dimanche 10/05 le soir
Participation aux frais
Tél. : 06...

d.
Étudiante anglaise
Donne cours d'anglais
ou échange cours d'anglais
contre cours de français
Tél. : 06...

e.
FOIRE INTERNATIONALE DE MARSEILLE
Cherche hôte / hôtesse d'accueil
parlant français, anglais + 2e langue étrangère
(espagnol, allemand, italien,etc.)
Tél. : 06...

7 Vous savez demander des précisions sur une proposition. .../10

Préparez et jouez la scène suivante avec votre voisin(e).

Vous êtes intéressé(e) par une des annonces ci-dessus. Vous téléphonez pour demander des précisions.
Exemple : a. Quand la voiture a-t-elle été achetée ? Qui la conduisait ? etc.

Décidez ensemble d'une note.

8 Vous pouvez réagir à une information. .../5

Écoutez. Ces personnes vous parlent. Réagissez à ce qu'elles disent en utilisant une des phrases suivantes.

a. C'est bien dommage...
b. Ne t'inquiète pas !
c. Réfléchis bien.
d. Il a tort.
e. Je te souhaite bon courage.

Corrigez. Comptez deux points par réponse juste.

9 Vous pouvez rédiger une liste ou un programme. .../5

Votre classe décide d'organiser un « week-end français » dans un lieu original et avec des activités de loisirs variées. Seule obligation : tout sera en français (chansons, films, jeux, etc.).
Vous choisissez un lieu et vous préparez le programme de ce week-end.

Week-end en français
Lieu : ...
Programme : ...

10 Vous savez brièvement exprimer une opinion. .../10

Un forum de discussion sur Internet vous propose les sujets de discussion suivants.
Choisissez-en un et exprimez votre opinion en 4 ou 5 lignes.

- Faut-il arrêter la fabrication des grosses voitures 4 x 4 ?
- Faut-il interdire la vente de cigarettes ?
- Faut-il autoriser la vente libre de médicaments ?

Lisez votre texte à la classe. Décidez ensemble d'une note.

11 Vous connaissez la société française. .../5

Écoutez : un ami qui ne connaît pas la France vous pose dix questions.
Répondez aux questions oralement ou par écrit.
Vérifiez les réponses pages 17, 25, 33 et 41. Notez-vous.

12 Vous utilisez correctement le français. .../20

a. Le temps futur. Mettez les verbes entre parenthèses au futur.

Projet de vie

• L'année prochaine, je (*prendre*) une année sabbatique.
– Qu'est-ce que tu (*faire*) ?
• J'(*aller*) en Italie. J'(*apprendre*) l'italien. J'(*essayer*) de faire des stages dans des entreprises.
– Tu (*habiter*) où ?
• À Milan, J'ai des copains qui me (*loger*).
– Aline et moi, nous (*venir*) peut-être te voir.
• J'espère que vous (*venir*). Nous (*visiter*) la Toscane.

Notez sur .../5

b. Les propositions relatives. Ajoutez à la phrase l'information entre parenthèses.

Réflexions en lisant le programme télé

1. On passe un vieux film de Hitchcock (J'ai envie de le voir)
2. « Ce soir ou jamais » est une bonne émission (On peut y voir beaucoup de gens nouveaux)
3. Sur la « 2 », il y a un film (Je l'ai déjà vu)
4. J'adore les émissions comme Ushuaïa (Elles nous montrent des régions du monde et des gens extraordinaires)
5. Sur TF1, il y a une émission de téléréalité (D'habitude, elle m'ennuie)

Notez sur .../5

c. Les constructions comparatives. Rédigez une phrase comparative pour chaque statistique.

Nombre d'habitants : France (60 millions)
Espagne (40 millions)
Durée du travail : France (35 h par semaine)
Allemagne (37 h par semaine)
Durée des vacances : France (5 semaines)
Italie (5 semaines)
Âge de la retraite (fonctionnaires) :
France (60 ans)
Royaume-Uni (60 ans)
Entrée dans l'Union européenne : France (1957)
Pologne (2004)

Notez sur .../5

d. Les pronoms compléments Remplacez les mots en gras par « en » ou « y ».

Luc : Tu as du travail ce week-end ?
Anna : Non, je n'ai pas **de travail**.
Luc : Moi, j'ai besoin d'un week-end de détente.
Anna : Moi aussi, j'ai besoin **d'un week-end de détente**.
Luc : On peut aller chez Lucy et Jean.
Anna : Ils ont une maison de campagne ?
Luc : Oui, ils ont **une maison de campagne** dans les Vosges.
Anna : Tu crois qu'ils seront **dans leur maison** ce week-end ?
Luc : Oui, Lucy m'a proposé d'aller **dans leur maison de campagne** avec eux.
Anna : Alors d'accord, on va **chez Lucy et Jean**.

Notez sur .../2,5

e. Le subjonctif. Mettez les verbes entre parenthèses au temps qui convient (présent du subjonctif, présent ou futur de l'indicatif).

Une famille se prépare à partir en vacances

La mère : Les enfants, il faut que vous (*se dépêcher*). Je veux que vous (*être*) prêts à 7 h 30. Il faut que nous (*partir*) à 8 h précise. J'espère qu'(*il n'y a pas*) trop de voitures sur l'autoroute. N'oubliez pas que nous (*devoir*) arriver en fin d'après-midi.

Notez sur .../2,5

Évaluez vos compétences

	Tests	Total des points
• Votre compréhension de l'oral	4 + 6 + 8 + 11	... / 20
• Votre expression orale	1 + 7	... / 20
• Votre compréhension de l'écrit	2 + 5	... / 20
• Votre expression écrite	3 + 9 + 10	... / 20
• La correction de votre français	12	... / 20
	Total	**... / 100**

Projet : prix du livre pour débutants en français

En France, le prix Goncourt et le prix Fémina récompensent les meilleurs romans francophones de l'année. Vous allez choisir le meilleur livre pour débutants en français.
Il doit être à la fois facile et intéressant.
Vous pouvez choisir :
- un des trois livres suivants
- un livre découvert dans la bibliothèque de votre école de langue. Par exemple, un livre de la collection ou un livre que le bibliothécaire vous conseillera.

Chaque étudiant présentera en quelques phrases le début du livre et lira un extrait.
Puis vous voterez pour désigner le meilleur.

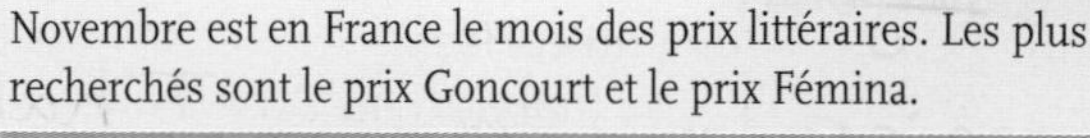
Novembre est en France le mois des prix littéraires. Les plus recherchés sont le prix Goncourt et le prix Fémina.

Roman

Le Robert des noms propres, d'Amélie Nothomb

À l'âge de 18 ans, Lucette se marie avec Fabien. Quelque temps après, elle attend un bébé. Mais Fabien n'est pas un bon mari. Il ne travaille pas et il est souvent absent. Lucette pense qu'il ne peut pas assurer l'avenir de son enfant. Une nuit, elle le tue et se retrouve au poste de police. Un policier l'interroge.

– Pourquoi avez-vous tué votre mari ?
– Dans mon ventre, le petit avait le hoquet.
– Oui, et ensuite ?
– Rien. J'ai tué Fabien.
– Vous l'avez tué parce que le petit avait le hoquet ?
Elle parut interloquée avant de répondre :
– Non, ce n'est pas si simple. Cela dit, le petit n'a plus le hoquet.
– Vous avez tué votre mari pour faire passer le hoquet du petit ?
Elle eut un rire déplacé :
– Non, enfin, c'est ridicule !
– Pourquoi avez-vous tué votre mari ?
– Pour protéger mon bébé, affirma-t-elle, cette fois avec un sérieux tragique.
– Ah. Votre mari l'avait menacé ?
– Oui.
– Il fallait le dire tout de suite.
– Oui.
– Et de quoi le menaçait-il ?
– Il voulait l'appeler Tanguy si c'était un garçon et Joëlle si c'était une fille.
– Et puis ?
– Rien.
– Vous avez tué votre mari parce que vous n'aimiez pas son choix de prénoms ?

1. Lisez cet extrait. Relevez ce qui est bizarre et amusant.
2. Imaginez la suite du dialogue.

Nouvelle

Je voudrais que quelqu'un m'attende quelque part, d'Anna Gavalda

La jeune femme (qui raconte l'histoire) vient de croiser un homme sur le boulevard Saint-Michel à Paris.
Ils se sont regardés. Ils se sont souri. Puis, chacun a continué son chemin.
Mais quelques minutes plus tard, ils se croisent à nouveau.

J'étais arrêtée au bord du trottoir à guetter le flot des voitures pour traverser à la hauteur de la rue des Saints-Pères.
Précision : une Parisienne qui se respecte sur le boulevard Saint-Germain ne traverse jamais sur les lignes blanches quand le feu est rouge. Une Parisienne qui se respecte guette le flot des voitures et s'élance tout en sachant qu'elle prend un risque.
Mourir pour la vitrine de chez Paule Ka. C'est délicieux. [...]

– Pardon...
Je me retourne.
– Oh, mais qui est là ?... ma jolie proie[1] de tout à l'heure. [...]
Je me demandais si vous accepteriez de dîner avec moi ce soir...
Dans ma tête, je pense « Comme c'est romantique ... » mais je réponds :
– C'est un peu rapide, non ?
Le voilà qui me répond du tac au tac et je vous promets que c'est vrai :
– Je vous l'accorde, c'est rapide. Mais en vous regardant vous éloigner, je me suis dit : c'est trop bête, voilà une femme que je croise dans la rue, je lui souris, elle me sourit, nous nous frôlons et nous allons nous perdre... C'est trop bête, non vraiment, c'est même absurde.
Qu'est-ce que vous en pensez ? Ça vous paraît complètement idiot ce que je vous dis là ?
– Non, non, pas du tout.
Je commençais à me sentir un peu mal, moi...
– Alors ?... Qu'en dites-vous ? Ici, là, ce soir, tout à l'heure, à neuf heures, à cet endroit exactement ? [...]
– Donnez-moi une seule raison d'accepter votre invitation.
– Une seule... mon Dieu... que c'est difficile. [...] Une seule raison.
La voilà : dites oui, que j'aie l'occasion de me raser... Sincèrement, je crois que je suis beaucoup mieux quand je suis rasé.

1. *proie* : animal qu'un autre animal tue pour se nourrir. L'auteur se compare ici à un « oiseau de proie ».

1. Lisez cet extrait d'une nouvelle d'Anna Gavalda. Résumez l'histoire en quelques phrases.
2. Que pensez-vous de cette jeune Parisienne ?
a. D'après vous, est-elle : amoureuse, séductrice, libre, naturelle, directe ?
b. A-t-elle un coup de foudre ? Veut-elle seulement s'amuser ?...
3. Connaissez-vous des rencontres originales dans les romans, au cinéma ?

Bande dessinée

Le Retour à la terre, La Vraie Vie, de Ferry et Larcenet

Manu, un dessinateur de bande dessinée, et sa compagne viennent de s'installer à la campagne dans un petit village. Ils invitent leurs copains et leurs collègues de Paris.

les amis

le cocktail

Evasion_encadré_txt

1. Imaginez pourquoi Manu et sa compagne se sont installés à la campagne. Quelles sont les réactions des invités...
- au début du cocktail ?
- plus tard dans la soirée ?

2. Recherchez et imaginez en petits groupes. Un couple de Français s'installe dans votre pays. Quelles sont...
- leurs réactions le jour de leur arrivée ?
- leurs réactions deux mois plus tard ?

Unité 2

Entretenir des relations

La fête du 14 juillet au Palais présidentiel de l'Élysée.

*POUR **ÊTRE À L'AISE** DANS LES RELATIONS SOCIALES, VOUS ALLEZ APPRENDRE À*

ENTRER EN CONTACT *AVEC DES PERSONNES, LES REVOIR, LES **INVITER** ET **RÉPONDRE** À LEUR INVITATION*

RACONTER *DES SOUVENIRS ET DES ANECDOTES, **PARLER** DE CUISINE ET DE FÊTES, **COMPRENDRE** DES PLAISANTERIES*

Photo du film *Pur week-end*, de Kad Merad.

RÉSOUDRE *LES PETITS PROBLÈMES DE LA VIE EN GROUPE*

5 On se retrouve

LANGUES ÉTRANGÈRES... comment les apprendre plus facilement

Avez-vous les qualités pour apprendre facilement une langue étrangère ? Pour le savoir, faites le test. Pour développer ces qualités, suivez nos conseils.

1 Préférez-vous apprendre en écoutant ou en lisant ?

- **En classe, vous préférez travailler**
  a. avec le livre
  b. sans le livre
- **Quand vous entendez un mot nouveau**
  a. vous l'écrivez
  b. vous le retenez sans l'écrire
- **Pendant le dernier cours de français**
  a. vous avez pris des notes
  b. vous avez seulement écouté

2 Êtes-vous à l'aise avec les autres ?

- **Quand le professeur pose une question**
  a. vous le regardez
  b. vous baissez la tête
- **En classe, la dernière activité que vous avez aimée, c'était**
  a. un jeu de rôles
  b. l'étude d'un texte
- **Quand vous serez dans un pays francophone et que vous aurez besoin d'un renseignement**
  a. vous le demanderez à quelqu'un
  b. vous le chercherez dans votre guide

3 Êtes-vous spontané ou réfléchi ?

- **Vous venez de parler à des francophones. Vous pensez :**
  a. J'espère qu'ils m'ont compris
  b. J'espère que je n'ai pas fait de fautes
- **Pour comprendre un mot nouveau, vous avez besoin**
  a. d'une explication en français
  b. d'une traduction
- **Vous devez présenter votre pays aux autres étudiants**
  a. Vous pouvez parler tout de suite
  b. Vous avez besoin d'un moment de préparation

Ils parlent de leur apprentissage

L'écrivain grec Vassilis Alexakis est arrivé en France à l'âge de dix-sept ans.

« *Quand j'apprenais le français, j'écrivais dans un cahier tout ce que j'entendais dans les cafés, dans le métro, et même chez les gens qui m'invitaient à dîner comme un reporter ou une secrétaire.* »

Les Mots étrangers, Stock, 2002

Le créateur de jeux vidéo Nicolas Gaume raconte ses premiers jours en Angleterre à l'âge de onze ans.

« *Le lendemain, nous recevons la visite de Simon, un fils de proches de Mme Summerfield. C'est un garçon de mon âge. Nous ne parlons pas la même langue, nous ne nous comprenons pas... Le voilà qui me montre une boîte de jeu qu'il garde chez sa tante, "Dungeons & Dragons". Je balbutie les mots "Bilbo" et "Frodon". Un sourire illumine son visage [...] Nous nous comprenons maintenant.* »

Citizen Game, Anne Carrière, 2006

Dans le film *L'Auberge espagnole* (C. Klapisch, 2002), un groupe d'étudiants venus de différents pays d'Europe se retrouve à Barcelone dans le cadre du programme d'échanges Erasmus.

4 Êtes-vous indépendant ou dépendant des autres ?

- **Pour vous, la meilleure façon d'apprendre, c'est**
  a. avec un groupe de francophones
  b. en classe
- **Après le cours de français**
  a. vous allez lire un livre ou un magazine en français, visiter un site Internet francophone, écouter une émission de télévision en français
  b. vous allez seulement relire votre livre de classe
- **Quand vous partirez dans un pays francophone**
  a. vous emporterez un guide touristique
  b. vous emporterez un guide de grammaire

Nos conseils

Comptez les « a » et les « b » dans chaque test.

Test 1 – Développez vos compétences auditives

Les personnes qui apprennent facilement les langues ont souvent des qualités auditives.
Si vous avez trois « a », vous avez de la chance, mais faites attention à l'orthographe.
Si vous avez un maximum de « b », vous devez travailler avec des documents sonores sans l'aide des transcriptions.

Test 2 – Soyez à l'aise avec les autres

Si vous avez un maximum de « a », tout va bien.
Si vous avez peur de parler français, voici quelques conseils :
- Dites à votre interlocuteur que vous êtes débutant en français. Il vous aidera.
- Posez des questions. C'est votre interlocuteur qui devra parler.
- Faites la liste des questions qu'on va peut-être vous poser. Préparez vos réponses.

Test 3 – Ne réfléchissez pas trop

Si vous avez un maximum de « a », vous êtes spontané(e). Mais faites attention aux fautes de grammaire et de prononciation. Elles peuvent devenir des habitudes.
Si vous avez un maximum de « b », entraînez-vous à vous « jeter à l'eau ».
N'ayez pas peur de faire des fautes. Les Français en font aussi !
Et si vous hésitez trop, vous ennuierez les autres et ils parleront à votre place.

Test 4 – Ne soyez pas trop dépendant des livres et du professeur

Si vous avez un maximum de « a », vous êtes un(e) étudiant(e) indépendant(e). Continuez !
Si vous avez un maximum de « b », essayez de moins utiliser le dictionnaire.
Avec *Écho*, vous avez maintenant appris environ 1000 mots et beaucoup de constructions grammaticales. Utilisez-les d'abord. Vous verrez qu'on peut comprendre et dire beaucoup de choses avec ce petit « bagage ».

Réfléchissez à votre manière d'apprendre

1. Faites le test avec l'aide du professeur. Pour chaque partie du test, lisez les conseils qu'on vous donne.

2. Préparez une liste de vos points forts et de vos points faibles. Présentez-la à la classe.

3. Trouvez dans la classe un(e) étudiant(e) qui n'a pas les mêmes points forts que vous.
(qui est timide et indépendant si vous êtes à l'aise et dépendant)
Échangez vos expériences. Donnez-vous des conseils.

Échangez des « trucs » pour apprendre

Travail en petits groupes.

1. Faites la liste de :
- ce qu'il faut apprendre : le vocabulaire, la grammaire, les conjugaisons, etc.
- ce qu'on fait en classe : l'écoute d'un dialogue, des exercices, etc.

Partagez-vous ces sujets de réflexion.

2. Pour chaque sujet (par exemple le vocabulaire), recherchez :
- les problèmes que vous rencontrez
- des « trucs » pour bien apprendre

Observez l'emploi des temps

Dans les phrases du test, relevez des verbes employés :
- au présent
- au passé composé
- au futur
- à l'imparfait
- au passé récent
- au futur proche

Apprendre les conjugaisons

1 Observez les conjugaisons du présent.

a. Observez les terminaisons. Retrouvez les conjugaisons des verbes ci-dessus.
Recherchez les formes qui se ressemblent :
– à l'oral (exemple : je fais, tu fais, elle fait = [fɛ])
– à l'écrit (exemple : je fais, tu fais)
b. Observez les changements dans le radical du verbe.
Exemple : le verbe « savoir » se conjugue avec deux radicaux.
(1) [se] je sais, tu sais, il sait
(2) [sav] nous savons, vous savez, ils savent
Classez les verbes de la BD et les verbes ci-dessous dans le tableau selon leur type de conjugaison.
écrire – donner – venir – amener – vouloir – comprendre – dire – aller

Un seul radical	parler
Un radical pour « je », « tu », « il », « ils » Un radical pour « nous », « vous »	jeter
Un radical pour « je », « tu », « il » Un radical pour « nous », « vous », « ils »	savoir
Un radical pour « je », « tu », « il » Un radical pour « nous », « vous » Un radical pour « ils »	prendre
Quatre ou cinq radicaux	être

2 Retrouvez les conjugaisons du futur.

C'est le début de l'année. Avec vos amis, avec votre famille, vous prenez de grandes décisions.
Utilisez : *faire, apprendre, travailler, arrêter, commencer, aller, visiter*, etc.

Cette année, c'est promis.
Je prendrai des vacances, nous irons ...,
vous ... Toi, Paul, tu ...

3 Retrouvez les conjugaisons du passé composé. Mettez les verbes entre parenthèses au passé composé.

Retrouvailles
Lucas : Tiens, salut, Florent ! Comment ça va ? Qu'est-ce que tu (*faire*) après le stage ?
Florent : J' (*passer*) l'été avec Noémie.
Lucas : Vous (*rester*) en France ?
Florent : Non, nous (*aller*) au Québec, mais là-bas, Noémie (*revoir*) des anciens copains. Ils (*partir*) en voyage dans le Nord. Alors, j' (*décider*) de rentrer chez moi.

4 Retrouvez les conjugaisons de l'imparfait.

Souvenez-vous de vos vacances quand vous étiez enfant.
Utilisez : *aller, faire, jouer, visiter, se lever*, etc.

Je me souviens. J'avais ... Mes parents ...
Nous ... Mon meilleur copain ...

5 Pour apprendre les conjugaisons, imaginez de petits textes où un verbe apparaît à plusieurs formes. Voici quelques exemples.

Vérifications
• Tu as fini ?
– Oui, j'ai fini.
• Et Marie ?
– Elle a fini.
• Et les enfants ?
– Ils ont fini.
• Vous avez tous fini ?
– Nous avons tous fini.

Entraînez-vous avec : dîner – sortir – se reposer.

Conditions
Si tu sors ce soir, Marie sort aussi.
Si vous sortez, nos amis sortent.
Je sors aussi. Nous sortons tous.

Entraînez-vous avec : danser – aller au cinéma – pouvoir.

L'orchestre
Je faisais du piano. Tu faisais du violon.
Ma sœur faisait de la guitare. Mes frères faisaient de la trompette.
Nous faisions tous de la musique. Et vous faisiez les spectateurs.

Entraînez-vous avec : boire – manger – aller à.

Présent – Passé – Futur

• Le présent
Pour parler du moment présent (*Il fait beau*), d'une action habituelle (*Tous les jours elle se lève à sept heures*), d'une action future ou passée qu'on veut rendre plus présente à l'esprit (*Demain je pars en vacances*).

parler
je parle, tu parles, il/elle parle
nous parlons, vous parlez, ils/elles parlent

partir
je pars, tu pars, il/elle part
nous partons, vous partez, ils/elles partent

• Le passé composé
Pour parler d'un événement passé (*Elle est arrivée à huit heures*).

manger
j'ai mangé, tu as mangé, il/elle a mangé
nous avons mangé, vous avez mangé, ils/elles ont mangé

sortir
je suis sorti(e), tu es sorti(e), il/elle est sorti(e)
nous sommes sorti(e)s, vous êtes sorti(e)(s), ils/elles sont sorti(e)s

• Le futur
Pour parler d'une action qui se passe dans le futur (*Elle partira en vacances la semaine prochaine*)

voyager
je voyagerai, tu voyageras, il/elle voyagera
nous voyagerons, vous voyagerez, ils/elles voyageront

aller
j'irai, tu iras, il/elle ira
nous irons, vous irez, ils/elles iront

• L'imparfait
Pour parler d'une action passée habituelle (*Quand elle était à Paris, elle allait souvent au théâtre*).
Pour exprimer les circonstances des événements passés (*Elle est arrivée à huit heures. Il pleuvait. Elle avait une heure de retard*).

déjeuner
je déjeunais, tu déjeunais, il/elle déjeunait
nous déjeunions, vous déjeuniez, ils/elles déjeunaient

N.B. La conjugaison pronominale utilise deux pronoms : se lever → je me lève – il s'est levé.
(voir toutes les conjugaisons, p. 138)

Employer correctement les temps

Voici un extrait du journal de voyage de Claudia. Nous sommes le 5 juillet, Claudia parle de son voyage. Parlez pour elle.

« Hier, c'était le 4 juillet, j'ai visité ... Aujourd'hui ... Demain... »

À l'écoute de la grammaire

1 Prononciation des participes passés en [y]. Répétez.

L'homme politique

Il est venu.
On l'a vu,
On l'a entendu,
On l'a cru
Et on l'a élu.
On a attendu.
Mais il n'a pas su
Ou n'a pas pu
Ou n'a pas voulu.
Il nous a bien eus.

2 Pratique de la négation « ne ... pas » ou « ne ... pas de ».

Vos amis ne sont pas sportifs. Répondez « non ».

• Votre amie Marie fait du tennis ?
– Non, elle ne fait pas de tennis.
• Est-ce qu'elle aime marcher ?
– Non, ...

3 Pratique du passé composé. Parlons voyages. Répondez « oui » ou « non ».

• Vous avez beaucoup voyagé ?
– Oui, j'ai beaucoup voyagé.
– Non, je n'ai pas beaucoup voyagé.
• Vous êtes allé(e) à l'étranger ?
– ...

L'anniversaire

1 - Projets

1

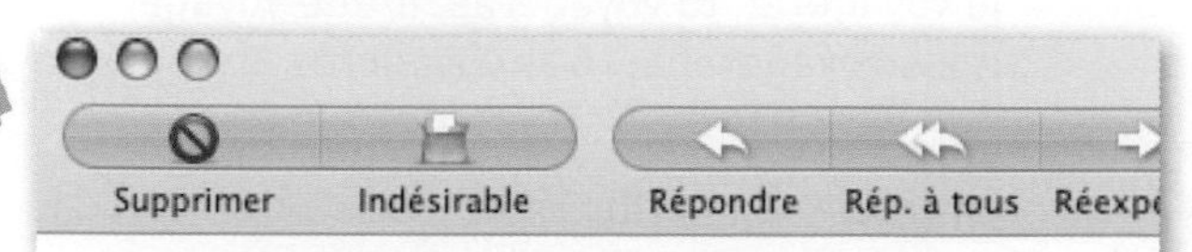

De : Anne-Sophie Dubois-Carpenter
objet : bientôt trente ans
date : lundi 4 janvier
À : Karine Chabrier, Odile Guiraud, Liza N'Guyen

Bonjour les filles
Une nouvelle année commence et je souhaite à mes anciennes copines du lycée Voltaire amour, réussite et santé !
Je n'oublie pas que cette année, toutes les quatre, nous aurons trente ans...
Alors pourquoi ne pas fêter l'événement ensemble ? Je connais un gîte sympa dans le Périgord...

Gîte de Charme

• Belle maison de charme • 6 chambres doubles • grand salon • salle à manger avec cheminée • 3 salles de bains • cuisine équipée • barbecue • silence • près de tous les sites du Périgord, de la Dordogne et de Sarlat

D'octobre à mai : 1 500 € la semaine
Juin et septembre : 2 000 €
Juillet et août : 2 500 €

Lille, le 10 janvier.

Karine : Au fait, on y va seule ou avec les garçons ?
Anne-Sophie : Si Patrick reste en Irlande, il va m'appeler toutes les cinq minutes.
Karine : Remarque, si Harry reste à Lille, c'est moi qui vais l'appeler toutes les cinq minutes.
Anne-Sophie : Ne t'inquiète pas. Ils ne s'ennuieront pas. Le premier jour, ils parleront de leur voiture, le deuxième jour de leur boulot et le troisième des filles qui travaillent avec eux.
Karine : Et Liza, elle vient avec Alex ?
Anne-Sophie : Comment, tu n'es pas au courant ?
Karine : Ne me dis pas qu'ils se sont séparés.
Anne-Sophie : Ben si, ça fait six mois. Tu ne le savais pas ?

Une rue de Lille

Karine : Tu sais, Liza et moi, on ne se voit pas beaucoup. C'est comme Odile, je n'ai pas de nouvelles. Elle est avec quelqu'un ?
Anne-Sophie : Oui, avec un type qui s'appelle Louis.
Karine : Et qui fait quoi ?
Anne-Sophie : Il est dans l'informatique. Mais il cherche du boulot.
Karine : Ils viennent ?
Anne-Sophie : Je n'en sais rien. Odile n'a pas répondu à mon mél.

Lille, le soir.

Karine : Mais non, Harry, tu ne seras pas seul !
Harry : Alors il y aura qui, à cet anniversaire ?
Karine : Bon, il y aura mes trois copines...

Harry : Mais j'y pense. Comme Liza est seule, on peut peut-être inviter mon copain Jean-Philippe ?
Karine : Tu penses à qui, à toi ou à Liza ?

Le 30 mars, dans une galerie marchande d'Évry, près de Paris.

Louis : Tu viens ?
Odile : Attends, je regarde les robes.
Louis : Les robes ! Pourquoi ?
Odile : Pour le week-end avec les copines. Je n'ai plus rien à me mettre.
Louis : Mais en vacances, tu es toujours en tee-shirt et en pantacourt !
Odile : Tu me vois quatre jours dans la même tenue ! Avec Anne-Sophie qui va se changer trois fois par jour !
Louis : Il commence à coûter cher, cet anniversaire. Après tout, on n'est pas obligés d'y aller.
Odile : On ira. Les copines ne s'amuseront pas sans moi. Et puis pour toi, ce sera l'occasion de rencontrer Patrick.
Louis : Patrick ?
Odile : Le copain d'Anne-Sophie. Il a une entreprise d'informatique. Il pourra peut-être te trouver du travail. On ne sait jamais.

Compréhension et simulations

1. En lisant le document et en écoutant les dialogues des pages 54 et 55, notez tout ce que vous apprenez sur les personnages suivants :
(nom, lieu de résidence, relations avec les autres, profession, etc.)

Anne-Sophie : ...	Patrick : ...
Karine : ...	Harry : ...
Odile : ...	Louis : ...
Liza : ...	Jean-Philippe : ...

2. *Documents et scène 1.*
a. Qui a écrit le courriel ? À qui ? Pourquoi ?
b. Faites la liste des sujets abordés dans la conversation. Qu'apprend-on sur chaque sujet ?

3. *Scènes 2 et 3.*
a. Transcrivez la partie non transcrite de la scène 2.
b. Caractérisez les deux couples.

4. Jouez la scène.
Vous êtes invité(e) dans votre famille avec votre ami(e). Mais votre ami(e) hésite à venir parce qu'il/elle ne connaît personne dans votre famille.

Savoir – Connaître – Se souvenir

- Je connais Marie ... l'Italie ...
  Je sais où elle habite.
- Pierre est en vacances ? – Je le sais – Je suis au courant – Je l'ai appris hier – Moi, je n'en sais rien.
- Vous vous souvenez de Pierre (se souvenir de) – Vous vous rappelez sa voiture (se rappeler quelque chose) ?
- Je ne me souviens pas de Pierre – Je ne me rappelle pas sa voiture – J'ai oublié (oublier) – Je ne sais plus.
  Je n'ai pas retenu son nom (retenir) – Ça ne me revient pas (revenir).

Prononciation

[ə], [e], [ɛ] pour différencier les temps des verbes (présent, passé composé, futur).

On ne les changera pas !
L'amoureux : J'aime ... J'ai aimé ... J'aimerai
Le chanceux : Je gagne ... J'ai gagné ... Je gagnerai ...
Le curieux : J'observe ... J'ai observé ... J'observerai
Le paresseux : Je me repose ... Je me suis reposé ... Je me reposerai
Le bavard : Je bavarde ... J'ai bavardé ... Je bavarderai

PREMIERS CONTACTS

Madame,

Je suis étudiante en histoire à l'université de Buenos Aires et je fais une thèse de doctorat sur l'immigration des Français en Argentine à la fin du XIXe siècle. C'est le professeur Antonio Morales qui dirige cette thèse.

J'ai lu avec beaucoup d'intérêt vos articles et votre livre mais je souhaiterais approfondir certaines questions avec vous. Vous serait-il possible de m'accorder un entretien ?

Je serai à Paris du 1er février au 15 mars 2008. Je vous remercie par avance et vous prie d'agréer, Madame, l'expression de mes salutations distinguées.

Madame, Monsieur,

Je suis une amie de Kristina Lezanska, qui a logé chez vous l'an dernier pendant deux mois. C'est elle qui m'a donné votre adresse.

Je dois faire un stage à Paris d'octobre à décembre prochain. Je souhaiterais savoir si vous accepteriez de me louer la chambre qu'occupait Kristina.

Je suis quelqu'un de calme. Je ne fume pas. J'aurai beaucoup de travail et je n'ai pas l'intention de recevoir souvent des amis.

En espérant une réponse positive, je vous prie de recevoir mes sincères salutations.

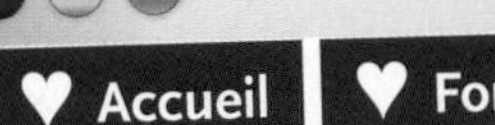

Bonjour

Je m'appelle Damien. J'ai 35 ans et je viens de m'installer dans le 12e, rue de Picpus. Je ne connais personne à Paris en dehors des gens que je rencontre dans mon travail.

Le week-end, je fais du jogging au bois de Vincennes, je découvre Paris ; j'aime aussi aller au théâtre et voir des expos.

Si quelqu'un fait la même chose tout seul de son côté, il peut me contacter. J'ajoute que tous les quinze jours, mon fils de huit ans vient passer le week-end avec moi. Il n'a plus l'âge de se faire des copains au square.

Compréhension des lettres

1. Pour chaque lettre ou message, recherchez :
– Qui écrit ? – À qui ? – Pourquoi ?

2. Observez :
– comment la personne qui écrit se présente
– les formules de politesse

3. Dans le tableau ci-contre, classez les expressions (de la plus formelle à la plus familière).

Rédigez une lettre ou un message pour prendre contact

Choisissez une situation.

• Vous avez envie de faire un stage dans une entreprise française (lettre ou message au DRH : directeur des ressources humaines)
• Vous avez envie de faire une thèse avec un professeur d'une université française (lettre au professeur)
• Vous avez besoin de documentation ou d'information pour un travail que vous faites (lettre ou message au service ou à la personne concernée)

Formules pour un premier contact par écrit

• Pour commencer
Madame… Monsieur… Madame, Monsieur
Cher/Chère collègue…
Monsieur le directeur (Madame le directeur)
Monsieur le ministre (Madame la ministre)

• Pour finir
Je vous prie d'agréer, Madame, Monsieur, …
… l'expression de
… mes salutations distinguées (respectueuses, dévouées), mes sincères salutations
… mes meilleurs sentiments
… ma considération distinguée

• Prise de contact messages Internet
Madame… Monsieur… etc. pour un supérieur ou une personne importante « Bonjour Monsieur » ou « Bonjour » dans les autres cas
La formule de la fin est plus simple :
« Salutations distinguées » ou « Cordialement » selon le cas

À LA RENCONTRE DES AUTRES

Sondage : faire des rencontres aujourd'hui

Entre parenthèses, les réponses des célibataires de plus de trente ans.

• Est-il plus facile ou plus difficile aujourd'hui qu'hier de faire les rencontres suivantes ?

	Plus facile	Plus difficile	Sans opinion
Se faire de nouveaux amis	29 (16)	47 (62)	24 (22)
Rencontrer des gens pour discuter, parler des problèmes de la vie	39 (21)	42 (63)	19 (16)
Rencontrer quelqu'un pour construire un projet à deux	24 (15)	48 (58)	28 (27)

Sondage Ins Sofres, avril 2004

Dans le film *Je vous trouve très beau*, un agriculteur se retrouve veuf et part à la recherche d'une compagne qui pourrait l'aider dans son travail. Pas facile dans sa région où les jeunes filles préfèrent travailler ailleurs qu'aux champs. Il utilise alors les services d'une agence matrimoniale...

La solution Internet

La vie de quartier renaît sur Internet

À Paris, les nouveaux résidents ou les personnes isolées peuvent rencontrer des gens de leur quartier sur le site www.peuplade.fr Des sites semblables existent dans beaucoup de villes.

Même si Muriel, 36 ans, habite son quartier depuis six ans, le site Peuplade a changé sa vie. « À part mes voisins d'immeuble, je ne connaissais pas grand monde. Difficile quand on est une maman divorcée d'organiser des sorties avec des gens occupés dans leur vie de couple... Et puis, avec mon métier, je n'ai pas le temps d'aller chercher mes enfants à la sortie de l'école et de discuter avec les mamans sur les profs ou d'échanger des numéros de baby-sitters... »

Le site Peuplade lui a permis de gagner du temps. « Grâce au site, j'ai vu se former un vrai village numérique : j'ai dix fois plus d'amis qu'avant ! J'ai lancé des discussions sur le forum du genre : que faire avec son enfant un après-midi de pluie ? Les réponses ont fusé : visiter le parc de la Villette, le palais de la Découverte... Tous ces lieux, je les connaissais déjà mais c'est plus sympa de se les voir conseiller par des internautes plutôt que de le lire sur *Pariscope* ! »

Géraldine Doutriaux, *Aujourd'hui en France*, 19/09/2006

Lecture des documents et discussion

1. Qu'apprenez-vous sur les relations entre les gens en France ?
Comment expliquez-vous cette situation ?

2. Comparez avec la situation dans votre pays.

3. Quel est pour vous le meilleur moyen de se faire des amis ?

Micro-trottoir. Comment les avez-vous rencontrés ?

Ils racontent comment ils ont rencontré leur compagne ou leur compagnon.

a. Notez dans le tableau les circonstances de rencontre.

Rencontre	1
Lieu	Paris
Activité	Chorale
Autres circonstances	Raccompagnée en voiture

b. Imaginez les premiers mots qu'ils se sont dits.

6 C'est la fête !

Fêtes sans frontières

Fêtes importées

La Saint-Patrick à la française

Pour faire la fête, les Français ne ratent pas une occasion. Après le Nouvel An chinois et Halloween, importé des États-Unis, voici la Saint-Patrick qui nous arrive d'Irlande.

Il faut dire que les pubs irlandais sont nombreux à Paris et que chaque ville de province en a un.

« Nos clients aiment les jeux de fléchettes, les discussions sur le rugby et l'accent irlandais », explique le patron du Murphy's House.

L'intérêt pour la fête nationale irlandaise (17 mars) s'inscrit dans le renouveau des traditions celtiques[1]. Le 20 mars, le stade de France accueillera un fest-noz[2] géant […]

D'après *L'Express*, 15/03/2004

1. En Bretagne française comme en Irlande, au Pays de Galles (Grande-Bretagne) ou en Galice (Espagne), l'ancienne civilisation celte (VIe siècle avant J.-C.) est toujours présente.
2. Fête bretonne traditionnelle.

Fêtes d'ici...

La FÊTE de la TOMATE

Saint-Denis-de-Jouhet, Indre (Centre), à 45 kilomètres de Châteauroux, 3e ou 4e dimanche d'août.

- **Concours de tomates** (la plus belle, la plus grosse, la plus petite, etc.).
- **Dégustation**.
- L'après-midi, **bataille de tomates** dans les rues du village.

(La fête de la tomate la plus célèbre du monde a lieu à Buñol, près de Valence, en Espagne.)

Source : *Guide des fêtes folles de France*, Autrement, 2005

... et d'ailleurs

Nyon accueille la fête fédérale de lutte suisse et des jeux alpestres

Événement majeur de la vie sportive et sociale du pays, la fête fédérale aura lieu à Nyon du 24 au 26 août. La lutte est un sport très populaire en Suisse. Elle propose un spectacle haut en couleurs et attire toujours un très nombreux public. [...]
Profondément ancrée dans la tradition des vallées alpestres et des régions montagneuses, la lutte suisse est sans doute le plus ancien des jeux nationaux et le plus spectaculaire [...]. Le vainqueur recevra comme prix un taureau ainsi qu'une couronne de chêne.
Mais la fête fédérale de lutte, c'est aussi et avant tout une grande manifestation au cours de laquelle le folklore alpestre sera à l'honneur : jet de la pierre d'Unspunnen (83,5 kilos), lanceurs de drapeaux, joueurs de cor des Alpes, yodleurs[1], claqueurs de fouets contribueront à l'animation.
30 000 personnes par jour sont attendues à Nyon à cette occasion.

Source : Région du Léman, Office du tourisme du canton de Vaud, n° 1, 2001

(1) Chanteurs traditionnels de la région du Tyrol.

Fêtes exportées

La Nuit blanche

Créée en 2002, la Nuit blanche a lieu tous les ans à Paris, début octobre.
Du coucher au lever du soleil, des activités artistiques, culturelles et musicales sont proposées au promeneur pour redécouvrir certains lieux de la ville.
À la suite du succès de cette manifestation parisienne, d'autres villes ont organisé leur Nuit blanche : Bruxelles, Madrid, Montréal, Riga, Rome, Toronto.

Lecture du dossier

Pour chacune des fêtes présentées dans ce dossier, indiquez :
- le lieu
- la date
- l'origine
- ce qu'on peut voir
- ce qu'on peut faire

Projet : importer une nouvelle fête en France

Ce travail peut être fait en petits groupes.

Vous êtes chargé(e) par la ville de Paris ou par une région de France d'organiser une fête originale importée d'un pays étranger (une fête de votre pays ou d'un pays que vous connaissez).

1. Préparez une présentation de cette fête.
2. Choisissez un lieu (ou plusieurs lieux) et une date.
3. Réalisez un projet d'affiche pour cette fête.
4. Présentez votre projet à la classe.

Parler d'une fête

- Une fête – une foire – aller à la fête – faire la fête (s'amuser, rire, danser) – assister à un spectacle
- Se déguiser – mettre un costume, un masque – se maquiller
- Les attractions – un feu d'artifice – un défilé – un défilé de chars (fleuris) – le défilé du Carnaval – la grande roue – les montagnes russes – un manège
- Les jeux – participer à un jeu – une course (courir) – une bataille (de fleurs) – lancer un drapeau
- La musique – un orchestre – un groupe de musiciens – un concert – un bal – danser

Utiliser les pronoms objets directs

1 Observez les phrases ci-dessus. Que représentent les mots en gras ?

Dans quels cas utilise-t-on :

me – te : ...
le – la – les : ...
en : ...
en ... une : ...

2 Répondez en utilisant un pronom.

Préparatifs de voyage au Vietnam

- Tu visiteras le Nord ? – Oui, ...
- Tu verras la baie d'Along ? – Oui, ...
- Fabien t'accompagne ? – Oui, ...
- Vous avez acheté vos billets ? – Oui, ...
- Tu as réservé un hôtel ? – Oui, ...
- Tu as de l'argent vietnamien ? – Non, ...
- Tu as des amis au Vietnam ? – Oui, ... Il s'appelle Lan.

3 Remplacez les mots soulignés par un pronom pour éviter des répétitions.

Voyage en Alsace

Je ne connaissais pas la ville de Colmar. Nous avons visité Colmar hier.
J'ai beaucoup aimé les vieux quartiers. J'ai pris en photo les vieux quartiers.
J'adore les fleurs. Il y avait des fleurs partout.
Au menu du restaurant, il y avait de la choucroute. Nous avons commandé une choucroute. Antoine a repris deux fois de la choucroute.
Le vin d'Alsace est excellent. Antoine a pris un verre de ce vin. J'ai goûté ce vin.

4 Recherchez des phrases courantes construites avec un pronom objet direct.

L'explication, je ne l'ai pas comprise.
Le match à la télé, tu l'as vu ?
Etc.

Les pronoms objets directs

Pour reprendre un nom de personne ou de chose complément du verbe :

1. Cas général

Marie connaît Pierre ? – Elle **le** connaît.

Elle **me** connaît	Elle **m'**a vu(e)[1]
Elle **te** connaît	Elle **t'**a vu(e)
Elle **le/la** connaît	Elle **l'**a vu(e)
Elle **nous** connaît	Elle **nous** a vu(e)s
Elle **vous** connaît	Elle **vous** a vu(e)(s)
Elle **les** connaît	Elle **les** a vu(e)s

1. Le participe passé s'accorde avec le pronom complément quand le pronom est avant le verbe.
Je connais **Noémie et Estelle**. Je **les** ai vu**es** hier.

2. Quand le complément est précédé de « du », « de la », « des »

Je fais du thé. Vous en voulez ?
– Non, merci. J'en ai déjà bu.

3. Quand le complément est précédé par un mot de quantité (un, une, deux, trois..., beaucoup de, assez de, etc.)

Vous connaissez un bon médecin ? – J'en connais un.
Et un bon dentiste ? – Je n'en connais pas.
Il a beaucoup de travail ? Il en a beaucoup.

- **À la forme interrogative**

– Forme la plus fréquente à l'oral :
Vous le connaissez ? – Vous en voulez ?

– Forme avec inversion :
Le connaissez-vous ? – En voulez-vous ?
Pierre nous connaît-il ?

- **À la forme négative**

Elle ne le connaît pas. – Je n'en veux pas.

Comprendre et utiliser les pronoms objets indirects

1 Observez les pronoms en gras. Retrouvez la construction du verbe.

Complétez le tableau avec les pronoms qui conviennent. Recherchez des exemples.

	personnes	choses
Verbes construits avec « à »		
Verbes construits avec « de »		
Verbes construits avec une autre préposition (avec, sous, pour, etc.)		

2 Répondez en utilisant un pronom.

Un professeur cherche du travail

- Tu cherches toujours du travail ? – Oui, ...
- Tu es allé à l'entretien pour le poste de professeur ?
– Oui, ...
- Tu as parlé de ton expérience au cours du soir ?
– Oui, ...
- Tu as pensé à dire que tu avais une licence ?
– Oui, ...
- Ils t'ont écrit ? – Non, ...
- Tu as téléphoné au directeur ? – Oui, ... Il doit me donner une réponse la semaine prochaine.

3 Dans quelle(s) situation(s) peut-on prononcer les phrases suivantes :

a. J'y ai réfléchi
b. Je les ai oubliées
c. J'en ai mis
d. Je n'y joue pas
e. Elle me manque
f. Il en a eu

Les pronoms compléments indirects

1. Pour reprendre un nom de personne

a. Le complément indirect est introduit par « à »

• Cas général

Marc parle **à Clara** ? – Il **lui** parle ?

Il **me** parle — Il **m'**a écrit
Il **te** parle — Il **t'**a écrit
Il **lui** parle — Il **lui** a écrit
Il **nous** parle — Il **nous** a écrit
Il **vous** parle — Il **vous** a écrit
Il **leur** parle — Il **leur** a écrit

• Cas des verbes « penser à », « s'habituer à », « s'intéresser à », etc.

Il pense **à Sylvie** ? Il pense **à elle**. Il s'intéresse **à elle**.

b. Le complément est introduit par une autre préposition (préposition + moi, toi, lui/elle, nous, vous, eux/elles)

Tu as besoin **de Pierre** ? – J'ai besoin **de lui**.
Il part **avec son fils** ? – Il part **avec lui**.
N.B. Quand le complément est précédé d'un mot de quantité ou d'un article indéfini, on utilise le pronom « en ».
Il a besoin d'un ami. Il **en** a besoin.

2. Pour reprendre un nom de chose

a. Le complément indirect est introduit par « à »

Tu vas **à Paris** ? – J'**y** vais.
Tu penses **à acheter ton billet** ? – J'**y** pense.

b. Le complément est introduit par « de »

Il vient **de Lyon** ? – Il **en** vient.
Il rêve **d'aller en Chine** ? – Il **en** rêve.

À l'écoute de la grammaire

1 Les pronoms « le », « la », « les » au passé composé. Répondez pour eux.

a. L'étudiant sérieux
- Tu as lu le texte ? – Je l'ai lu.

b. L'étudiant paresseux
- Tu as fait les exercices ? – Je ne les ai pas faits.

2 Le pronom « en ». Attention à la reprise du mot de quantité.

Elle est allée à la fête de la musique. Répondez pour elle.
- Il y avait beaucoup de monde ? – Il y en avait beaucoup.
- Il y avait des jeunes ? – Il y en avait.
- Tu as écouté de la musique classique ? – ...

L'anniversaire

2 - Retrouvailles

Samedi 28 avril, au gîte de la Roque dans le Périgord.

Anne-Sophie : Ah, les voilà ! Bonjour, Dilou.
Odile : Vous êtes déjà arrivés ?
Anne-Sophie : Comme tu vois, et on a pris la meilleure chambre.
Odile : Je vois que tu n'as pas changé. Toujours le mot gentil.
Anne-Sophie : Toi, par contre, tu as changé. Qu'est-ce que tu as fait à tes cheveux ?
Odile : Tu les trouves moches, c'est ça ?
Anne-Sophie : Est-ce que j'ai dit ça ?
Odile : Non, mais tu l'as pensé.
Anne-Sophie : C'est faux. Je les trouve très bien, tes cheveux, et ça me fait plaisir de te revoir, ma petite Dilou.
Odile : Ne m'appelle pas Dilou. Louis ne le supporte pas.

[illegible]arlat.

Deux heures plus tard.

Jean-Philippe : Je vous dérange ?
Liza : Un peu, oui.
Jean-Philippe : Je cherche des amis : Karine Chabrier et Harry Boli.
Liza : Ils sont allés au marché de Sarlat.
Jean-Philippe : Vous n'êtes pas Liza, par hasard ?
Liza : Si. On se connaît ?
Jean-Philippe : Non, mais on va avoir l'occasion de faire connaissance. Je suis Jean-Philippe, un copain d'Harry.
Liza : Ah... Je ne savais pas que les copains des copains étaient invités.
Jean-Philippe : Bon, je vais essayer de les retrouver au marché. Je suis désolé. Je vous ai déconcentrée.
Liza : Ce n'est pas grave.

En fin de journée, les hommes préparent le repas d'anniversaire.

Odile : Tu nous prépares quoi ? Un plat irlandais ?
Patrick : On a dit : pas de filles dans la cuisine.
Odile : Ça va. Je m'en vais.
Louis : Moi, je peux peut-être t'aider ?
Patrick : Si tu veux. Tiens, tu me coupes les truffes ?
Louis : Je les coupe comment ?
Patrick : En tranches fines.
……
Louis : Alors, tu es dans l'informatique ?
Patrick : Aujourd'hui, je suis dans le rôti de bœuf sauce Périgueux. Tiens, tu peux ajouter un peu de vin blanc dans la sauce.
Louis : J'en mets combien ?
Patrick : Un demi-verre, ça suffira.
……
Louis : Moi aussi, je suis dans l'informatique. Je travaille sur un jeu vidéo : le Secret des pyramides.
Patrick : Et moi, Louis, je travaille sur la sauce Périgueux, et le secret de la sauce Périgueux, tu veux le savoir ? C'est une petite cuillerée de cognac.

À table.

Jean-Philippe : Et voilà le travail : gâteau aux trois chocolats.

Jean-Philippe : Allez, je vous sers.
Liza : Pas pour moi, merci.
Jean-Philippe : Tu n'en veux pas ?
……
Jean-Philippe : Alors, ça vous plaît ?
Anne-Sophie : Eh bien, c'est particulier.

Compréhension et simulations

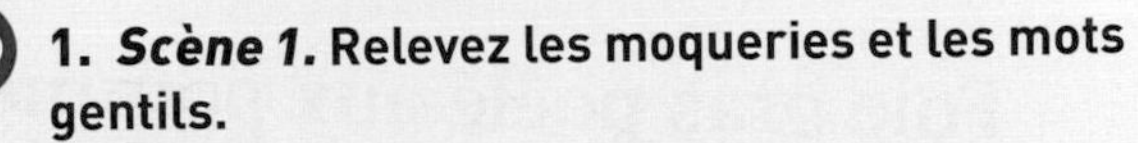

1. *Scène 1.* Relevez les moqueries et les mots gentils.

2. Jouez la scène avec votre voisin(e). Vous retrouvez un(e) ami(e) que vous n'avez pas vu(e) depuis longtemps.

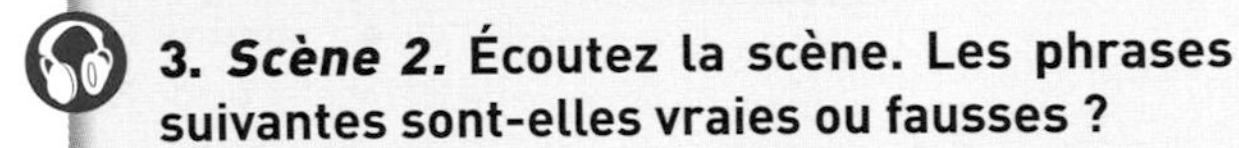

3. *Scène 2.* Écoutez la scène. Les phrases suivantes sont-elles vraies ou fausses ?

a. Jean-Philippe a déjà vu Liza.
b. Liza a entendu parler de Jean-Philippe.
c. Jean-Philippe dérange Liza.
d. Entre Liza et Jean-Philippe, c'est le coup de foudre.

4. *Scène 3.* Imaginez une mise en scène de cette scène (mouvements, gestes, expressions des personnages).

5. Écoutez la scène 4 et transcrivez-la en entier.

6. Jouez la scène. Utilisez le vocabulaire du tableau (à faire par petits groupes de 4 ou 5).

Vous êtes avec des amis dans un restaurant où on vous sert des plats originaux.
Vous lisez et commentez la carte. Vous choisissez vos plats.

Exprimer des goûts et des préférences

- J'aime… J'aime bien… J'aime beaucoup
  Je trouve ça excellent
  Plaire : la région du Périgord me plaît
  Liza plaît à Jean-Philippe (Elle lui plaît) – Le film lui a plu
  Je ne résiste pas à un plat de choucroute
- Je n'aime pas. J'ai horreur du vin blanc
  Je ne supporte pas le bruit. Je trouve ce bruit désagréable
  Le film ne m'a pas plu
- Je préfère… J'aime mieux le thé glacé – Il fait froid. On va annuler la soirée. Il vaut mieux rester à la maison.

Prononciation

Prononciation de « le », « la », « les » compléments du verbe
L'indifférente
On la présente … Elle ne le connaît pas
Il la rencontre … Elle ne le voit pas
Il la regarde … Elle ne le sait pas
Il la cherche … Il ne la trouve pas
Il les fait rire … Elle ne s'amuse pas
Il les invite … Elle ne le remercie pas.

PLATS DE FÊTES

Foie gras poêlé aux pommes

Préparation : 10 min
Cuisson : 15 min

Ingrédients (pour une personne) :
♦ 2 tranches de foie gras frais ♦ 1 pomme
♦ quelques gouttes de vinaigre de framboise ou de Xérès
♦ sel, poivre, noix muscade

Préparation :
• Trancher le foie gras frais de canard ou d'oie, en tranches de 1 gros centimètre.
• Faire chauffer la poêle assez fort à sec. Y placer la ou les tranches de foie gras.
• Laisser cuire 4 à 5 minutes.
• Essuyer la poêle et retourner le foie.
• Cuire selon son goût.
• Retirer, saler, poivrer, arroser de vinaigre.

Accompagnement :
• Trancher les pommes, les faire revenir dans la poêle dans un peu de beurre, saupoudrer d'un peu de noix muscade.

Servir chaud.

Le foie gras, plat traditionnel du réveillon de Noël avec les huîtres.

Galette des rois

Préparation : 15 min
Cuisson : 40 min

Ingrédients (pour 4 à 6 personnes) :
♦ 2 pâtes feuilletées ♦ 100 g de poudre d'amandes
♦ 75 g de sucre ♦ 1 œuf ♦ 50 g de beurre
♦ quelques gouttes d'extrait d'amande amère
♦ une fève

Préparation :
• Disposer une pâte dans un moule à tarte, la piquer avec une fourchette.
• Mélanger dans un saladier tous les ingrédients sauf la fève.
• Étaler le contenu sur la pâte, y mettre la fève.
• Refermer la galette avec la deuxième pâte et bien coller les bords.
• Percer le dessus de petits trous pour que la galette ne gonfle pas trop.
• Mettre au four à 210 °C (th. 7) pendant 30 minutes environ.

La galette des rois. La personne qui a la fève dans sa part de galette devient le roi ou la reine.

Lecture et présentation des recettes

Travail en deux groupes.
Vous devez présenter cette recette à une émission de télévision sur la cuisine.

a. Choisissez une des recettes. Lisez-la.

b. Préparez vos ingrédients et vos ustensiles (sous forme de dessins ou avec des objets divers).

c. Présentez votre recette.

Rédigez des fiches cuisine de survie

(À l'intention des personnes qui ne savent pas cuisiner)
Travail par groupes de deux.
Comment faire cuire un œuf, un steak, etc.
Comment faire une omelette, des crêpes, une vinaigrette, etc.

La cuisine

• Les ustensiles
un plat – un bol – un saladier – un moule (à tarte) – une poêle – une casserole – une cocotte-minute

• Les ingrédients
le sel – le poivre – les épices (f.) – l'huile (f.) – le vinaigre – la moutarde – l'ail (m.) – le persil – l'oignon (m.) – le thym – le laurier

• Les actions
faire chauffer – faire cuire – faire griller – faire bouillir – faire frire
Le cuisinier fait cuire le poulet.
couper – découper – verser – ajouter

• Sur la table
une assiette – un verre – une coupe (à champagne) – une cuillère – une fourchette – un couteau – une carafe – une bouteille – une tasse – une nappe – une serviette – une corbeille (à pain) – un seau (à champagne)

BOURGES

Temps forts et jours fériés

Calendrier

Le Couvent des Augustins pendant les Nuits lumière.

Amadou et Mariam au Printemps de Bourges.

Printemps

→ **Mars :** le printemps des poètes. Café-poésie, lectures et bien d'autres découvertes.

→ **8 et 9 avril :** dimanche et lundi de Pâques. Tradition des œufs et des poules en chocolat pour les enfants.

→ **17 au 22 avril :** le Printemps de Bourges. Festival de musique et de chansons. Pour découvrir les nouveaux talents.

→ **1er mai :** fête du Travail. Tradition du muguet porte-bonheur.

→ **8 mai :** Commémoration de la victoire de 1945.

→ **13 mai :** fête des Mères

→ **27 et 28 mai :** dimanche et lundi de Pentecôte.

→ **16 juin :** repas de quartiers.

→ **17 juin :** fête des Pères.

Été

→ **21 juin :** Fête de la musique.

→ **du 21 juin au 21 septembre :** les Nuits lumière de Bourges. Parcours spectacles dans la vieille ville. Des images et de l'émotion.

→ **14 juillet :** Fête nationale. Feu d'artifice. Animations musicales et bals populaires.

→ **15 août :** Assomption.

→ **16 et 17 septembre :** Journées du patrimoine. Monuments, musées, demeures historiques et jardins ouvrent au public.

Automne

→ **21 octobre :** les Foulées de Bourges. Grande course à pied avec 10 000 participants.

→ **31 octobre :** Nuit de Halloween.

→ **1er novembre :** jour de la Toussaint.

→ **11 novembre :** commémoration de l'armistice de 1918.

Hiver

→ **Fêtes de fin d'année :** pendant les fêtes, animation dans les rues et marché de Noël.

→ **25 décembre :** Noël.

→ **31 décembre :** nuit de la Saint-Sylvestre. Feu d'artifice et animation. Réveillon du jour de l'An.

→ **1 janvier :** jour de l'An.

→ **6 janvier :** Épiphanie. Tradition de la galette des rois et de sa fève.

→ **14 février :** soirée de la Saint-Valentin.

→ **28 février :** défilé de Carnaval. Soirée crêpes.

Les fêtes en France

1. Lisez le calendrier des temps forts de l'année à Bourges. Complétez le tableau.

Fêtes	Printemps des poètes	
Ce qu'on peut voir ou faire		
Ce qu'on offre Ce qu'on envoie		
Ce qu'on mange		
Ce qu'on dit		

2. Écoutez. Ils parlent de certains temps forts de l'année. Complétez le tableau avec les informations qu'ils donnent.

3. Écoutez ces phrases. À quelles occasions sont-elles prononcées ? Notez-les dans le tableau.

4. Faites des comparaisons avec les temps forts de l'année dans votre pays.

7 Vous plaisantez !

BIZARRE... BIZARRE
LE FORUM DES NOUVELLES INSOLITES

Les nouvelles | Vos photos | Forum | Rechercher

Les nouvelles

Un chômeur gagne en France la somme record de 75 888 514 € à l'Euro Millions.
Un chômeur de 55 ans, originaire du Val-d'Oise, qui a joué avec l'un de ses sept enfants, a pulvérisé vendredi soir le record des gains à un jeu de hasard en France, en gagnant à l'Euro Millions la somme de 75 888 514 euros, l'équivalent de près de 62 siècles de Smic.
Interrogé par la presse, il a expliqué qu'il avait l'intention de « se faire plaisir, un petit peu, c'est normal ». Mais il a surtout assuré qu'il allait « faire du bien aux gens qui en ont besoin ». « La famille, les amis », les « bons amis », a-t-il précisé, « je ne les oublie pas ».

actu-wanadoo.fr.17/09/2005

Stockholm – **Une Suédoise de 38 ans vient de recevoir une lettre d'amour** écrite il y a vingt ans par le grand amour de ses 18 ans, un Français rencontré en vacances. La jeune femme vit aujourd'hui seule avec son fils.

Tokyo – **Un Japonais de 60 ans** a pu mémoriser les cent mille décimales du nombre pi (3,14116...). Il les a récitées pendant 16 heures devant un jury.

Washington – **La cape d'Harry Potter**, le personnage créé par la romancière J. K. Rowling, pourrait devenir une réalité d'après des chercheurs américains et anglais. Rappelons que cette cape permet d'être invisible.

Paris – **Dans son livre *Les Clés du destin*** (Odile Jacob), le sociologue J.-F. Amadieu montre que le prénom du candidat à un poste influence la décision du recruteur. Clara et Estelle ont plus de chance de trouver un emploi que Ginette.

BIZARRE... BIZARRE
LE FORUM DES NOUVELLES INSOLITES

Les nouvelles | **Vos photos** | Forum | Rechercher

Envoyez vos informations ou vos photos.
Donnez votre avis.

Les nouvelles | Vos photos | Forum

Forum – Que feriez-vous à leur place ?

Que feriez-vous si vous gagniez une grosse somme d'argent ?

« Je pense que je m'achèterais dans un premier temps une superbe voiture. Ensuite il me faudrait une belle maison et je pense que je referais ma garde-robe... »

Laetitia C., *étudiante, 17 ans*

« Je pourrais réaliser mon rêve : partir au Maroc, acheter des chevaux et monter un haras avec table d'hôtes. J'adore ce pays et j'aime beaucoup recevoir, accueillir les gens. »

Claude-Marie V., *fonctionnaire, 51 ans*

« Je pense que je commencerais par un tour du monde pour prendre le large, m'aérer et savoir ce que je vais faire d'une telle somme. Je m'achèterais peut-être une maison dans la région ou ailleurs, je ne sais pas... »

Régis T., *vigile, 35 ans*

« Je garderais quand même une certaine somme pour mon jardin et la maison. J'améliorerais mon quotidien. Ensuite, je me tournerais vers mes amis qui en ont besoin et les associations. Je n'oublierais pas d'aider la recherche. »

Marie-Claire C., *retraitée, 60 ans*

Midi Libre, 22/04/2004

Lecture et commentaire des nouvelles

1. Lisez le premier article.

a. À l'aide des définitions suivantes, trouvez le sens des mots difficiles.

qui n'a pas de travail : ...
la plus importante : ...
qui vient de : ....
exploser : ...
la somme qu'on a gagnée : ...
le salaire minimum : ...

b. Complétez les informations suivantes.

- De qui parle-t-on ?
- Que s'est-il passé ?
- À quelle occasion ?
- Quelles sont les conséquences ?

2. Lisez le forum.

a. Notez ce que ferait chaque personne si elle gagnait une grosse somme d'argent.

Laetitia → acheter une voiture, une maison...

b. Observez l'emploi des temps verbaux.

3. Répondez à la question du forum.

Participez au forum nouvelles insolites

(Travail en petits groupes)

1. Faites vos commentaires sur les autres nouvelles brèves et sur les photos insolites.

2. Trouvez d'autres informations intéressantes ou bizarres. Rédigez-les en haut d'une page et posez la question :

« Que feriez-vous à leur place ? »

3. Faites circuler la page. Les étudiants répondent à la question.

Faire des hypothèses

1 Observez les constructions ci-dessus et l'emploi des temps verbaux.

- Hypothèses avec si (à l'imparfait) → conséquences

  ....

- Hypothèses avec si (au présent) → conséquences

  ....

Comparez la conjugaison du conditionnel présent avec celle du présent de l'indicatif.

Le conditionnel présent

• La supposition

Si + présent → verbe au présent ou au futur

Si tu vas à Londres, je pars avec toi.

• L'hypothèse

Si + imparfait → verbe au conditionnel présent

S'il allait à Londres, je partirais avec lui.

• Formation du conditionnel présent

radical du futur + *-ais, -ais, -ait, -ions, -iez, -aient*

acheter	faire
j'achèterais	je ferais
tu achèterais	tu ferais
il/elle achèterait	il/elle ferait
nous achèterions	nous ferions
vous achèteriez	vous feriez
ils/elles achèteraient	ils/elles feraient

2 Mettez les verbes entre parenthèses à la forme qui convient.

Un Allemand, étudiant en français

Si je réussissais à mon examen, j'(*aller*) passer une année en France.
Je (*s'inscrire*) à l'université de Besançon parce que j'(*avoir*) des amis dans cette ville. Ces amis me (*loger*).
Toi et moi, on (*rester*) en contact par mél.
Tu (*venir*) pour les vacances. Nous (*visiter*) la région.
Si tes parents (*accepter*) de te prêter de l'argent, tu (*pouvoir*) passer l'année suivante avec moi.

3 Imaginez la suite.

a. Si j'étais maire de la ville ...
b. Si mon oncle me prêtait son bateau ...

Exprimer une demande polie

1 Observez ci-dessus l'emploi du conditionnel.

2 Formulez les phrases suivantes de façon polie.

a. le patron à l'employé

Soyez à l'heure le matin !
Vous devez travailler sur le dossier Soditel.

b. L'employé au patron

Je veux un jour de congé.
Il faut augmenter mon salaire

Demandes polies et conseils

1. Exprimer une demande de façon polie

je voudrais sortir
tu devrais sortir
j'aimerais / je souhaiterais / il faudrait } que vous sortiez (subjonctif voir p. 92)

2. Exprimer une suggestion, un conseil

Nous pourrions aller au concert de Diam's.
Je préférerais qu'on aille au théâtre.
Il vaudrait mieux aller écouter Vincent Delerm.
Vous devriez aller voir le spectacle de Bartabas.

3 Faites des suggestions. Répondez-leur.
« Tu pourrais... Tu devrais... Il faudrait que... »
a. Une femme de 30 ans : «Le matin, quand je me lève, je suis fatiguée. »
b. Un fonctionnaire de la préfecture : « Mon travail m'ennuie. »
c. Un jeune homme : « On dit que je suis un beau mec intelligent mais toutes mes petites amies me quittent au bout de 15 jours. »

Décrire des déplacements

1 Lisez le paragraphe 1 du tableau ci-contre. Utilisez ces verbes pour raconter une journée passée à visiter une grande ville.
« Nous sommes partis de l'hôtel à 9 heures ... »

2 Lisez les paragraphes 2 et 3. Utilisez les verbes dans les circonstances suivantes :

a. Un de vos amis va voir l'exposition Monet. Vous aussi, vous avez envie de voir cette exposition.
« Je peux ... Tu peux ... dans ta voiture »

b. C'est la grève du métro. Comment rentrer chez vous ? Heureusement, un de vos collègues a une voiture.
« Je ne peux pas ... Tu peux ... »

c. Vous commandez une pizza dans une pizzeria. Vous avez envie de la manger chez vous.
« C'est pour ... »

d. Vous préparez une sortie pique-nique avec les amis.
« Dans ma voiture, je peux ... Qu'est-ce que ... Qu'est-ce que vous ... »

Décrire des mouvements

1. Le mouvement en général

• partir – arriver – repartir – revenir – rentrer
Le 8 mai, à 9 heures, il part **à** Marseille. Il part **de** Paris.
À midi, il arrive **à** Marseille. Il arrive **de** Paris.
Le 9 mai, il repart **de** Marseille **vers** Nice.
Le 10 mai, il revient **à** Marseille.
Le soir, il rentre **chez** lui, **à** Paris.

• monter – descendre
Elle est montée au Lac bleu en télésiège. Elle est redescendue à pied.
Il est descendu du métro à la station Pasteur.

• entrer – sortir – traverser
Le voleur a traversé le jardin. Il est entré par la fenêtre.
Il est sorti par la porte.

• avancer – reculer
Les courageux avancent. Les peureux reculent !

2. Avec les personnes

• accompagner – amener
Pierre accompagne (amène) sa fille au collège à 7h 45.

• raccompagner – ramener
Pierre raccompagne (ramène) sa fille à la maison à 16 h.

• emmener
Nous allons en promenade. On vous emmène ?

3. Avec les choses

• apporter
J'accepte ton invitation à dîner. J'apporte le dessert.

• rapporter
Je t'ai prêté un livre. Tu peux me le rapporter ?

• emporter
Quand il voyage, il emporte toujours un livre.

À l'écoute de la grammaire

1 Différenciez futur et conditionnel : ai [e] et iez [je]
Vous êtes courageux. Confirmez.
• Vous les appelleriez ? – Je les appellerai.
• Vous iriez ? – ......

2 Vous avez un doute. Demandez-lui confirmation.
• Moi, si un jour je gagne au Loto, j'arrête de travailler.
– Si tu gagnais au Loto, tu t'arrêterais de travailler ?
• Oui et si je m'arrête de travailler, je pars en voyage.
– ......

L'anniversaire

3 - Journée de détente

Anne-Sophie a programmé un tour en montgolfière au-dessus du Périgord.

Anne-Sophie : Allez ! On y va tous !
Liza : Moi, je ne monte pas là-dedans.
Jean-Philippe : Pourquoi ? Tu as peur ?
Liza : À dix ans déjà, sur la grande roue j'avais le vertige.
Jean-Philippe : Tu fermeras les yeux. Je te tiendrai la main.
Liza : Et si ça se dégonflait !
Jean-Philippe : J'arriverais à terre avant toi et je te recevrais dans mes bras.
Liza : Je préfère ne pas essayer.
Anne-Sophie : Pour le moment, c'est toi qui te dégonfles.
Harry : Elle n'est pas la seule. Moi aussi, je préférerais rester en bas.
(*à Liza*) Et si on allait voir les antiquaires de Sarlat ?
Liza : Ça, ça me plairait mieux.
Jean-Philippe : Je vous accompagne.
Anne-Sophie : Ah non, Jean-Philippe, tu restes avec nous !
Harry : Ne vous inquiétez pas. Je la ramène pour le dîner !
***Karine** (à Odile)* : Il me laisse tomber. Il ne manque pas d'air !
Odile : Je dirais même qu'il est gonflé !

Dans les airs.

Louis : Patrick, tu vois ce château. Il me donne une idée de jeu vidéo.
Patrick : Mais tu ne penses qu'à ça !
Louis : Tu choisirais ton époque, par exemple le XIIe siècle... Tu te connecterais avec des gens qui ont choisi la même époque... dans le monde entier... Ce serait sympa, non ?
Patrick : Eh bien, développe-le, ton jeu.
Louis : Il me faudrait un partenaire financier. Ça ne t'intéresserait pas ?
Patrick : Il faut voir.

Le soir.

Karine : Mais qu'est-ce qu'ils font ? S'ils avaient un problème, ils nous appelleraient !
Anne-Sophie : Moi, à ta place, je m'inquiéterais.
Karine : Harry et moi, on est ensemble depuis cinq ans. Il n'a jamais eu d'aventure.
Anne-Sophie : Oui, mais cinq ans, c'est long. *(Le portable de Karine sonne)*
Karine : Oui... Ah, j'aime mieux ça... D'accord. *(à Anne-Sophie)* Ils seront là dans dix minutes. Harry a rencontré un copain à Sarlat.

Après le dîner.

Odile : Si on faisait un jeu ensemble ?
Anne-Sophie : C'est une idée. Jouons au portrait.
Karine : Pourquoi pas au scrabble ?

Plus tard, les huit amis jouent au jeu du portrait.

Karine : Anne-Sophie, ça y est, tu peux revenir.
Anne-Sophie : Alors, c'est un homme ou une femme ?

Anne-Sophie : Bon, si c'est comme ça, je préfère aller me coucher. Continuez sans moi.
Harry : Qu'est-ce qu'il lui arrive ?
Louis : Elle l'a mal pris.

Compréhension et simulations

1. *Scène 1.* Écoutez la scène.

Après la sortie en montgolfière, Odile téléphone à une amie.

« Je vais te raconter. Ce matin, Anne-Sophie a organisé... »

2. *Jouez la scène (à quatre).*

Vous devez faire une activité originale (promenade à cheval, tour sur les montagnes russes d'une foire, etc.). Mais deux d'entre vous ne sont pas d'accord.

Proposer – Réagir

- **Proposer**

Et si on allait au cinéma ?

On pourrait... / Tu n'aimerais pas... / Pourquoi ne pas... } aller au cinéma

- **Hésiter**

Je ne sais pas. Il faut voir.
Je vais y réfléchir.

- **Refuser**

Ça ne me dit rien. Je n'ai pas envie.

- **Proposer autre chose**

J'aimerais mieux / Je préférerais / Il vaudrait mieux } aller au théâtre

On ne pourrait pas aller au théâtre ?

3. *Scène 2.* Continuez l'explication de Louis.

Tu serais... Tu rencontrerais... Tu verrais...

4. *Scène 3.* Écoutez puis imaginez et jouez la scène suivante.

Vous passez des vacances en famille ou avec des amis dans une grande maison.
Deux d'entre vous sont sortis pour faire une activité.
Le soir, ils ne sont toujours pas rentrés.

5. *Scène 4.* Transcrivez cette scène.

6. Jouez au jeu du portrait.

Prononciation

Sons [u] et [y].

Tu sais tout
La ville de Katmandou ... Tu l'as vue.
Le chant du coucou ... Tu l'as entendu.
« Ensemble, c'est tout » ... Tu l'as lu.
« Chou, hibou, caillou » ... Tu l'as retenu.
Cet air de Sardou ... Tu l'as reconnu.

Naissance d'un chef-d'œuvre

Le début du XXe siècle est en France une grande période de création artistique. Tous les ans, une nouvelle école se crée. Après le Fauvisme de Matisse et de Derain vient le Cubisme de Picasso et de Braque, puis l'Art abstrait, le Futurisme...

Beaucoup d'artistes se sont installés sur la butte Montmartre, qui ressemble encore à un village et qui est devenue le centre artistique et littéraire de Paris.

Mais tous ces peintres et ces sculpteurs n'ont pas le talent d'un Van Gogh ou d'un Toulouse-Lautrec. Certains cherchent à exploiter l'ignorance du public qui achète les styles à la mode mais ne sait pas toujours reconnaître les œuvres de qualité.

Pour se moquer d'eux, l'écrivain Roland Dorgelès et ses amis décident de frapper un grand coup.

Le patron du Lapin agile, le café où se réunissent Dorgelès et ses amis, possède un âne qui s'appelle Lolo. Dorgelès place Lolo devant une table couverte de carottes, de choux et de salades. Il attache un pinceau à la queue de l'âne, pose sous la queue un tableau blanc et trempe le pinceau dans de la peinture. Les mouvements de la queue commencent à dessiner des formes abstraites sur la toile...

Un huissier* et un photographe, invités par Dorgelès, observent la scène. De temps en temps, Dorgelès déplace la toile et trempe le pinceau dans une couleur différente.

Bientôt l'œuvre est terminée. Il ne reste plus qu'à lui donner un nom. Ce sera *Coucher de soleil sur l'Adriatique*. On imagine aussi le nom du peintre, *Joaquim Raphaël Boronali*, qu'on présente comme le chef de l'école « *Excessiviste* ».

L'œuvre est exposée au Salon des Indépendants. Les critiques d'art l'apprécient et trouvent au peintre inconnu Boronali « beaucoup de personnalité » et un « grand talent de coloriste ».

Quelques jours plus tard, Dorgelès révèle toute l'affaire dans le journal *Le Matin*. Cette révélation ne fait qu'augmenter le succès du tableau. Tout le monde va le voir. Il se vendra 400 francs, soit 1 500 euros. L'œuvre existe toujours. Elle a été exposée en 1983 au Salon des Indépendants.

* Huissier : homme de loi.

D'après Claude Gagnières, *Au bonheur des mots*, Robert Laffont, Paris, 1989.

Le script de l'histoire

Travail en petits groupes

Vous devez préparer un film d'après cette histoire.

Faites la liste des scènes que vous allez tourner.

Pour chaque scène indiquez le lieu, les personnages, les actions. Écrivez les dialogues.

Scène 1 : Montmartre en 1900. Un peintre s'est installé sur la place du Tertre. Des passants s'arrêtent...

Plaisanter – rire

- **L'humour**

faire de l'humour sur... – être drôle, amusant – un humoriste – un film comique – une histoire drôle – une blague – raconter une blague

- **Le rire**

rire (de) – Nous avons beaucoup ri de son aventure – plaisanter – une plaisanterie – sourire – un sourire – attraper un fou rire

- **L'ironie**

se moquer de quelqu'un (quelque chose). Ils se sont moqués de moi – une moquerie – taquiner quelqu'un – une caricature

QU'EST-CE QUI LES FAIT RIRE ?

Un regard amusé sur soi et sur les autres

Les Français sont les descendants de Molière et de Beaumarchais. Dans les pièces de boulevard, dans les films comiques, mais aussi avec les amis, les voisins ou des inconnus rencontrés au café ou dans le train, ils aiment plaisanter de leurs défauts et des défauts des autres. Ici, l'humoriste Gad Elmaleh parle de voyages en avion.

« Moi j'ai peur en avion et j'ai peur de dire que j'ai peur. Même si on a tous dans notre entourage quelqu'un qui dit : "Tu sais, il n'y a pas plus d'accidents d'avions que d'accidents de voitures." C'est cela, oui.
Et alors, pourquoi un aéroport, on appelle ça un terminal ?
Ils ont une question très bien les douaniers, c'est quand ils disent : "Monsieur, est-ce que quelqu'un que vous ne connaissez pas vous a donné quelque chose ?"
Moi je leur dis : "Monsieur, même les gens que je connais très bien ne me donnent rien." [...]
Moi, j'arrêterai d'avoir peur en avion le jour où on arrêtera d'applaudir les pilotes parce qu'ils ont réussi l'atterrissage. »

Extrait du spectacle « L'autre, c'est moi ».

Le plaisir des jeux de mots

Avec ses mots qui se prononcent pareil ou presque pareil, la langue française permet de faire des jeux de mots. En voici quelques-uns.

En sortant de chez le dentiste :
« C'était une tragédie de Racine. »

En sortant de chez son psychanalyste :
« Ça va comme psy comme ça. »

En sortant du restaurant :
« C'était un néfaste food. »

Le poulet avait un goût bizarre :
« C'était un poulet aux Curie. »

D'un écrivain qui pensait avoir un prix littéraire :
« Il croyait au père Nobel. »

Il y a du vent sur la grande avenue parisienne :
« C'est les Champs Alizés. »

Jeux de mots choisis dans
Demandez nos calembours, Patrice Delbourg,
Le Cherche Midi, 1997.

Vous la connaissez ?

Un Belge, un Canadien, un Français et un Suisse racontent des blagues.
« Savez-vous pourquoi les Français n'allument pas les phares de leur voiture dans la journée ?
– Parce qu'ils se prennent pour des lumières. »

L'humour du quotidien

1. Dans l'extrait du spectacle de Gad Elmaleh, recherchez les particularités de la langue orale familière.

2. Notez les observations amusantes.

3. Recherchez des moments ou des phrases amusantes dans les situations suivantes :
- un repas dans un restaurant
- les parents et les enfants dans la voiture

Les jeux de mots

Dans chaque phrase, cherchez où se trouve le jeu de mots. Dans quelle situation peut-on le faire ?
Exemple : une tragédie de Racine (Racine, auteur de tragédies / la racine d'une dent) : quand le dentiste a arraché une dent.

Écoutez et racontez des blagues

De qui se moque-t-on ? Qu'est-ce qu'on critique ?
Racontez chaque blague.
Racontez des histoires drôles que vous connaissez.

8 On s'entend bien !

Le langage des couleurs

**Les couleurs que nous aimons ou que nous rejetons nous renseignent sur notre personnalité.
Elles peuvent aussi influencer nos comportements.
Découvrez pourquoi vous êtes attiré(e) par certaines couleurs, pourquoi vous avez choisi une robe ou une cravate bleue, pourquoi vous avez fait peindre votre salon en jaune…**

Le blanc

■ **Si vous aimez :**
gaieté – spontanéité – goût de l'ordre – esprit pratique

■ **Si vous détestez :** intolérance

■ **Les objets et les mots :**
la robe blanche de la mariée – la blouse blanche des médecins

« Je vous donne carte blanche » :
Je vous laisse libre.

Le vert

■ **Si vous aimez :**
optimisme – enthousiasme – jeunesse – énergie

■ **Si vous détestez :** caractère changeant

■ **Les objets et les mots :**
le billet vert (le dollar) – le tapis vert (des jeux) – le parti politique « les Verts »

« Il m'a donné son feu vert » :
Il m'a donné son autorisation.

Le bleu

■ **Si vous aimez :**
curiosité – goût du voyage – goût pour la réflexion et les idées – compréhension des autres

■ **Si vous détestez :** peu sociable

■ **Les objets et les mots :**
le drapeau de l'Europe – les Casques bleus de l'ONU – un cordon-bleu (une bonne cuisinière)

« Je n'y ai vu que du bleu » :
Je n'ai rien compris.

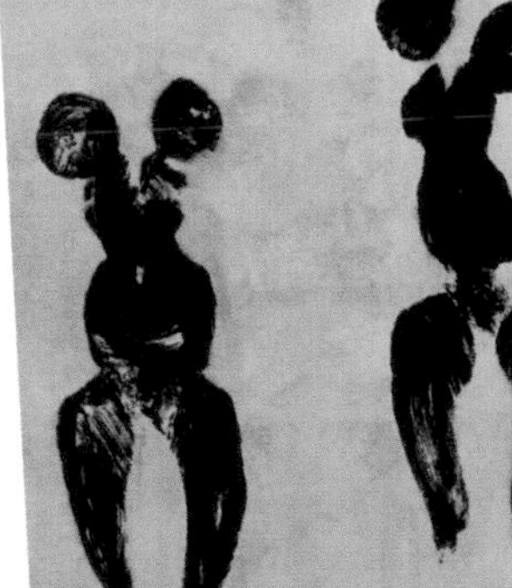

Le noir et le gris

■ **Si vous aimez :**
élégance – simplicité – goût de la connaissance – honnêteté

■ **Si vous détestez :** pessimisme

■ **Les objets et les mots :**
le tableau noir (de l'école) – les romans de série noire (les romans policiers) – le travail au noir (clandestin) – les idées noires (tristes)

« Vous me mettez cela noir sur blanc » :
Vous l'écrivez.

Le rouge (et le rouge orangé)

■ **Si vous aimez :**
courage – passion – ambition – action

■ **Si vous détestez :** autoritarisme

■ **Les objets et les mots :**
le feu rouge ou orange – le tapis rouge (des stars) – le drapeau rouge (des révolutionnaires)

« Il a vu rouge » : Il s'est mis en colère.

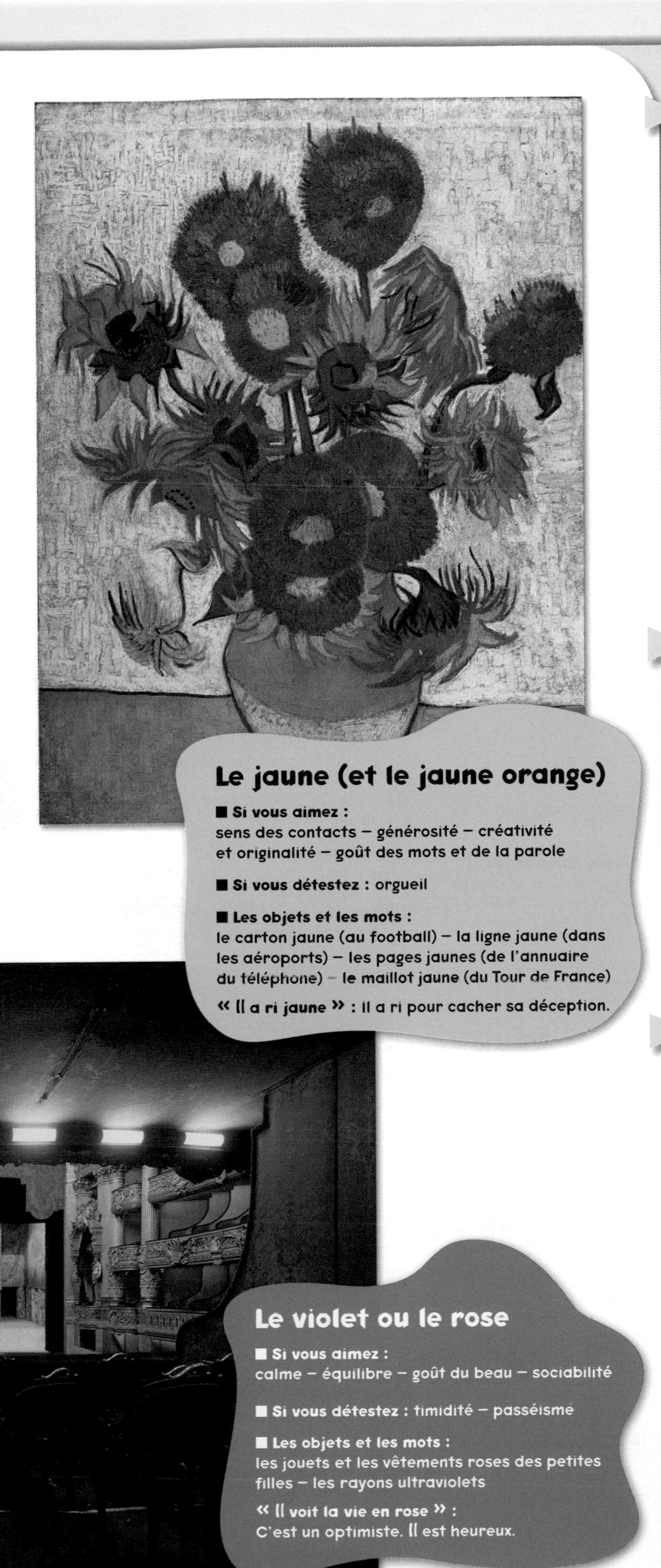

Le jaune (et le jaune orange)

■ **Si vous aimez :**
sens des contacts – générosité – créativité et originalité – goût des mots et de la parole

■ **Si vous détestez :** orgueil

■ **Les objets et les mots :**
le carton jaune (au football) – la ligne jaune (dans les aéroports) – les pages jaunes (de l'annuaire du téléphone) – le maillot jaune (du Tour de France)

« Il a ri jaune » : il a ri pour cacher sa déception.

Le violet ou le rose

■ **Si vous aimez :**
calme – équilibre – goût du beau – sociabilité

■ **Si vous détestez :** timidité – passéisme

■ **Les objets et les mots :**
les jouets et les vêtements roses des petites filles – les rayons ultraviolets

« Il voit la vie en rose » :
C'est un optimiste. Il est heureux.

Faites passer le test

Travail par deux

1. Préparez dix questions pour connaître la couleur que votre partenaire préfère et la couleur qu'il déteste.

Exemple : Si tu achetais une voiture, quelle serait sa couleur ? Quelle couleur ne choisirais-tu pas ?

2. Posez les questions à votre partenaire. Trouvez sa couleur préférée et la couleur qu'il n'aime pas.

3. Lisez ensemble la description correspondant aux deux couleurs.

Cherchez les mots inconnus dans le dictionnaire ou demandez au professeur.

4. Présentez le résultat du test à la classe et donnez votre avis.

Le langage des couleurs

La classe se partage les sept couleurs.

1. Pour chaque mot du vocabulaire de la psychologie, trouvez :

– l'adjectif correspondant : la curiosité → curieux
– un exemple de comportement : « À dix ans, il lisait le journal et des magazines scientifiques. »
– une expression indiquant le contraire : « Il ne s'intéresse à rien. »

2. Lisez la liste des objets. Comparez avec les réalités de votre pays.

Le caractère et la personnalité

Recherchez les qualités qu'ils doivent avoir et les défauts qu'ils ne doivent pas avoir.

a. le chef d'entreprise
b. l'actrice de théâtre
c. le vendeur de voitures
d. la journaliste
e. l'avocat
f. la styliste

Rapporter des paroles ou des pensées

Rapporter des paroles

Paroles prononcées		Les paroles sont prononcées maintenant	Les paroles ont été prononcées dans le passé
Affirmation	**Au présent** Il pleut.	Il dit qu'il pleut. **(présent)**	Il a dit qu'il pleuvait. **(imparfait)**
	Au futur Je ne sortirai pas.	Il dit qu'il ne sortira pas. **(futur)**	Il a dit qu'il ne sortirait pas. **(conditionnel présent)**
	Au futur proche Je vais rester chez moi.	Il dit qu'il va rester chez lui. **(futur proche)**	Il a dit qu'il allait rester chez lui. **(*aller* à l'imparfait + infinitif)**
	Au passé J'ai fini mon travail.	Il dit qu'il a fini son travail. **(passé composé)**	Il a dit qu'il avait fini son travail. **(plus-que-parfait)** (voir p. 104)
Question	Vous voulez regarder un film ? Que voulez-vous voir ? Qui... quand... quel acteur ?	Il nous demande si nous voulons regarder un film. Il nous demande ce que nous voulons voir. Il nous demande qui... quand... quel acteur...	Il a demandé si nous voulions regarder un film. Il nous a demandé ce que nous voulions voir.
Ordre	Pierre, allume la télé !	Il demande à Pierre d'allumer la télé.	Il a demandé à Pierre d'allumer la télé.

1 Observez comment les phrases de Kevin sont rapportées par Hélène.

Je quitte tout. → Il m'a dit qu'il quittait tout.

2 La responsable d'une agence immobilière parle à un collaborateur.

« Alexandre, je sors.
J'ai plusieurs rendez-vous à l'extérieur.
Je vais faire visiter l'appartement de M. Coste.
Je rentrerai vers 18 h.
Est-ce que vous pouvez m'attendre ?
N'oubliez pas : téléphonez à Mme Fontaine et faites la lettre pour Alma Assurances...
Au revoir. Avertissez Charlotte. »

Alexandre rapporte à Charlotte les paroles de la responsable de l'agence.

« Elle a dit qu'elle... »

3 Une styliste raconte à une amie son entretien d'embauche dans une maison de couture.

« Ils m'ont demandé si j'avais une expérience professionnelle.
Je leur ai répondu que j'avais travaillé chez Dior.
L'homme m'a demandé ce que j'aimerais faire.
La femme m'a demandé de lui parler de mon travail chez Dior.
Après, la femme m'a parlé du poste. Elle m'a dit qu'il y avait beaucoup de travail, que j'allais beaucoup voyager et que, pour préparer les collections, il faudrait rester tard le soir.
Je leur ai demandé de me donner une réponse rapidement. »

Retrouvez le dialogue entre les trois personnes :

L'homme : ...
La jeune styliste : ...
La femme : ...

« Faire + verbe » et « laisser + verbe »

1 Observez les phrases ci-dessus. Complétez le tableau.

Kevin est ...	actif	J'ai fait le plan.
	passif	
Hélène est ...	active	
	passive	

2 Continuez en employant le verbe « faire » et le verbe entre parenthèses.

a. Ma voiture est en panne. Je dois ... (*réparer*)
b. Grégoire n'a pas de bonnes notes à l'école. Ses parents ... (*travailler*)
c. Le petit chien a soif. Je ... (*boire*)
d. Il a reçu une lettre en allemand. Il ne comprend pas l'allemand. Il va ... (*traduire*)

3 Complétez en utilisant « se faire » + verbe entre parenthèses.

a. J'ai un problème d'ordinateur que je ne sais pas résoudre. Je vais ... (*aider*)
b. Pour son mariage, Caroline a voulu une robe originale. Elle ... (*faire*)
c. Dans les hôtels, je n'ai pas confiance dans le réveil automatique. Je préfère ... (*réveiller*)
d. Victoria était perdue dans Paris. Elle ... (*indiquer*) l'itinéraire.

4 Dans quelle(s) situation(s) peut-on entendre les phrases suivantes ?

a. Laissez-moi entrer.
b. Laissez-le dormir encore.
c. Laisse-la réfléchir.
d. Laisse-toi aller.

« Faire » ou « laisser » + verbe

1. « Faire » + verbe
Quand le sujet commande une action mais ne la fait pas lui-même.

Marie peint (elle-même) sa maison.
N.B. La forme « moi-même, toi-même, lui-même, elle-même, etc. » est utilisée pour montrer que c'est bien le sujet qui fait l'action.

Pierre fait peindre sa maison (par un peintre).
Il fait manger sa fille de 2 ans.
L'humoriste Gad Elmaleh me fait rire.

2. « Se faire » + verbe
Quand l'objet de l'action appartient au sujet.

Elle se fait couper les cheveux.
Il s'est fait construire une maison.
N.B. La forme « se faire » + verbe peut aussi avoir un sens passif.
Elle s'est fait voler ses bijoux.

3. « Laisser » + verbe
Je ne veux pas vous déranger. Je vous laisse travailler.

4. « Se laisser » + verbe
Pierre ne voulait pas aller à l'anniversaire de Marie. Finalement, il s'est laissé inviter.

À l'écoute de la grammaire

1 Confirmez que vous avez informé votre amie.

Avant un voyage au Canada
- Il fait froid au Canada. Tu l'as dit à Marie ?
– Je lui ai dit qu'il faisait froid.
- Elle doit prendre des vêtements chauds.
– Je lui ai demandé de prendre des vêtements chauds.
- Est-ce qu'elle a un bonnet ?
– Je lui ai demandé si ...

2 Utilisez la forme « faire + infinitif ».

Médecin et très occupé
- Vous faites les comptes de votre cabinet médical ?
– Non, je les fais faire.
- Vous réparez vous-même votre ordinateur ?
– Non, ...

...

L'anniversaire

4 - Dispute et réconciliation

Le matin.

Karine : Et Anne-Sophie ?
Patrick : Elle m'a dit qu'elle ne viendrait pas.
Odile : Mais l'exploration de la grotte, c'est son idée !
Patrick : Je crois qu'elle est toujours fâchée.
Liza : Et si on allait lui parler.
Patrick : Ce serait une bonne chose.

2

Devant la chambre d'Anne-Sophie.

Karine : Anne-Sophie, tu peux nous ouvrir ?

Dans la grotte.

Harry : Dites donc, on ne tournerait pas en rond ?
Jean-Pierre : Si. Je crois qu'on est perdu.
Harry : Mais vous avez déjà fait visiter cette grotte ?
Jean-Pierre : Oui, mais je n'ai jamais vu ces chevaux sur les murs !
Liza : Et qu'est-ce qu'on fait quand on est perdu ?
Jean-Pierre : On attend. Les portables ne passent pas.
Karine : Quelqu'un sait qu'on est ici ?
Jean-Pierre : La dame qui est restée au gîte : Anne-Sophie. Ne vous inquiétez pas. Elle appellera les secours.
Karine : Pas sûr !
Odile : Elle nous a fait descendre dans ce trou. Elle nous a fait salir nos vêtements. Elle va nous faire mourir de faim !
Louis : Tu vois, Patrick, ça me donne une idée pour le jeu vidéo...
Odile : Louis, ce n'est pas le moment !

Plus tard.

C'est l'heure de se séparer.

Odile : Au revoir, Anne-Sophie. Alors, je me fais couper les cheveux ?
Anne-Sophie : Surtout pas. Tu es trop jolie comme ça !

....

Louis : Alors, à une autre fois.
Patrick : Non, à lundi. Tu m'appelles pour me parler de ton jeu vidéo.

....

Liza : Tiens, c'est mon numéro de portable. Quand tu viens à Paris, appelle-moi !
Jean-Philippe : On ira manger un gâteau au chocolat !

....

Karine : C'est quoi, ce paquet ?
Harry : Une surprise pour ton anniversaire. Je l'ai trouvée chez un antiquaire de Sarlat.

Compréhension et simulations

1. *Scènes 1 et 2.*

a. Racontez pourquoi Anne-Sophie est fâchée.
b. Dans le jeu du portrait, Anne-Sophie et ses amis ont pensé à des choses différentes. Complétez le tableau.

Quand ils parlaient de...	Une reine autoritaire	Un amoureux étranger	...
Les amis d'Anne-Sophie pensaient...	Cléopâtre	...	...
Anne-Sophie pensait...	...		

2. Jouez la scène (à deux). Utilisez le vocabulaire du tableau « Incompréhension et malentendu ». Au cours d'un repas, un ami français vous dit une des phrases suivantes. Réagissez.

« Ne bois pas trop ! »
« Tu n'es pas français(e). Tu ne peux pas comprendre. »
« Tu es sûr(e) de ce que tu dis ? »

3. *Scène 3.* Caractérisez chaque personnage. Imaginez et jouez la suite de la scène.

4. *Scène 4.* Pour chaque personnage, imaginez la suite de l'histoire.

Incompréhension et malentendu

- **Exprimer l'incompréhension**
Pardon ? Qu'est-ce que vous dites ? Vous pouvez répéter ? – Qu'est-ce que vous voulez dire par « bizarre » ? –Qu'est-ce que vous entendez par là ?
- **S'expliquer**
Je n'ai pas voulu dire ça – J'ai voulu dire que... – Je me suis mal exprimé(e). – C'est un malentendu.
- **Accords et désaccords**
Ils s'entendent bien – Ils sont d'accord
Ils se sont disputés – Ils se sont fâchés
Ils se sont réconciliés – Ils ont fait la paix

Prononciation

Différenciez [ɑ̃], [a], [ɔ̃], [ɔ].

Incompréhension
Je demande à Madame
Que fait-on de Léo ? Que fait-on de Léon ?
Dimanche matin
J'amène Léo à l'Odéon
Tu emmènes Léon au concert de cors.
Mais tu dis Léo et j'entends Léon
Et j'attends Léon tard l'après-midi.

MANIÈRES D'ÊTRE...

LE REGARD D'UN AMÉRICAIN

Ted Stanger est un journaliste américain qui a longtemps vécu en France. Dans Sacrés Français, *il raconte avec humour sa découverte des modes de vie des Français.*

Invité dans une famille parisienne, je bavarde avec la petite fille de six ans. Elle n'a jamais vu d'Américain et se met à me poser des tas de questions. Je réponds volontiers avant que la mère n'intervienne fermement.

« Arrête, tu es indiscrète », dit-elle à sa fille qui se tait instantanément. C'est sans doute ainsi que cette tradition du silence se transmet de génération en génération : un Français apprend très tôt à ne pas poser de questions. Ici, on ne demandera pas à quelqu'un dont on vient de faire la connaissance ce qu'il fait dans la vie, s'il est marié, s'il a des enfants ou encore moins ses opinions politiques.

Par contre, on peut parler de la pluie et du beau temps, des vacances et naturellement de la bonne chère[1].

En revanche, quand un Américain est présenté à un autre, des deux côtés l'enthousiasme est manifeste ; chacun veut tout savoir de l'autre comme si le nouveau venu pouvait se révéler un ami pour la vie. [...]

Dans le métro ou dans le train, bien des voyageurs prennent soin de cacher la couverture de leur livre aux yeux des curieux. [...] Le soir tombé, dans les villes et les villages de province, on ferme soigneusement stores[2] et volets. [...]

1. la bonne chère : les bons repas – 2. un store : rideau qui s'enroule.

Ted Stanger, *Sacrés Français*, Éditions Michalon, 2003.

SUJETS DE CONVERSATION

▸ **Avec tout le monde et en toutes circonstances**
son pays, sa ville, son quartier, son logement,
les voyages, les vacances, les loisirs,
la nourriture (les restaurants, les produits, les magasins)

▸ **Si on s'entend bien**
le travail
la politique en général

▸ **Ce qu'il faut éviter**
l'argent (ce qu'on gagne, la valeur de ses biens)
ses problèmes de santé
ses succès, ses diplômes
(ne pas se donner trop d'importance)

En fait, tous les sujets peuvent être abordés mais il faut laisser à l'interlocuteur la liberté de ne pas répondre. Au lieu de « Où travaillez-vous ? », dites « Vous êtes dans quelle branche ? » Au lieu de « Combien avez-vous payé votre BMW ? », dites « Ça vaut combien en ce moment une BMW comme ça ? »

Pétillon, *L'Enquête corse*, © éd. Albin Michel, 2000.

L'extrait du livre « Sacrés Français »

1. Lisez le texte. Trouvez le sens des mots inconnus à l'aide des définitions suivantes :
lignes 1 à 5 : beaucoup de... – avec plaisir – de façon autoritaire
lignes 6 à 16 : curieux – qui ne parle plus – tout de suite – se communiquer
lignes 17 à 26 : au contraire – visible – devenir, apparaître

2. Faites la liste de ce qui étonne Ted Stanger. Ces comportements vous étonnent-ils ?

Rédigez une liste de conseils

1. Lisez le document « Sujets de conversation ». Faites des comparaisons avec les habitudes de votre pays.

2. Rédigez un document semblable à l'intention des Français qui viennent dans votre pays.

… ET SUJETS D'ÉTONNEMENT

Témoignages

La France change mais certaines habitudes restent. Voici des observations d'étrangers qui vivent en France.

« Je logeais dans une famille française. Ils prenaient le petit déjeuner de manière totalement désorganisée. Chacun choisissait son heure et son menu. La mère prenait juste un café avec une pomme. Le père se préparait un café au lait avec des tartines. La fille prenait des céréales et du jus d'orange et le fils buvait un verre d'eau avant de partir à l'université. »
David (Allemagne)

« En France il y a un repas type. C'est entrée de crudités ou de charcuteries, plat de poisson ou de viande accompagné de légumes, fromage et dessert. C'est le menu des repas d'entreprises, des repas du soir où toute la famille se retrouve autour d'une table et discute et, bien sûr, des repas où on invite du monde. Là, on peut rester trois heures à table. »
Sonja (Danemark)

« Dans les restaurants, on vous apporte gratuitement du pain et une carafe d'eau. J'ai trouvé ça bien. »
Karol (Pologne)

« Mes amis français ont des voisins qu'ils connaissent depuis vingt ans. Ils se voient plusieurs fois par jour mais ils se disent toujours « Monsieur » et « Madame » et, bien sûr, ils se disent « vous ».
Amparo (Espagne)

« Je faisais un stage dans une entreprise. Tous les matins, il y avait deux collègues qui se serraient la main comme s'ils se rencontraient pour la première fois. Presque tout le monde se serrait la main le lundi ou après quelques jours de vacances. »
William (Angleterre)

Les témoignages

1. Après la lecture de chaque témoignage, écoutez le commentaire des Français. Notez :

a. les habitudes traditionnelles
b. l'évolution de ces habitudes

2. Comparez avec les habitudes dans votre pays.

Une belle table

Observez la photo et écoutez. Un apprenti serveur pose des questions sur la façon de mettre le couvert. Répondez « oui » ou « non ».

À chacun ses habitudes

1. Retrouvez le(s) pays correspondant à chaque habitude.

Dans quel(s) pays ?

a. On sert le fromage après le gâteau.
b. On dîne à 22 heures.
c. On ne finit jamais complètement son assiette.
d. On n'offre jamais un bouquet de fleurs avec le papier.
e. On dîne assis devant une table tournante.
f. On porte souvent des toasts même quand il n'y a pas d'occasions particulières.
g. On dîne vers 18 heures.
h. Le petit déjeuner est un véritable repas qu'on prend en famille.
i. On ne prononce jamais le mot « non ». Ce serait impoli.
j. Les hors-d'œuvre sont plus importants que le reste du repas.

(Allemagne, Canada, Chine, États-Unis, Espagne, Grande-Bretagne, Italie, Japon, Jordanie, Pays-Bas)

2. Si vous avez visité des pays étrangers, parlez des habitudes qui vous ont frappé(e).

Évaluez-vous

1 Vous pouvez entretenir des relations quotidiennes avec des francophones ... /10

Répondez « oui » ou « non ».

a. Vous pouvez aborder quelqu'un pour lui demander un service. ...
b. Vous êtes à l'aise dans une conversation même si vous ne comprenez pas tout. ...
c. Vous savez demander des nouvelles de quelqu'un. ...
d. Vous pouvez inviter quelqu'un oralement ou par écrit. ...
e. Vous pouvez répondre à une proposition ou à une invitation. ...
f. Vous pouvez raconter un événement de votre vie. ...
g. Vous pouvez parler des traditions et des fêtes de votre pays. ...
h. Vous pouvez parler de la cuisine de votre pays et de quelques plats typiques. ...
i. Vous pouvez décrire une personne : son physique, sa personnalité, ses habitudes. ...
j. Vous pouvez gérer un désaccord ou une dispute. ...

Comptez les « oui » et notez-vous.

2 Vous pouvez réagir dans des situations inattendues. ... /10

Jouez le début des scènes suivantes avec votre voisin(e). Décidez ensemble d'une note.

a. Vous êtes invité(e) chez des amis. Quand vous arrivez, vos amis sont absents. Une personne que vous ne connaissez pas vous ouvre.
b. Votre chef a organisé un dîner pour vous. Mais le jour du dîner, vous avez la grippe.
c. Dans la rue, quelqu'un vous aborde et vous parle comme s'il vous connaissait. Vous ne le reconnaissez pas.
d. Dans une discussion politique avec des francophones, quelqu'un dit en vous regardant : « Les étrangers devraient rester chez eux. »
e. Vous partagez le même appartement avec un(e) ami(e). Vous vous êtes fâché(e)s parce que vous n'avez pas la même façon de vivre. Il (elle) est parti(e).
Deux mois après, vous le (la) rencontrez dans la rue. Il (elle) vous sourit.

Comptez un point par réponse juste.

3 Vous comprenez les détails d'un rendez-vous ou d'une activité. ... /10

Au fur et à mesure de l'écoute du document, complétez ou cochez la bonne information.

a. Amandine appelle Jérémy pour ____________
b. Quelles précisions donne-t-elle ?
date : ____________ horaire : ____________
lieu : ____________
c. Quelles activités va-t-on faire ?
d. Qui vient ? Si la personne ne vient pas, notez pourquoi.

	oui	non			oui	non	
Maeva	☐	☐	____________	Jade	☐	☐	____________
Lucas	☐	☐	____________	Romain	☐	☐	____________

e. Notez l'itinéraire sur un papier. Voici les noms de lieux qui sont cités.
Sarlat Vézac Castelnaud La Dordogne La Roque-Gageac

Comptez vos points et notez-vous.

4 Vous comprenez des informations sur un lieu de loisirs. .../10

LE PARC DU FUTUROSCOPE

- **En voiture**
  – accès direct par l'autoroute A10
  – Poitiers est à 325 km de Paris et à 250 km de Bordeaux
- **En train**
  – Poitiers-Paris : 1h30 par TGV direct
  – Lyon-Poitiers : 4h15 par Massy
  – Gare TGV-Futuroscope : accès direct au cœur du Parc
- **En avion**
  – Vols Poitiers-Lyon par la compagnie Airlinair Poitiers
  – Londres-Poitiers en 1h30 avec Ryanair (ligne directe)

Le Futuroscope est ouvert tous les jours jusqu'au 11 novembre, puis uniquement les samedis et dimanches du 17 novembre au 16 décembre (+ les 6 et 7 décembre).
Ouvert tous les jours pendant les vacances de Noël du 22 décembre au 6 janvier 2008.

D'après le site officiel du tourisme de la Vienne www.tourisme-vienne.com/futuroscope

Faites-vous plaisir, osez de nouvelles expériences !

Se prendre pour une star, tester sa performance physique, stimuler son imaginaire, partager les jeux de ses enfants...
Retrouvez la part d'audace qui est en vous !

Le village lapon
- Participez en famille aux animations ludiques et artistiques de l'Atelier Lapon et rencontrez le Père Noël dans un village lapon typique.
  Tous les jours du 22/12 au 06/01

Star du futur !
- Passez le casting et vivez votre premier tournage de cinéma.

La Vienne dynamique
- Découvrez le département de la Vienne dans une course folle. Avec de nouveaux effets spéciaux pour encore plus de sensations !

À ne pas manquer : Danse avec les robots
- 10 robots vous entraînent dans un ballet vertigineux conçu par Kamel Ouali.

La forêt des rêves
- Tous les soirs, un tourbillon de lumières, de musiques et de feux d'artifice pour en prendre plein les yeux. Spectacle nocturne inclus dans le prix du billet d'entrée.

Expédition Nil bleu
- Entraînez vos amis dans la descente du plus grand fleuve du monde.

Sous les mers du monde
- Prenez une grande inspiration et plongez en 3D pour nager avec les créatures les plus exotiques de la planète.

Mission Éclabousse !
- Embarquez à bord d'un vaisseau équipé de canons à eau et naviguez autour d'une île fantastique. Cascades de fous rires garanties (ouverture en avril 2007).

Répondez.

a. Le Futuroscope, c'est quoi ?
Un musée, un centre scientifique, un parc de loisirs, un parc d'attractions, etc. ?

b. Près de quelle ville est-il situé ?

c. Quelles attractions conseillez-vous dans les circonstances suivantes ?
(1) la nuit (2) pour Noël (3) en été (4) pour faire un peu de sport (5) pour connaître la région

d. Les affirmations suivantes sont-elles vraies ou fausses ?
- De Paris, on peut facilement aller au Futuroscope en train.
- Le Futuroscope est à 2 heures de voiture de Paris.
- C'est aussi intéressant pour les adultes que pour les enfants.
- Il est ouvert le mardi 18 décembre.
- Il est ouvert le jour de Noël.

e. Dans la liste des activités proposées par le Futuroscope, trouvez les mots qui signifient :
(1) à base de jeux (2) qui est en mouvement, qui tourne (3) sauter dans l'eau (4) qui donne le vertige (5) qui a lieu la nuit.

Comptez vos réponses justes. Notez-vous.

5 Vous connaissez quelques usages relatifs aux fêtes et aux événements de l'année. .../10

Écoutez. Reliez ce que vous entendez à la fête ou à l'événement.

a. Noël ____________
b. Le 1er janvier ____________
c. Le mois de février ____________
d. Pâques ____________
e. Le 1er mai ____________
f. Le mois de mai ____________
g. Le 14 juillet ____________
h. La rentrée des classes ____________
i. Les Journées du patrimoine ____________
j. La Toussaint ____________

Comptez 1 point par réponse juste.

6 Vous pouvez donner des conseils par écrit. .../20

Vous écrivez à un ami français qui a un grand appartement. Vous lui demandez s'il peut loger pendant 15 jours un(e) ami(e) de votre pays qui vient faire un stage en France.

Vous lui décrivez cet (cette) ami(e). Vous rassurez votre ami français et vous lui donnez quelques conseils pour que tout se passe bien.

Lisez votre lettre à la classe. Décidez ensemble d'une note.

7 Vous comprenez une brève information de presse. .../10

Le 27 novembre 2007

Emma, je t'aime : on sait qui est derrière

Depuis le 12 novembre, une étonnante affiche s'étale sur les panneaux publicitaires de Paris :

« Emma, je t'aime. Reviens ». Signé « Paul ».

Impossible de ne pas la voir. Elle est partout : sur les murs, dans les quotidiens, les magazines, la télé, la radio, Internet...

Au début, beaucoup ont cru à une déclaration d'amour originale : un certain M. Paul dépensait toutes ses économies pour séduire une belle Emma. Mais les jours passaient et l'affiche devenait de plus en plus envahissante. M. Paul ne pouvait être que milliardaire. Mais quel milliardaire agirait ainsi ?

On s'est alors aperçu que les lettres de la pub ressemblaient à celles de la marque du styliste Jean-Paul Gaultier, que M. Paul, selon son blog, avait 32 ans et que le célèbre styliste fête ses 32 ans de carrière. Fausse piste...

On sait tout aujourd'hui : l'auteur de la campagne est le publicitaire lui-même qui fait sa propre publicité. Il veut montrer aux annonceurs que son agence peut faire de gros coups. C'est ce que vient de révéler Constance Benqué, la présidente de Lagardère Publicité.

a. Trouvez les paragraphes qui correspondent aux titres suivants. Résumez chaque paragraphe en une phrase.

- Première supposition ____________
- Étrange publicité ____________
- Révélation ____________
- Deuxième supposition ____________

b. Comparez les suppositions. Laquelle paraît la plus vraie ?

c. Connaît-on la vérité aujourd'hui ?

d. Trouvez le sens des mots suivants :

– une affiche s'étale sur les panneaux (ligne 1)
– L'affiche devenait de plus en plus envahissante (ligne 8)
– Fausse piste (ligne 12)
– son agence peut faire de gros coups (ligne 14)

Corrigez ensemble et notez-vous.

8 Vous utilisez correctement le français. .../10

a. Présent, passé composé, imparfait, futur. Mettez le verbe à la forme qui convient.

Premiers jours de travail dans une agence immobilière

« J' (*commencer*) à travailler avant-hier à l'agence IMMO. Le premier jour, le patron m' (*recevoir*). J'(*être*) un peu inquiet mais il (*être*) très gentil avec moi. Il m' (*expliquer*) l'organisation du travail.

Ce matin, avec un collègue, nous (*aller*) visiter une grande maison. C'était des Italiens qui la (*louer*) mais ils sont rentrés dans leur pays.

Demain, je (*passer*) la journée avec une cliente qui travaille dans une ambassade et qui (*vouloir*) trouver un appartement rapidement. Nous (*visiter*) plusieurs appartements. »

b. Les pronoms qui représentent les choses. Remplacez les mots soulignés par un pronom.

Retour de vacances

• Alors, tu es allée au Kenya ?
– Oui, je suis allée au Kenya.
• Tu as vu le parc du Serengeti ?
– J'ai vu le parc du Serengeti.
• Tu as emmené tes enfants ?
– J'ai emmené mes enfants. Ils ont beaucoup aimé.
• Tu as pris des photos ?
– J'ai pris plus de 300 photos. J'ai téléchargé ces photos sur mon ordinateur. J'ai fait un CD avec ces photos. Je te prêterai ce CD.
• Tu as pensé à rapporter un cadeau pour Jules ?
– Oui, j'ai pensé à rapporter un cadeau pour Jules.
• Marie a rapporté un souvenir ?
– Oui, elle a rapporté un souvenir. C'est une sculpture. Nous avons mis cette sculpture sur la table du salon.

c. Les pronoms qui représentent les personnes. Complétez avec le pronom qui convient.

Chère Eugénie,
J'espère que tu as passé de bonnes vacances de Noël et je ...... souhaite une excellente nouvelle année en attendant de ...... revoir.
Il y a du nouveau. À une fête chez Julie (je crois que tu ...... connais), j'ai rencontré un garçon très sympa. Il s'appelle Guillaume. Depuis cette soirée, nous avons eu l'occasion de ...... revoir parce qu'il habite tout près de chez .... Il ......'envoie des SMS à tout moment de la journée. Je ...... téléphone. Je ...... ai présenté mes parents. Il ...... a trouvés sympas. Il ...... a raconté son voyage au Pakistan.

d. Le conditionnel. Mettez chaque verbe à la forme qui convient (conditionnel, imparfait).

Le rêve de Louis

Si j'avais du courage, je (*développer*) ce jeu vidéo, je le (*montrer*) à des éditeurs. Ils me (*remarquer*). Peut-être que mon jeu (*avoir*) du succès. Je (*gagner*) beaucoup d'argent.
Tu serais heureuse, Odile, si nous (*aller*) vivre à Paris, si nous (*acheter*) un appartement dans l'île Saint-Louis et si nous (*pouvoir*) voyager... Peut-être qu'alors tu m'(*apprécier*) et que tu ne (*dire*) plus que je suis un incapable.

e. Utilisez *(se) faire* + infinitif.

• L'ordinateur de Delphine est en panne.
→ Elle le ______________ réparer.
• Je trouve que mes cheveux sont trop longs.
→ (couper) ______________
• Il ne comprend rien à la notice de cet appareil.
→ (expliquer) ______________
• Elle m'a raconté une histoire drôle.
→ (rire) ______________
• Le petit garçon a faim.
→ (manger) ______________

f. Rapporter des paroles. Léa rapporte à un ami sa conversation avec Marie.

« J'ai demandé à Marie si elle venait déjeuner... »
Léa : Tu viens déjeuner ?
Marie : D'accord.
Léa : J'avertis Valentin ?
Marie : Non, ne lui dis rien. Je ne le supporte pas.
Léa : Pourquoi ?

Évaluez vos compétences

	Test	Total
• Votre compréhension de l'oral	3 + 5	... / 20
• Votre expression orale	1 + 2	... / 20
• Votre compréhension de l'écrit	4 + 7	... / 20
• Votre expression écrite	6	... / 20
• La correction de votre français	8	... / 20
	Total	**... / 100**

Projet : Cérémonie des Césars

Au cours de la Cérémonie des Césars qui a lieu chaque année à Paris et qui est retransmise à la télévision, on attribue le prix du meilleur film francophone. On récompense aussi les meilleurs acteurs, le meilleur scénariste, la meilleure musique, etc.
Vous allez attribuer :
le prix de la meilleure scène de comédie de cinéma.

Le metteur en scène Roman Polanski recevant le prix du meilleur film pour *Le Pianiste*, lors de la Cérémonie des Césars de 2004. La récompense est une statuette créée par le sculpteur César, célèbre pour ses compressions d'objets.

Lisez les scènes ci-dessous. Vous y trouverez différentes façons de produire des effets comiques. Inspirez-vous de ces scènes pour écrire (seul ou par deux) votre propre scène de comédie.
Organisez une lecture de ces scènes et sélectionnez les meilleures.

Le mot répété *Drôle de drame*

M. et Mme Molyneux reçoivent à dîner l'évêque de Bedford, un de leurs cousins. L'évêque s'étonne que les domestiques soient absents. M. Molyneux, qui ne veut pas avouer que les domestiques sont partis à cause d'une remarque désagréable de sa femme, répond qu'ils sont allés voir des amis qui ont la rougeole (maladie qui touche surtout les enfants).

Louis Jouvet (l'évêque) et Michel Simon (Molyneux), deux grands acteurs français des années 1930.

L'évêque : Et où demeurent-ils exactement, ces amis qui ont la... rougeole ?
Molyneux : Ah, oui... Où demeurent-ils exactement... Vous me demandez, cher cousin, où ils... où ils demeurent exactement... Euh, eh bien... C'est bien simple, ils... Ils demeurent exactement dans... Dans les environs de Brighton, je crois...
L'évêque : Vous croyez, cher cousin... Bizarre, bizarre...
Molyneux : Qu'est-ce qu'il y a ?
L'évêque : Qui ?
Molyneux : Votre couteau.
L'évêque : Comment ?
Molyneux : Vous... Vous regardez votre couteau et vous dites « bizarre, bizarre... ». Alors je croyais que...
L'évêque : Moi, j'ai dit « bizarre, bizarre » ? Comme c'est étrange... Pourquoi aurais-je dit « bizarre, bizarre » ?
Molyneux : Je vous assure, cher cousin, que vous avez dit « bizarre, bizarre »...
L'évêque : Moi, j'ai dit « bizarre » ? Comme c'est bizarre !

Drôle de drame, film de Marcel Carné, dialogue de Jacques Prévert (1937)

1. **Relevez ce qui est bizarre dans la situation et dans le dialogue.**
2. **Trouvez l'intonation des phrases et l'attitude des personnages.**
3. **Connaissez-vous des scènes ou des films comiques où le même mot est souvent répété ?**

La situation exagérée *Le Corniaud*

Antoine Maréchal, un petit commerçant, part en vacances en Italie dans sa petite « Deux chevaux Citroën ». Alors qu'il n'a pas fait un kilomètre, sa voiture est heurtée par celle de Léopold Saroyan.

Maréchal : Ah non ! Ah non ! C'est une catastrophe !
Saroyan : Ben quoi ? Qu'est-ce qu' y a ?
Maréchal : Ben regardez-moi ça !
Saroyan : Qu'est-ce qu'y a ?
Maréchal : Qu'est-ce qu'y a ! Qu'est-ce qu'y a ! Qu'est-ce qu'y a ! Je vois bien qu'est-ce qu'y a !
Saroyan : Quoi ! La voiture...
Maréchal : Ah ben ça ! Elle va marcher beaucoup moins bien, forcément ! Je vous en prie... Ne vous gênez pas ! Marchez dessus !
Saroyan : C'est pas grave !
Maréchal : Ah ! Ben vous en avez de bonnes ! C'est pas grave... Qu'est-ce que je vais devenir, moi ?
Saroyan : Eh ben, un piéton, monsieur !
Maréchal : Hein ! Mes vacances sont foutues[1] ! Je partais pour l'Italie !

Louis de Funès (M. Saroyan) et Bourvil (Antoine Maréchal)

Saroyan : Mais écoutez... Prenez l'avion, ça va plus vite !
Maréchal : Mais je ne suis pas pressé, moi !

(1) *foutu (fam.)* : fini, perdu.

Le Corniaud, film de Gérard Oury (1964) © Film office.

1. **Recherchez les effets comiques de cette scène.**
2. **Cette scène est la première du film. Imaginez ce qui va se passer.**
3. **Recherchez d'autres situations exagérées dans un film comique que vous connaissez.**

La parodie *Kaamelott*

Le terrible Attila vient d'envahir la Bretagne. Il demande au roi Arthur de lui donner tout ce qu'il possède. Mais Arthur et les chevaliers de la Table Ronde trouvent des excuses pour ne rien donner.

Attila : Je veux l'or, tout l'or, sinon c'est la guerre !
Arthur : Quoi, tout notre or ! (*Il discute avec ses compagnons*)
Attila : Alors ?
Arthur : Alors, désolé. On ne peut pas payer...
Attila : La moitié de l'or tout de suite ou tout va brûler...
Arthur : Comprenez, on a des frais... Ou alors il faudrait demander un soutien à Rome.
Léodagan : Mais Rome en ce moment, c'est pas Byzance...
Attila : Alors les femmes !
Arthur : Faut voir. Ça dépend lesquelles.
Attila : Toutes les femmes !
Arthur : Ah ça non !...
Attila : La nourriture [...] Les couverts [...] Le linge de maison [...] Les draps, les serviettes... (*Chaque demande d'Attila rencontre un refus*) Quelque chose de typique. N'importe quoi qui est typique. Sinon on casse tout...

1. **Faites la liste des demandes d'Attila. Que répond Arthur à la première demande ? Imaginez des réponses pour les autres demandes.**
2. **Relevez tous les détails amusants.**
3. **Connaissez-vous d'autres films qui sont des imitations comiques de l'Histoire ?**

Kaamelott, série télévisée d'Alexandre Astier (depuis 2005) © Calt-Dies Irae-Shortcom.

La critique sociale *Le Dîner de cons*

Trois cadres qui se croient très intelligents se réunissent pour dîner chaque mercredi. À tour de rôle, ils invitent un « con » (personne naïve et peu intelligente) à partager leur repas pour se moquer de lui sans qu'il s'en aperçoive.
Ce mercredi, Pierre Brochant a invité François Pignon, un comptable du ministère des Finances. Mais le dîner n'aura pas lieu comme prévu. Les amis de Pierre sont absents et sa femme Laurence vient de le quitter. Est-elle allée chez Juste Leblanc, un de ses anciens amis ?
Pour le savoir, il demande à Pignon de téléphoner à Leblanc. Pignon doit se faire passer pour un producteur de cinéma qui recherche Laurence pour acheter les droits d'un livre qu'elle a écrit, Le Petit Cheval de manège.

Brochant : C'est tout simple ! Vous êtes producteur, OK ? Vous avez une maison de production à Paris... pas à Paris : il connaît tout le monde. Vous êtes un producteur étranger.
Pignon : OK. Américain ? Allemand ?
Brochant : Belge. C'est parfait, ça : belge.
Pignon : Pourquoi belge ?
Brochant : Parce que c'est très bien, belge. Vous êtes un gros producteur belge. Vous avez lu *Le Petit Cheval de manège*, c'est le titre du roman, et vous voulez lui acheter les droits pour le cinéma. OK ?
Pignon : C'est un bon livre ?
Brochant : Très mauvais. Quelle importance ?
Pignon : Ça m'embête un peu, ça.
Brochant : Pourquoi ?
Pignon : Si le bouquin est mauvais, pourquoi j'irais acheter les droits ? Ah,ah,ah !
Brochant : Monsieur Pignon, vous n'êtes pas producteur ?
Pignon : Non.
Brochant : Vous n'êtes pas belge non plus ?
Pignon : Non.
Brochant : Ça n'est donc pas pour lui acheter les droits du livre que vous lui téléphonez, mais pour essayer de savoir où est ma femme.
Pignon : Ouh... Alors ça c'est très tordu[1] mais bougrement[2] intelligent. C'est quoi le numéro ?
Brochant : 01 47 48... Je vais le faire moi-même. Il s'appelle Juste Leblanc.
Pignon : Ah bon, il n'a pas de prénom ?
Brochant : Je viens de vous le dire, Juste Leblanc. Leblanc, c'est son nom, et c'est « Juste », son prénom.
Pignon : Euh...
Brochant : Monsieur Pignon ? Votre prénom à vous, c'est François, c'est juste ?
Pignon : Oui.
Brochant : Et bien lui, c'est pareil. C'est Juste... Bon, on a assez perdu de temps comme ça [...].

1. *Tordu* : compliqué – 2. *Bougrement* : très.

Le Dîner de cons, film de Francis Veber (1998)

1. **Quel est le personnage le plus sympathique, Brochant ou Pignon ?**
2. **Qu'est-ce qui est amusant dans la personnalité de Pignon et dans celle de Brochant ?**
3. **Connaissez-vous des films qui se moquent de certains comportements ?**

Se débrouiller au quotidien

Le film *Viens chez moi, j'habite chez une copine.*

POUR **FAIRE FACE AUX SITUATIONS PRATIQUES** QUE VOUS POURREZ RENCONTRER LORS D'UNE INSTALLATION DANS UN PAYS FRANCOPHONE, VOUS ALLEZ APPRENDRE À...

RUBRIQUES	BASE	TAUX	A DEDUIRE	A PAYER	CHARGES PATRONALES Taux	Montant
Salaire de base	169,00	11,720		1 980,68		
Majorations heures 10%	17,33	1,172		20,31		
Total brut				***2 000,99***		
Assurance maladie	2 000,99	0,750 %		-15,01	12,800 %	-256,13
Assurance vieillesse plafonnée	2 000,99	6,650 %		-133,07	8,300 %	-166,08
Assurance vieillesse déplafonnée	2 000,99				1,600 %	-32,02
Assurance vieillesse déplafonnée	2 000,99	0,100 %		-2,00		
Accident du travail	2 000,99				1,300 %	-26,01
Allocations familiales	2 000,99				5,400 %	-108,05
FNAL plafonné	2 000,99				0,100 %	-2,00
Contribution solidarité autonomie	2 000,99				0,300 %	-6,00
Réduction Fillon						132,07
Assurance chomage AC	2 000,99	2,400 %		-48,02	4,000 %	-80,04
A.G.S.	2 000,99				0,150 %	-3,00
AGFF TA	2 638,97	0,800 %		-21,11	1,200 %	-31,67
AGFF TB	-637,98	0,900 %		5,74	1,300 %	8,29
Retraite complémentaire TA	2 638,97	3,000 %		-79,17	4,500 %	-118,75
Retraite complémentaire TB	-637,98	7,700 %		49,12	12,600 %	80,39
Garantie minimum de points	870,51	7,700 %		-67,03	12,600 %	-109,68
Cotisation CET	2 000,99	0,130 %		-2,60	0,220 %	-4,40
APEC TB	-637,98	0,024 %		0,15	0,036 %	0,23
Prévoyance Cadre TA	2 638,97				1,430 %	-37,74
Prévoyance Cadre TB	-637,98				3,140 %	20,03
Mutuelle Cadre Mt Forfeitaire	97,83	0,500 %		-48,92	0,500 %	-48,92
Mutuelle Cadre (régul juillet-août)	195,66	0,500 %		-97,83	0,500 %	-97,83
Taxe apprentissage	2 000,99				0,680 %	-13,61
Participation formation	2 000,99				0,400 %	-8,00
Participation formation alternance	2 000,99				0,150 %	-3,00
CSG déductible	2 100,49	5,100 %		-107,12		
Total des charges				***-566,87***		***-911,92***
Net imposable				1 434,12		
CSG-CRDS non déductible	2 100,49	2,900 %		-60,91		
Total général des charges				***-627,78***		***-911,92***
Tickets restaurants	20,00	2,300		-46,00		

REGLEMENT : CHEQUE
LE : 30/09/2007

NET A PAYER	CUMUL CHARGES PAT.
1 327,21	8 042,27

CUMUL BRUT	CUM.BASE S.Sociale	CUMUL IMPOSABLE	PLAFOND S.Sociale	CUMUL HEURES	COUT GLOBAL
20 008,91	20 008,91	15 729,86	20 008,91	1521,000	2 912,91

VOUS DÉBROUILLER AVEC L'ARGENT, *LES BANQUES, LES RECETTES ET LES DÉPENSES*

PARLER DES ACTES DE LA VIE QUOTIDIENNE :
LES COURSES, LE MÉNAGE, ETC.

GÉRER LES RISQUES
ET LES ACCIDENTS

9 À vos risques et périls !

Aventuriers au XXIe siècle

Explorer

À 16 ans, Nicolas Vanier rejoint la gare du Nord, monte dans un train... et ne s'arrêtera que bien plus loin. « Au-delà du cercle polaire, j'ai découvert le Grand Nord qui m'appelait depuis longtemps. » Depuis, que ce soit à pied, en traîneau à chiens ou en canoë, Nicolas Vanier a traversé tout le Grand Nord québécois, la péninsule du Labrador, les montagnes Rocheuses, l'Alaska et la Sibérie, et a passé un an avec femme et enfant dans une cabane du Yukon.

Après avoir raconté ses aventures dans plusieurs ouvrages et documentaires à succès, Nicolas Vanier signe la réalisation d'un documentaire-fiction, *Le Dernier Trappeur*. « J'ai pris le parti de filmer la réalité du Grand Nord avec sa faune et sa flore, en suivant les traces de Norman Winther, un vrai trappeur. » *Fémina*, 19/12/2004

Se dépasser

Saint-Denis de la Réunion, 14 mars 2007
Après avoir été en 2005 la première femme à réussir la traversée de l'Atlantique Nord à la rame, Maud Fontenoy vient de réussir le tour du monde à la voile et en solitaire à contre-courant.

Partie de Saint-Denis de la Réunion le 15 octobre 2006, elle est arrivée hier après une traversée de 39 500 km. L'expédition a failli échouer quand le 10 février elle a perdu son mât. Mais grâce à son courage et à sa volonté, elle est arrivée à diriger son bateau.

D'après Reuters, 14/03/2007

Témoigner

Journaliste au quotidien *Libération*, Florence Aubenas est une habituée des régions à risque. Pour témoigner de la réalité des événements, elle est allée sur place au Rwanda, au Kosovo, en Afghanistan et en Irak.

C'est dans ce dernier pays qu'elle est enlevée en 2005. Elle ne sera libérée que cinq mois plus tard. Mais cette expérience dramatique ne l'a pas découragée. « Je suis allée en Irak en connaissant les risques. J'ai pris ma décision en tant qu'adulte après y avoir réfléchi [...]. Ce sont les risques du métier et je ne regrette pas de les avoir encourus... Je ne cherche pas à être célèbre. Je continuerai à faire des reportages comme je l'ai toujours fait[1]. »

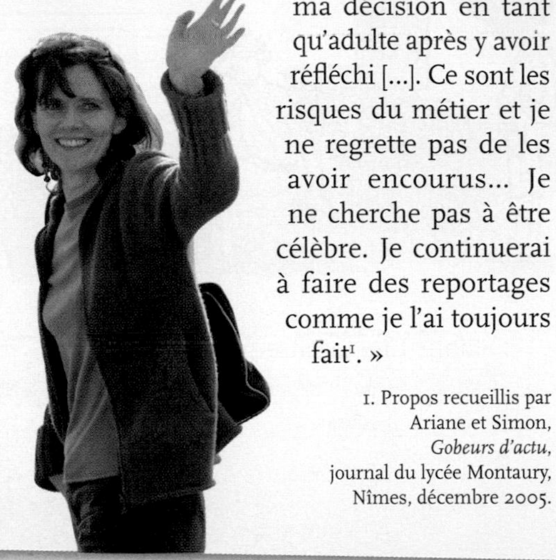

1. Propos recueillis par Ariane et Simon, *Gobeurs d'actu*, journal du lycée Montaury, Nîmes, décembre 2005.

Travailler pour la planète

L'homme du jour : Jean-Louis Étienne

Le très médiatique médecin-aventurier, connu du grand public pour ses expéditions polaires, est de retour en France.

Avec femme, enfants et bagages. Il vient de passer quatre mois avec une quarantaine de collaborateurs scientifiques à Clipperton, un îlot français du bout du monde perdu à 1 200 km du Mexique, peuplé uniquement de crabes et d'oiseaux.

L'objectif de cette mission était de dresser un inventaire de la faune et de la flore. « Nous avons probablement découvert de nouvelles espèces de crustacés », indique Jean-Louis Étienne. [...]

Il souhaite maintenant transformer Clipperton en un « centre d'observation de l'océan ».

L'Humanité, 21/04/2005

Lecture des articles

La classe se partage les quatre articles.

1. Lisez l'article que vous avez choisi et complétez les informations suivantes :

- Nom : ...
- Profession ou activité : ...
- Exploit qui vient d'être réussi :
  - lieu et date : ...
  - type d'exploit : ...
- Autres exploits accomplis dans le passé : ...
- Autres activités : ...

2. Présentez les informations à la classe.

Élection de la personnalité la plus aventurière

1. En petits groupes, choisissez une ou plusieurs personnes qui ont fait des choses extraordinaires (explorateur (exploratrice), spationaute, sportif, etc.)

2. Présentez ces personnalités à l'ensemble de la classe.

3. Votez.

Vos exploits

Quel est votre plus grand exploit ou votre plus grande réussite (sport, études, travail, relations, etc.) ? Racontez.

Réussites et échecs

- **Essayer (un essai) – tenter (une tentative)**
  Ils ont essayé de traverser la rivière.
  Le sportif a tenté de sauter 2,10 m.
  Pierre a passé son examen hier. Il ne sait pas s'il a réussi.
- **Réussir (un essai) – arriver à...**
  Elle a réussi à traverser la rivière.
  Il est arrivé à réparer sa voiture.
  Ils ont réussi à l'examen.
- **Échouer (un échec) – rater – faillir**
  Il a échoué. Il n'est pas arrivé à traverser.
  Il a raté l'examen. Elle a échoué à l'examen.
  Il a eu 9,75 sur 20 à l'examen. Il a failli réussir.
- **Du courage à la folie**
  Il a du courage, de la volonté, de l'énergie.
  Il est courageux, volontaire, énergique, fou, inconscient.

Exprimer la volonté, l'obligation, les sentiments

1 Observez la construction des phrases et le mode des verbes.

Trouvez d'autres exemples de situations où on utilise ces constructions :
- en classe : « Je propose qu'on… »
- dans une famille : « Il faut que… »

Verbe + verbe à l'infinitif	Verbe + verbe au subjonctif
J'ai peur d'oublier…	

Le subjonctif présent

Le subjonctif est utilisé quand on exprime une volonté, une obligation, un sentiment, etc.	… à propos d'une action
J'aimerais…	qu'il fasse beau.
Il faut…	que nous sortions.
Nous souhaitons…	que tu viennes.

1. Formes du subjonctif

• verbes en *-er*

Il faut…
… que je parle
… que tu parles
… qu'il/elle parle
… que nous parlions
… que vous parliez
… qu'ils/elles parlent

• autres verbes : la forme du verbe peut changer mais la terminaison est celle des verbes en *-er*.

finir : … que je finisse, que tu finisses, qu'il/elle finisse
aller : … que j'aille
partir : … que je parte
prendre : … que je prenne
faire : … que je fasse
venir : … que je vienne
sortir : … que je sorte
savoir : … que je sache
pouvoir : … que je puisse

• cas de « être » et « avoir »

être : … que je sois, que nous soyons, qu'ils/elles soient
avoir : … que j'aie, que nous ayons, qu'ils/elles aient

2. Emplois et constructions

• Expression de la volonté

a. Verbes *vouloir, désirer, aimer (j'aimerais), accepter, refuser*

→ quand les verbes ont le même sujet
Je voudrais partir. (infinitif)

→ quand les verbes ont des sujets différents
Je voudrais que tu partes. (subjonctif)

b. Verbes *demander, prier, proposer, suggérer, conseiller, interdire, défendre, permettre, autoriser*

→ quand on s'adresse à l'interlocuteur
Je vous demande de sortir. (infinitif)

→ quand on exprime une volonté en général
Je demande qu'il sorte. (subjonctif)

• Expression de l'obligation

a. Verbes *devoir, être obligé de*

Tu dois partir.

b. Verbes *il faut…, il est nécessaire de…* et autres constructions impersonnelles

Il faut que j'aille faire des courses et que tu ailles chercher Nathan à l'école. (subjonctif)

• Expression des sentiments

souhaiter – regretter (de) – avoir peur (de) – être content (de) – être satisfait (de) – être heureux(de)

→ quand les verbes ont le même sujet
Je regrette de partir. (infinitif)

→ quand les verbes ont des sujets différents
Je regrette qu'il parte. (subjonctif)

Autres emplois du subjonctif : voir p. 111.

2 Expression de la volonté. Mettez les verbes entre parenthèses à la forme qui convient.

Deux caractères différents

Elle : Moi, j'aimerais bien (*sortir*) plus souvent le soir. Je voudrais que nous (*aller*) au cinéma ou au théâtre. Mais Paul veut toujours (*rester*) à la maison. Il ne veut pas que les enfants (*être*) seuls le soir. Il faudrait qu'on (*prendre*) une baby-sitter mais Paul a peur qu'elle ne (*être*) pas gentille avec les enfants.

Lui : Moi, je voudrais que des copains (*venir*) à la maison et qu'on (*faire*) de bons petits repas. J'aimerais que nos enfants (*pouvoir*) jouer avec leurs enfants. Mais Lise refuse de (*recevoir*) des gens. Elle ne m'interdit pas d'(*inviter*) des amis mais elle veut toujours qu'on (*aller*) au restaurant.

3 Expression de la volonté et du souhait. Le directeur d'un grand garage donne des directives. Reformulez ses phrases en commençant par l'expression entre parenthèses.

Exemple : a. Il faut que j'aille...

a. Je dois aller au salon de l'auto. (Il faut ...)
b. Pierre, vous m'accompagnerez. (Je voudrais ...)
c. Mme Dupont doit appeler la gare. (J'aimerais ...)
d. Les nouvelles voitures doivent être ici demain. (Il faudrait ...)
e. Les vendeurs doivent faire une opération de promotion. (Je souhaiterais ...)

4 Expression des sentiments. Combinez les deux phrases comme dans l'exemple.

Exemple : **a.** Je regrette que tu ne viennes pas.

Marie envoie un courriel à une amie qu'elle a invitée mais qui est malade.

a. Tu ne peux pas venir. Je le regrette.
b. Sans toi la soirée sera triste. J'en ai peur.
c. Jean-Philippe et Liza mettront de l'ambiance. Je l'espère.
d. Tu guériras vite et tu pourras venir le week-end prochain. Je le souhaite.
e. Nous allons faire une balade en forêt. Paul en a envie.

5 Imaginez ce qu'ils disent. Utilisez les verbes et les constructions du tableau.

Pendant les vacances les parents sont partis. Le fils est resté à la maison pour travailler.

Donner un ordre, un conseil

Formulez les ordres comme dans l'exemple.

Elle souhaite faire un voyage en Afrique. Un ami lui donne des conseils.

• J'ai envie de traverser le Sahara.
– **Traverse-le**. C'est magnifique.
• J'ai envie d'aller au Sahara à Noël.
– ...... à Noël, c'est une bonne saison.
• Est-ce qu'il faut prendre des vêtements chauds ?
– Oui, ... Les nuits sont froides.
• Est-ce qu'on peut boire l'eau des puits ?
– Non, ... Tu n'as pas l'habitude.
• Est-ce qu'on peut quitter la piste ?
– Non, ... C'est dangereux !
• Est-ce qu'on peut parler aux Bédouins ?
– Oui, ... Ils sont très accueillants.
• Est-ce qu'on peut les prendre en photo ?
– Non, ... Ils n'aiment pas trop.

Verbe à l'impératif + pronom

1. À la forme affirmative

Tu dois appeler Lara → Appelle-la !
Tu dois lui parler → Parle-lui !
Tu dois discuter avec elle → Discute avec elle !

2. À la forme négative

Ne l'appelle pas !
Ne lui parle pas !
Ne discute pas avec elle !

À l'écoute de la grammaire

1 Différenciez les terminaisons de l'indicatif et du subjonctif.

Méthode Coué

Nous arrêtons de fumer. Il faut que nous arrêtions.
Nous faisons du sport. ...

2 Pronoms avec un verbe à l'impératif.

Des jeunes préparent une fête dans l'appartement des parents.

• On pourra décorer le salon ? – Décorez-le.
• On pourra mettre la musique très fort ? – Non, ...

1 - Entrée en scène

Fin juin. À la Maison des jeunes de Montreynaud, dans la banlieue de Saint-Étienne. Des jeunes répètent *Marius*, une pièce de Marcel Pagnol.

***Kamel** (jouant le rôle de Marius) :* « J'ai envie d'ailleurs, voilà ce qu'il faut dire. C'est une chose bête, une idée qui ne s'explique pas. J'ai envie d'ailleurs. »

***Nadia** (jouant le rôle de Fanny) :* « Et c'est pour cette envie que tu veux me quitter ? »

Frédéric : Très bien, mais Kamel, en parlant, éloigne-toi de Nadia. Ne la regarde pas. Va vers la fenêtre. Ouvre-la. Regarde le port... Toi, Nadia, il faut que tu saches ton texte. Apprends-le pour la prochaine fois... Bon, on refait cette scène encore une fois !

Kamel : Désolé. On reprendra la prochaine fois parce que là, il faut que j'y aille.

Frédéric : Déjà ! Tu as un rendez-vous ?

Kamel : Oui, à 7 heures sur Internet, avec le résultat de mon concours à l'Essec.

Frédéric : Tu es optimiste ?

Kamel : Pas vraiment. J'ai raté deux épreuves.

Frédéric : Oh, ça va être chaud, ce soir, chez les Benkaïd !

Plus tard, chez les Benkaïd.

Le père : Alors ?

Kamel : Ben, je n'y suis pas.

La mère : Ils t'ont peut-être oublié. Ça arrive.

Kamel : Non, maman. J'ai été mauvais. C'est normal que j'aie échoué.

Le père : Qu'est-ce qu'on peut faire ? Tu réussiras la prochaine fois...

Kamel : Il n'y aura pas de prochaine fois. J'arrête mes études d'économie.

La mère : Qu'est-ce que tu veux dire par là ?

Kamel : C'est le théâtre qui m'intéresse. Je veux aller à Paris pour suivre des cours et être comédien.

Le père : Mais Kamel, on voudrait que tu aies un métier, que tu gagnes ta vie.

Kamel : Il y a des comédiens qui réussissent !

Le père : Et d'autres qui sont obligés de faire des petits boulots.

Kamel : Eh bien je ferai des petits boulots. Après tout, dans ton garage, j'ai appris la mécanique, l'électricité. Je sais me débrouiller. J'ai 21 ans. Alors, pas de panique, tout ira bien !

Le dimanche, dans le parc du Pilat, près de Saint-Étienne.

Kamel : Nadia, il faut que tu comprennes. Je n'ai pas envie de faire de la gestion toute ma vie.
Nadia : Tu ne penses qu'à toi.
Kamel : Écoute, je vais à Paris, je trouve un logement et tu viens me rejoindre.
Nadia : Il faudrait que mes parents soient d'accord.
Kamel : Nadia, tu as 20 ans. Tu n'as pas besoin de l'autorisation de tes parents.
Nadia : Si je pars, mes parents ne m'aident plus et moi je ne peux pas faire mes études de médecine tout en travaillant.
Kamel : Là, je te rassure. Moi, dans trois mois, je gagne assez d'argent pour nous deux.
Nadia : J'aimerais bien mais tu vois, ce départ, ça me fait un peu peur.
Kamel : Ne t'en fais pas. On va s'envoyer des méls et des SMS, et pour les fêtes, tu viendras me voir.

Compréhension et simulations

1. *Scène 1*

a. Qui sont Kamel, Nadia, Marius, Fanny et Frédéric ?

b. À 7 h, Nadia rencontre une amie qui lui dit : « Tu n'es pas à ta répétition de théâtre ? ». Répondez pour Nadia.

2. Transcrivez la fin de la scène. Notez tout ce que vous apprenez sur Kamel et sa famille. (âge, profession, études, etc.)
Comment Kamel voit-il son avenir ?

3. *Scène 3.* Discutez les affirmations suivantes :
Nadia et Kamel s'aiment.
Nadia ferait n'importe quoi pour vivre avec Kamel.
Nadia est plus réaliste que Kamel.
Kamel est un optimiste. Nadia est pessimiste.

4. Jouez la scène (à deux). Utilisez le vocabulaire du tableau.
Un(e) ami(e) est parti(e) seul(e) en vacances dans un pays étranger. Elle devait rentrer il y a trois jours. Vous n'arrivez pas à avoir de ses nouvelles.

Exprimer la peur – rassurer

• Exprimer la peur et l'inquiétude
Il a peur des serpents – Les serpents lui font peur
Je suis inquiet (inquiète) pour sa santé – La santé de Paul m'inquiète – Je ne suis pas tranquille – Je ne suis pas rassuré
Cet acteur a souvent le trac.
Pierre est au chômage. Il est angoissé.

• Rassurer
Je te rassure... Rassure-toi...
N'aie pas peur ! Ne t'inquiète pas ! Ne t'en fais pas !
Pas de panique. Tout ira bien.

Prononciation

Formes impératives avec pronom.
Conseils
Ne les écoutez pas. Ne les regardez pas.
Ne les imitez pas...
Suivez-le. Accompagnez-le. Écoutez-le...
Emmenez-la. Invitez-la. Amusez-la...
Allez-y. Logez-y. Restez-y...
Goûtez-en. Achetez-en. Mangez-en...
N'en prenez pas. N'en buvez pas.
N'en cherchez pas...
N'y allez pas. N'y restez pas. Ne vous y installez pas...

Environ 35 000 concurrents au départ du Marathon de Paris

35 000 concurrents s'élanceront par une matinée annoncée ensoleillée dimanche dès 8h15 de la place Charles-de-Gaulle pour descendre les Champs-Élysées, départ de la 31e édition du Marathon de Paris.

L'Éthiopien Gashaw Melese, vainqueur des 42,195 km en 2006, le Français Driss El Himer, meilleur temps du plateau, avec un 02h 06min et 48s sur son CV, l'Espagnol Julio Rey, auteur d'un 02h 06mn 52s lors de sa victoire à Hambourg en 2006, le jeune Kényan de 27 ans Barus Benson, 2e à Milan en 2006, et le Qatari Shami Mubarak, premier à Venise en 2005, figurent parmi les favoris.

Le record à battre à Paris date de 2003, lorsque le Kényan Mike Rotich, en 02h 06mn et 33s, l'avait emporté de trois secondes sur le Français Benoît « Z » Zwierschiewski.

Du côté des femmes, 16,4 % des inscrits cette année, la favorite, l'Éthiopienne Asha Gigi, 2e à Paris en 2004, aura comme principales concurrentes l'Espagnole Maria Abel, vainqueur à Francfort en 2002, ou une autre Éthiopienne, Tafa Magarsa, vainqueur à Dubaï cette année.

Après les 36 680 inscrits de 2006, pour la 30e édition, les organisateurs ont arrêté les dossards au numéro 35 000 cette année, et les Français sont largement en tête parmi les 87 pays participants, avec 72 % des inscrits. Le contingent étranger sera mené par quelque 3 000 Britanniques et un peu plus de 1 000 Italiens, la surprise venant de la présence de 459 Brésiliens.

Le parcours, entièrement tracé sur la rive droite de la Seine, passe par la rue de Rivoli, la Bastille, le Bois de Vincennes, les quais rive droite, l'hippodrome d'Auteuil avant de remonter sur l'Arc de Triomphe par l'avenue Foch.

Les organisateurs ont prévu de distribuer pas moins de 17 tonnes de bananes, autant d'oranges, 2 tonnes de fruits secs, 6 tonnes de pommes et 436 800 bouteilles d'eau.

AFP (Agence France Presse), 18/04/2007

Lecture et compréhension de l'article

Lisez l'article et dites si les phrases suivantes sont vraies ou fausses.

a. L'article parle d'une course à pied. ...

b. C'est la première fois que cette course a lieu. ...

c. C'est l'Éthiopien Gashaw Melese qui a gagné la course. ...

d. 35 000 personnes vont participer. ...

e. D'autres personnes voulaient participer mais n'ont pas pu s'inscrire. ...

f. C'est une course de 3 kilomètres. ...

g. Le parcours est un circuit (une boucle). ...

h. Beaucoup d'étrangers sont inscrits. ...

i. Les Français sont en minorité. ...

j. Les premiers arrivés gagneront des fruits et des bouteilles d'eau. ...

Rédigez un bref article

Le Téléthon est une manifestation organisée pour aider la recherche contre une maladie : la myopathie. Votre université (ou votre entreprise) décide de participer au Téléthon et organise des événements.

a. Écoutez la fin de la réunion et prenez des notes. Pour chaque activité proposée, notez l'heure, le lieu et les caractéristiques.

b. Rédigez un bref article pour annoncer ce programme dans le journal local.

PLAISIR DES SPORTS

Les sports les plus regardés

Depuis que l'équipe de France de football a gagné la Coupe du Monde en 1998 (et a failli la gagner en 2006), la plupart des Français s'intéressent au football. On suit les grandes compétitions internationales (le Mondial, le championnat d'Europe, la Ligue des Champions, etc.) mais aussi les grandes équipes nationales : l'OM (Olympique de Marseille), le PSG (Paris Saint-Germain), Lyon, Bordeaux, etc.

Les soirs de grands matchs, la France ressemble un peu au Brésil ou à l'Italie et la violence n'est pas absente des stades.

On suit aussi avec intérêt le Tour de France cycliste qui, chaque année en juillet, permet de redécouvrir à la télévision les régions touristiques du pays.

Le rugby, pratiqué depuis longtemps dans le Sud-Ouest, est devenu aujourd'hui un sport médiatisé. Des millions de téléspectateurs regardent le tournoi de Six-Nations et la Coupe du Monde.

Les célébrités du cinéma, de la politique et des médias aiment se montrer au tournoi de tennis de Roland-Garros et les championnats de patinage artistique intéressent beaucoup de téléspectateurs.

Les grands sportifs sont des stars qui marquent leur époque. On se souvient de Michel Platini (football), Yannick Noah (tennis), Jeannie Longo (vélo), Philippe Candeloro (patinage artistique). On se souviendra sans doute longtemps de Zinedine Zidane (football), Laure Manaudou (natation), Amélie Mauresmo (tennis) et Brian Joubert (patinage artistique).

Les sports les plus pratiqués en France

(en pourcentage de la population)

	Jeunes (jusqu'à 30 ans)	Ensemble de la population
Le vélo et le VTT	50	38
La natation et la plongée	44	30
Le footing, la course à pied	31	17
Le ski et le surf	24	15
Le football	25	9
La randonnée	18	22
Le basket-ball, le volley-ball, le handball	21	6
Le tennis de table, le badminton, le squash	22	10
Le tennis	16	8
La gymnastique	14	13
Le roller, le skate	6	3
Le rugby	4	1
La voile et la planche à voile	4	3
La danse	9	5
Le patinage	8	3
L'équitation	6	3
Le golf	3	2

Services INSEE et SOFRES

43 % des Français déclarent pratiquer un sport au moins une fois par semaine.

Les valeurs du sport

Enquête

Quand on parle de sports et de sportifs, quels sont les mots qui vous viennent à l'esprit ?

- ☐ argent
- ☐ beauté (minceur)
- ☐ bien-être
- ☐ commerce
- ☐ compréhension des autres
- ☐ courage
- ☐ détente
- ☐ dopage
- ☐ équilibre
- ☐ esprit d'équipe
- ☐ exploit
- ☐ forme (santé)
- ☐ malhonnêteté
- ☐ nature (plein air)
- ☐ plaisir
- ☐ publicité
- ☐ violence
- ☐ volonté

Les sports en France

Lisez le texte et le sondage.

1. Classez les différents sports.

(1) à la montagne
(2) à la mer
(3) en salle
(4) en plein air
(5) individuel
(6) par deux
(7) par équipe
(8) les moins chers
(9) les plus chers

Complétez avec d'autres sports que vous connaissez.

2. Faites des comparaisons avec votre pays.
Quels sont les sports les plus pratiqués, les plus regardés ?

Les valeurs du sport

1. Lisez l'enquête. Expliquez chaque réponse.

a. l'argent : « parce que certains champions gagnent beaucoup d'argent », ...

2. Quels sportifs admirez-vous le plus ? Pourquoi ?

10 La vie est dure

Sondage

Les tâches ménagères et vous

Faites-vous les tâches suivantes *souvent, quelquefois, jamais* ? Cochez la case qui correspond.

Le ménage et l'entretien de la maison	**Souvent**	**Quelquefois**	**Rarement**	**Jamais**
1. faire le lit	☐	☐	☐	☐
2. faire la lessive (mettre le linge sale dans la machine à laver ou le sèche-linge)	☐	☐	☐	☐
3. étendre le linge	☐	☐	☐	☐
4. repasser	☐	☐	☐	☐
5. passer l'aspirateur	☐	☐	☐	☐
6. essuyer la poussière sur les meubles	☐	☐	☐	☐
7. laver le sol	☐	☐	☐	☐
8. nettoyer la cuisine (l'évier, le réfrigérateur) ou la salle de bains (le lavabo, la baignoire, la douche)	☐	☐	☐	☐
9. ranger	☐	☐	☐	☐
10. sortir ou vider la poubelle	☐	☐	☐	☐

La cuisine				
11. faire le marché	☐	☐	☐	☐
12. préparer une salade	☐	☐	☐	☐
13. faire cuire un œuf ou un steak	☐	☐	☐	☐
14. préparer un bon plat	☐	☐	☐	☐
15. mettre au four un plat surgelé	☐	☐	☐	☐
16. éplucher et laver les légumes	☐	☐	☐	☐
17. mettre le couvert	☐	☐	☐	☐
18. débarrasser la table	☐	☐	☐	☐
19. mettre la vaisselle dans le lave-vaisselle	☐	☐	☐	☐
20. sortir la vaisselle du lave-vaisselle	☐	☐		

Les petits travaux				
21. changer une ampoule	☐	☐	☐	☐
22. accrocher un tableau ou un miroir	☐	☐	☐	☐
23. coudre ou recoudre un bouton	☐	☐	☐	☐
24. s'occuper de l'entretien de la voiture	☐	☐	☐	☐
25. s'occuper des plantes	☐	☐	☐	☐
26. peindre (un meuble, une porte, un mur)	☐	☐	☐	☐
27. résoudre un petit problème d'ordinateur	☐	☐	☐	☐
28. installer un appareil hi-fi	☐	☐	☐	☐
29. monter un petit meuble acheté en kit	☐	☐	☐	☐
30. tirer vous-même vos photos	☐	☐	☐	☐

Souvent : 3	**Quelquefois** : 2	**Rarement** : 1	**Jamais** : 0

Comptez vos points : ... / 90

Vos résultats

- **de 70 à 90** Vous savez tout faire. Vous êtes l'homme ou la femme d'intérieur idéal(e).
- **de 45 à 70** Vous êtes prêt pour le partage des tâches à égalité. Espérons que vous trouverez quelqu'un de complémentaire.
- **de 20 à 45** Vous avez beaucoup à apprendre. Si vous vivez avec quelqu'un, une discussion s'impose.
- **en dessous de 20** On espère que vous pouvez vous offrir une femme de ménage et que vous avez des amis bricoleurs.

Comparez-vous avec les Français

Aujourd'hui, une majorité d'hommes (55 %) affirment qu'ils participent aux tâches ménagères mais peu de femmes (24 %) confirment ce qu'ils disent.

La plupart des femmes passent 16 heures par semaine aux travaux de la maison. Les hommes n'en passent que 6.

Ils sont très peu à s'occuper de la lessive et du repassage (10 %).

En revanche, la vaisselle est mieux partagée surtout quand elle se fait en machine (à 40 % par les hommes).

Les tâches « intéressantes » ne sont plus réservées à un membre du couple. Beaucoup d'hommes font la cuisine et il n'est pas rare de voir les femmes s'occuper des travaux de peinture et de bricolage.

Faites le sondage

Par deux, à tour de rôle.

1. **Posez les questions à votre partenaire.**
2. **Comptez les points. Lisez les commentaires.**
3. **Donnez votre avis. Êtes-vous satisfait(e) de cette situation ? Aimeriez-vous faire mieux ?**
4. **Présentez les résultats à la classe.**

Les Français et les tâches ménagères

Donnez votre avis sur le partage des tâches ménagères en France. Comparez avec les comportements dans votre pays.

Les actions (verbes ou noms)

Relevez les verbes d'action employés dans le sondage (sauf « faire » et « s'occuper de »).
Trouvez le nom correspondant à chaque verbe en utilisant les suffixes du tableau.

-age	repassage
-tion	
-ure	
-(e)ment	
participe passé	

Débat : comment partager les tâches de la maison ?

Travail en petits groupes.

Choisissez une des opinions suivantes et défendez-la.

a. Les membres du couple doivent se partager les tâches de la maison et chacun doit savoir tout faire.

b. Les membres du couple doivent se partager les tâches de la maison mais chacun peut avoir des tâches particulières (précisez la répartition).

c. Les membres du couple ne doivent pas se partager les tâches de la maison.

Exprimer l'appartenance

Elle est belle cette voiture. C'est **la vôtre** ?

Il est **à Roger**. C'est **le sien**.

Ce banc n'est pas qu'**à moi**, monsieur. Il est aussi **à Roger**. C'est **le nôtre**. Mais asseyez-vous. Et à votre santé !

Oui, c'est **la mienne**. Et ces maisons aussi. Ce sont **les miennes**. Je **possède** tout le quartier. Ce chien vous **appartient** ?

Je peux m'asseoir sur **votre** banc ?

1 Classez les différentes formes qui expriment la possession.

a. adjectif possessif
b. forme « *à* + nom ou pronom (moi, toi, etc.) »
c. pronom possessif
d. verbe

2 Trouvez le pronom qui correspond à chaque adjectif possessif.

mon livre → le mien   ma voiture → la mienne
ton livre → le tien

L'expression de l'appartenance

• **les adjectifs possessifs** (voir p. 131)
mon, ma, mes...

• **la forme « *être à* + nom ou pronom »**
Elle permet de désigner la personne qui possède.
Cette voiture est à Paul. Elle est à lui.

• **les verbes et les noms**
posséder – appartenir (à)
Je possède un appartement dans le 18e.
Je suis propriétaire.
Ce livre m'appartient. Merci de me le rendre.

• **faire partie de**
Marie fait partie d'une association sportive.
Nous faisons tous partie de cette association sauf (excepté, à l'exception de) Paul.

• **les pronoms possessifs**

	masculin singulier	féminin singulier	masculin pluriel	féminin pluriel
à moi	le mien	la mienne	les miens	les miennes
à toi	le tien	la tienne	les tiens	les tiennes
à lui/elle	le sien	la sienne	les siens	les siennes
à nous	le nôtre	la nôtre	les nôtres	
à vous	le vôtre	la vôtre	les vôtres	
à eux/elles	le leur	la leur	les leurs	

Nommer sans préciser

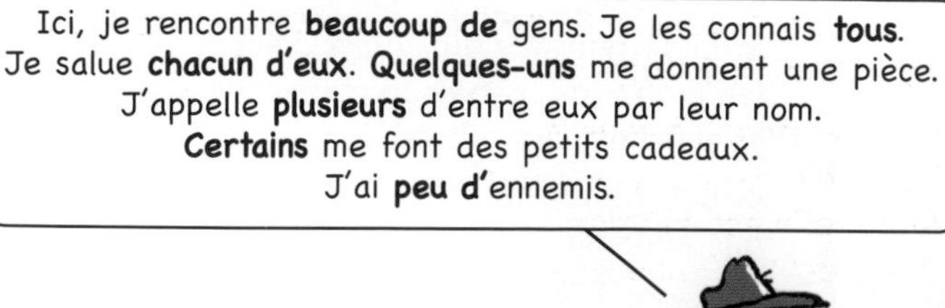

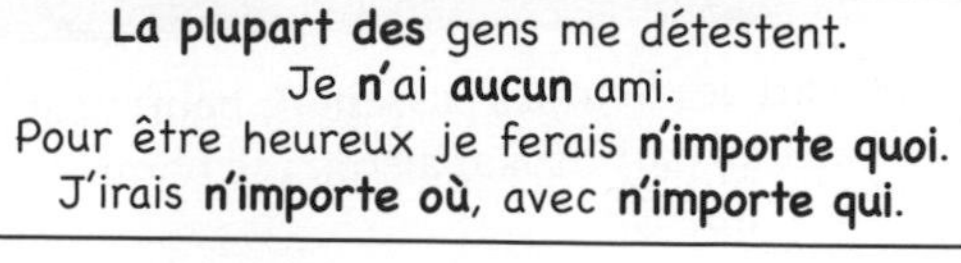

1 Classez les mots en gras dans le tableau.

Trouvez les pronoms correspondant aux adjectifs et vice versa.

adjectifs	pronoms	autres
beaucoup de gens		

Les adjectifs et les pronoms indéfinis

Adjectifs	Pronoms
J'ai invité **tous** mes amis (**toutes** mes amies).	Je les ai **tous** invités. **Toutes** ne sont pas venues.
Chaque personne a reçu une invitation.	**Chacune** a été invitée. J'ai envoyé un mél à **chacun** (d'eux).
La plupart de mes amis sont venus.	**La plupart** (d'entre eux) se sont amusés.
Il y avait **beaucoup de** jeunes.	Il y en avait **beaucoup**. **Beaucoup** ont dansé.
Plusieurs copains ont raconté des blagues.	J'ai beaucoup parlé avec **plusieurs d'entre eux**.
Quelques amis étaient absents.	**Quelques-uns (quelques-unes)** ne sont pas venu(e)s.
Certains jeunes (**certaines** filles) ont chanté.	J'ai apprécié **certains** d'entre eux, **certaines** d'entre elles.
Il y avait **peu de** Français.	**Peu** sont partis tôt.
Je **n'**ai vu **aucun** collègue (**aucune** collègue). Je **n'**ai **pas vu un** collègue (un de mes collègues).	**Aucun n'**est parti avant une heure. **Pas un n'**est parti sans me féliciter.

• **Avec une quantité indifférenciée ou non comptable**
Marie a bu **tout** le jus de fruits.
Elle a bu **peu d'**alcool : juste **un peu de** rhum avec **beaucoup de** jus d'orange.

• **Pour présenter deux ensembles l'un (les uns) ... l'autre (les autres) ...**
Certains ont dansé, **les autres** ont parlé.

• **Pour exprimer l'indifférence**
Pierre n'est pas prudent.
Il est ami avec **n'importe qui.**
Il prête de l'argent à **n'importe quelle** personne.
Il va **n'importe où**.
Il fait **n'importe quoi**.
Il rentre **n'importe quand**.

2 Commentez le sondage suivant en remplaçant les pourcentages par des adjectifs ou pronoms indéfinis.

Exemple : Aucune personne n'écoute de la musique en dormant. (Pas une n'écoute...)

Sondage :

Quand écoutez-vous de la musique ?

Au réveil	100 %
En prenant une douche	90 %
En prenant le petit déjeuner	60 %
Dans la rue	20 %
Dans le métro	5 %
Au bureau	0 %
En travaillant chez vous	8 %
Pour vous endormir	2 %
En dormant	0 %

3 Complétez les réponses en utilisant le mot indéfini entre parenthèses.

Noémie qui habite Bordeaux va faire un stage d'un an à Paris. Elle prépare ce qu'elle va emporter dans sa voiture. Sa mère lui pose des questions

• Tu connais les autres stagiaires ?
– Oui, ... (*certains*)
• Ils sont français ?
– Oui, ... (*la plupart*)
• Il y a des étrangers ?
– Oui mais ...... (*peu*)
• Tu as pris tes livres d'économie ?
– Oui, ... (*tous*)
• Tu emportes des romans ?
– Oui, ... (*quelques-uns*)
• Et tes jeux vidéo ?
– Non, ... (*aucun*)

À l'écoute de la grammaire

1 Prononciation des pronoms possessifs. Distinguez [jɛ̃] et [jɛn].

Partage
Ces livres sont les miens, Julien,
Ça me revient.
Ces étagères sont les miennes, Fabienne,
Elles m'appartiennent.
Mais alors, mes biens sans les tiens
Ce n'est plus rien.
Alors reviens !

2 Au commissariat de police, on interroge un suspect. Répondez pour lui.

• Cette veste est à vous ?
– Non, ce n'est pas la mienne.
• Alors, elle est à Roger ?
– Oui, c'est la sienne.

3 La mère a été absente quelques jours. Elle rentre à la maison. Répondez pour le père et les enfants.

• Vous avez lavé les assiettes ?
– Oui, on les a lavées
• Tu as passé l'aspirateur ? – ...

Les escaliers de la Butte

2 - Scènes de ménage

Début septembre. Au bas d'un immeuble de Montmartre.

Kamel (il téléphone) : Bonjour, je suis Kamel Benkaïd. C'est pour la chambre à louer. Je ne sais pas si c'est vous que j'ai eu au téléphone tout à l'heure ?
Loïc : Non, mais je suis au courant.
Kamel : Je suis devant la porte.
Loïc : OK, je descends.
....
Loïc : Salut, je suis Loïc, le deuxième colocataire. C'est mon père qui est propriétaire de l'appart. On y va ? C'est au troisième...
Kamel : Allons-y !
Loïc : Donc, tu as bien vu le prix ? 400 €, tu vas pouvoir payer ?
Kamel : Tu peux compter sur moi.
Loïc : Tu travailles ?
Kamel : Je vais bientôt travailler. Et puis mes parents m'aident. Ils ont un grand garage à Saint-Étienne.
Tu peux avoir confiance en moi.
Loïc : On est arrivé... Entre ...

Dans une agence d'intérim.

L'employée : La plupart des entreprises demandent une formation professionnelle. Vous en avez une ?
Kamel : Non, aucune. J'ai juste fait des études d'économie. C'est tout.
L'employée : Ça ne va pas être facile.
Kamel : Mais je peux faire n'importe quoi, moi !
L'employée : C'est-à-dire ?
Kamel : Réparations mécaniques, peinture, électricité... Mon père a un garage et j'ai beaucoup travaillé avec lui.
L'employée : J'ai bien une offre chez « OK Services ».
Kamel : Qu'est-ce qu'ils font ?
L'employée : Des petits travaux à domicile. Vous seriez capable de faire ça ?
Kamel : Tout à fait. Vous pouvez me faire confiance.
L'employée : Je vous avertis. Ils sont ouverts 7 jours sur 7 et 24 heures sur 24. Vous pouvez avoir n'importe quel horaire.
Kamel : Je peux travailler n'importe quand.
L'employée : Et ils peuvent vous envoyer à l'autre bout de Paris.
Kamel : Pas de problème. Je vais n'importe où, moi.

Un soir d'octobre. Kamel rentre du travail.

Kamel : Qu'est-ce que ça sent mauvais dans ce frigo ! Arthur, ce fromage, c'est le tien ?
Arthur : C'est le camembert de Loïc.
Kamel : Et ces bières, ce sont les siennes ou les tiennes ?
Arthur : Les miennes.
Kamel : On a dit : chacun son étagère.
Arthur : Il n'y avait plus de place sur la mienne.
Kamel : Et où je mets mes courses, moi ?
Arthur : Tu n'as qu'à sortir quelques-unes de mes bières. Mais tu m'en laisses une ou deux.
Kamel : Et pourquoi ce serait à moi de le faire ?
Arthur : OK, j'y vais.

Un matin, Kamel rentre du travail.

Kamel : C'est quoi, cette panique ?

Compréhension et simulations

1. *Scène 1.* Écoutez la partie transcrite et la partie non transcrite.

a. Racontez l'histoire depuis la scène 1 de la page 102.
b. Que vérifient :
– les deux colocataires
– Kamel
Quelles réponses reçoivent-ils ?
c. Kamel dit-il toute la vérité ?

2. *Scène 2*

Que recherche Kamel ? Pourquoi est-ce difficile ? Qu'est-ce qu'on lui propose ?

3. *Scène 3*

Par deux, imaginez une mise en scène de ce dialogue.

4. *Scène 4*

Par deux, imaginez le dialogue. Utilisez les expressions des pages « Ressources ».

5. Jouez la scène.

Vous partez en vacances pour deux mois. Une amie vous demande si vous accepteriez de prêter votre appartement à un de ses cousins. Mais peut-on avoir confiance en lui ?

Confiance et méfiance

• J'ai confiance en lui – Je peux lui faire confiance – On peut compter sur lui – On peut se fier à lui
Faites-moi confiance ! Comptez sur moi !
Je vous promets que... C'est promis...

• Je me méfie de lui – Je n'ai pas confiance en lui
Je ne peux pas compter sur lui – Il ne faut pas se fier à lui
Méfiez-vous de lui ! Ne comptez pas sur lui !

Prononciation

Les sons [v] et [f]

Méfiance
À qui faites-vous confiance ?
À vos amis d'enfance ?
À votre professeur ?
À vos frères et à vos sœurs ?
Vous méfiez-vous du facteur ?
Du voisin d'en face ?
Et des vendeurs de voitures ?
Et peut-on se fier à vous quand vous passez la frontière, avec votre valise ?

La France insatisfaite

Vue de l'étranger, on pourrait penser que la société française a tout pour être heureuse.
Les gens travaillent moins qu'il y a trente ou quarante ans (11 ans de moins dans une vie, plus de jours de congé dans l'année et moins d'heures de travail dans la semaine). Ils gagnent plus et le système de protection sociale (maladie, chômage, vieillesse, etc.) est très développé (voir p. 121).
Mais tous les sondages montrent qu'une partie de cette société est insatisfaite.

Une entrée difficile dans la vie professionnelle
Parce qu'ils manquent de formation ou parce qu'ils ne trouvent pas d'emploi correspondant à leur souhait, beaucoup de jeunes sont sans travail, doivent se contenter de stages ou passent d'un CDD (contrat à durée déterminée) à l'autre. 16 % d'entre eux sont au chômage.
La difficulté est encore plus grande pour les enfants d'immigrés qui connaissent mal le français et qui doivent faire cohabiter deux cultures.

Un sentiment de précarité
On peut avoir un métier intéressant et bien payé et en même temps avoir peur de l'avenir.
C'est le cas de beaucoup de salariés des entreprises privées (employés ou cadres) qui craignent les fusions et les délocalisations.
Certains regardent avec envie les 6 millions de fonctionnaires qui ont la sécurité de l'emploi et les professions sans risques (médecins, pharmaciens, banquiers, etc.).

Des revenus trop bas pour certains
En 2006, 14 % des actifs ne gagnent que le Smic (salaire minimum d'environ 1 000 €). Les différences entre les hauts et les bas salaires sont très importantes.
Quand ils voient dans les médias les revenus extraordinaires des élites (chefs de grandes entreprises, vedettes de cinéma, du sport ou de la télévision, etc.), les Français ont un sentiment d'injustice.
10 % des Français ne peuvent vivre que parce qu'ils ont des aides sociales.

Fille des banlieues

Arrivée très jeune en France, la chanteuse Diam's (de son vrai nom Mélanie Georgiades) a grandi dans la banlieue d'Orsay. Voici un extrait de sa chanson « Ma France à moi ».

Ma France à moi elle parle fort, elle vit à bout de rêves,
Elle vit en groupe, parle de bled[1] et déteste les règles,
Elle sèche les cours[2], le plus souvent pour ne rien foutre[3],
Elle joue au foot sous le soleil souvent
du Coca dans la gourde[4] [...]
Ma France à moi elle parle en SMS, travaille par MSN,
Se réconcilie en mail et se rencontre en MMS,
Elle se déplace en skate, en scoot
ou en bolide,
Basile Boli est un mythe et
Zinedine est son synonyme.
Elle, y faut pas croire qu'on
la déteste mais elle
nous ment,
Car nos parents travaillent
depuis 20 ans pour le même
montant, [...]
Ma France à moi se mélange, ouais,
c'est un arc-en-ciel,
Elle te dérange, je le sais, car elle ne
te veut pas pour modèle.

1. le bled : village (en arabe d'Afrique du Nord) – 2. sécher les cours (fam.) : manquer les cours – 3. foutre (verbe, vulgaire) : faire – 4. gourde : bouteille de métal ou de plastique utilisée par les randonneurs.

La France insatisfaite

1. Lisez l'article ci-dessus. Quelles sont les catégories sociales qui sont...
a. insatisfaites
b. satisfaites

2. Recherchez les causes des insatisfactions. Proposez des solutions.

3. Relisez l'article. Soulignez les phrases qui ne correspondent pas à la situation dans votre pays. Réécrivez-les pour qu'elles correspondent.

Images de la France dans la chanson de Diam's

(Travail en petits groupes)
1. Relevez et expliquez les images de la France évoquée par Diam's.
- Elle parle fort : par provocation.
- Elle vit au bout de ses rêves...

2. Classez ces différentes images (images positives, négatives, image du rêve, etc.).

Bruno Davert est cadre supérieur dans une usine de papier. Mais l'usine est délocalisée et Bruno est licencié. Il se met à chercher du travail et passe un entretien avec la directrice des ressources humaines (DRH) d'une entreprise.

Sans travail

La DRH : Prenez place… Votre CV est impressionnant.

Bruno : Oui, je suis spécialiste en CV.

La DRH : Votre diplôme, votre carrière… Que pensez-vous des étiquettes alimentaires ?

Bruno : Tout produit est perfectible.

La DRH : Vous avez travaillé quinze ans dans la même société à un poste de haute responsabilité. Qu'est-ce qui vous en a séparé ?

Bruno : Restructuration avant délocalisation.

[…]

La DRH : Les innovations techniques ici sont limitées. Estimez-vous être surqualifié ?

Bruno : Pas du tout. Qui peut le plus peut le moins.

La DRH : Pensez-vous qu'une femme puisse réussir à ce poste ?

Bruno : Pardon ? À votre poste ?

La DRH : Au poste à pourvoir.

Bruno : Ce poste requiert certaines qualités. Je ne pense pas qu'une femme en soit totalement dépourvue. Mais je ne suis pas qualifié en femmes.

La DRH : Êtes-vous aussi original dans votre travail que dans vos réponses, monsieur Davert ?

Bruno : Je m'efforce de l'être. Vous savez, avant de venir, j'ai lu deux manuels sur « Comment réussir son entretien d'embauche » qui m'ont dégoûté par leur conformisme. Êtes-vous conformiste, mademoiselle Thompson ?

La DRH : Madame Thompson, Iris Thompson. Merci d'être venu, monsieur Davert. Nous examinerons votre candidature avec toute l'attention nécessaire.

Bruno : C'est tout ? Vous ne me demandez pas ce que je suis prêt à faire et à quel prix ?

La DRH : Ce sera l'objet d'un second entretien, le cas échéant. Merci d'être venu jusqu'à nous.

Extrait du film *Le Couperet*, réalisé par Costa-Gavras, avec José Garcia, 2004.

L'entretien d'embauche

1. Où se trouve Bruno Davert ? Pourquoi ? À quel poste est-il candidat ?

2. Quelles sont les qualités et les défauts de Bruno Davert ?

3. Pourquoi la DRH arrête-t-elle l'entretien ?

 « Le Couperet »

Écoutez. Quelqu'un raconte le film *Le Couperet*. Prenez des notes.
Rédigez un bref résumé du film.

11 Que choisir ?

Tout pour tous

Pour celles et ceux qui veulent gagner du temps et de l'argent

Site de vente aux enchères
Trouvez ce que vous cherchez
Vendez ce qui vous embarrasse

Catégories

- ☐ la maison et le jardin
- ☐ les sports
- ☐ auto, moto, vélo, bateau
- ☐ les vêtements
- ☐ livres, CD, DVD
- ☐ photo et vidéo
- ☐ les jeux
- ☐ l'informatique
- ☐ les loisirs créatifs
- ☐ arts et antiquités

Recherchez sur Tout pour tous [   ] Rechercher

Pour le salon et la salle à manger

À partir de ....

Table de salle à manger : 100 €
Table basse : 25 €
Canapé : 150 €
Fauteuil : 50 €
Chaise : 15 €
Buffet : 90 €
Lampe halogène : 25 €
Télévision : 80 €
Chaîne hi-fi : 50 €
Coussin : 10 €
Rideaux : 30 €

Pour la cuisine

À partir de ....

Table de cuisine : 60 €
Chaises (les 4) : 50 €
Placard : 100 €
Réfrigérateur : 200 €
Congélateur : 200 €
Cuisinière à gaz : 150 €
Cuisinière électrique : 160 €
Four électrique : 25 €
Four à micro-ondes : 40 €
Lave-vaisselle : 250 €
Lave-linge : 200 €
Robot multifonction : 30 €
Cafetière : 15 €

Grille-pain : 25 €
Plateau : 5 €
Fer à repasser : 10 €
Aspirateur : 50 €
Balai : 5 €
Pelle : 2 €

Pour le bureau

À partir de ....

Bureau (2 tiroirs) : 120 €
Bibliothèque : 100 €
Étagères : 60 €
Table d'ordinateur : 30 €
Lampe de bureau : 15 €
Corbeille à papier : 5 €
Tableau (pour marqueurs) : 15 €

Pour la salle de bains

À partir de ....

Miroir : 15 €
Placard de salle de bains : 45 €
Porte-serviettes : 25 €
Porte-savon : 5 €
Porte-brosse à dents : 10 €
Serviette de bain : 10 €
Gant de toilette : 2 €

Pour la chambre

À partir de ....

Armoire : 60 €
Commode : 80 €
Lit (en 140) : 60 €
Lit (en 90) : 50 €
Table de chevet : 25 €
Lampe de chevet : 10 €
Matelas : 150 €
Drap : 10 €
Oreiller : 15 €
Traversin : 15 €
Couverture : 20 €
Couette : 20 €
Réveil : 15 €

Les introuvables

Comme à la cour

Cette chaise à porteur en bois des îles est celle qu'utilisait la marquise de Sévigné pour ses déplacements dans Paris. Son intérieur est recouvert de velours rouge et elle est en parfait état.

Dans la peau d'un champion

Un maillot de légende : celui que le célèbre joueur Pelé a porté le jour de la finale de la Coupe du Monde de football Brésil/Italie, en 1970, à Mexico. Ce jour-là, le Brésil a battu l'Italie par 4 à 1.
En coton, jaune et vert.

Osez l'art moderne !

Avec cette installation, Chantal Mansion redonne vie à la matière abandonnée (fer, pierre, bois).
Hauteur : 2 mètres.

Le passé et le futur

Lisez le célèbre roman de Jules Verne *De la Terre à la Lune* dans une édition d'époque : Hetzel (1883), illustrations de Montaut et Pannemaker.
Très bon état.

Installez-vous (simulation)

À faire à deux
Avec un(e) ami(e) ou un(e) colocataire, vous emménagez dans un appartement vide.

1. Imaginez ce logement. Faites son plan et indiquez le nom des pièces.

2. Vous devez maintenant meubler et équiper ce logement. Fixez-vous un budget. Achetez sur le site « Tout pour tous » dans la limite de ce budget.

Rédigez des annonces de vente sur « Tout pour tous »

1. Lisez les annonces « Les introuvables ».

2. Rédigez une ou plusieurs annonces pour des objets que vous souhaitez vendre.

3. Affichez ces annonces.

4. Lisez les annonces affichées par les autres étudiants.
Si une annonce vous intéresse, négociez avec le vendeur.

Pour décrire un objet

- **la forme**
L'objet a la forme d'un ballon de rugby.
- **la matière**
le métal – le fer – le cuivre – le plomb – l'aluminium – l'argent – l'or
le bois – le carton – le papier – le cuir – la porcelaine – la pierre – la brique – le marbre – le béton
une pierre précieuse (un diamant)
les textiles – un tissu – la laine – le coton – le velours
une matière synthétique – le plastique
- **les dimensions**
long, allongé / court – large / étroit – profond – épais / mince
La table mesure (fait) 1,50 mètre de longueur, 80 centimètres de largeur, 90 centimètres de hauteur.
Le jardin mesure 200 mètres carrés.
un mètre – un centimètre – un millimètre
- **l'origine**
Ce meuble vient de Chine – Il a été fabriqué en 1820 – Il date du XIXe siècle
- **l'état**
Le meuble est en bon état / en mauvais état – dans un état acceptable, neuf.

Montrer – choisir

1 Observez les phrases ci-dessus.

a. Quels mots remplacent...

quelle cravate – quel collier ?

b. Recherchez et classez les mots qui sont utilisés pour montrer ou désigner.

2 Complétez avec quel (quelle, quels, quelles) ou lequel (laquelle, lesquels...).

Curiosités

• Hier j'ai vu une de tes copines.
– ...... ?
• Ludivine. Elle était au café.
– ...... café ?
• Celui de la place de la Cathédrale.
– ...... ? Il y en a deux.
• Le plus grand. Elle était avec deux copains.
– ...... ? Ceux de la chorale.
• ...... chorale ? Ludivine chante dans une chorale ?
– Oui, je ne sais plus ....

3 Complétez avec *celui* (*celle*, etc.) *de... / qui... / que... / où...*

Trou de mémoire

• Tu te souviens de ce dimanche ...... nous avons fait une randonnée ?
– Quelle randonnée ?
• ...... nous avons faite dans la forêt de Fontainebleau avec les copains de Bruno, ... habitent Montreuil. Il y avait Estelle, ... est née au Maroc, et Sylvain, ... raconte des blagues. Il nous a raconté ...... joueur de foot qui va chez son psy. Tu ne te souviens pas de cette randonnée ?
– Ah oui, ... nous avons trouvé des champignons. ...... nous avons mangés et qui nous ont rendus malades !

4 Reformulez ces phrases comme dans l'exemple. Commencez par « ce ... qui » ou « ce ... que » et les mots soulignés.

a. Je propose de faire une excursion de trois jours.
→ Ce que je propose, c'est de faire une excursion de trois jours.
b. J'aimerais visiter La Rochelle.
c. La vieille ville de La Rochelle est très intéressante.
d. Une promenade en bateau dans le Marais poitevin me plairait beaucoup.
e. On pourrait aussi aller sur l'île de Ré.

Pour montrer – pour choisir

• Quel (adjectif) – lequel (pronom)

Quelle cravate tu préfères ? Laquelle me va bien ?

	masculin	féminin
singulier	lequel	laquelle
pluriel	lesquels	lesquelles

• Pour montrer : les pronoms démonstratifs

	masculin	féminin	neutre
singulier	celui-ci celui-là celui de.../ qui.../que...	celle-ci celle-là celle de.../ qui.../que...	ceci cela, ça ce qui.../que...
pluriel	ceux-ci ceux-là ceux de.../ qui.../que...	celles-ci celles-là celles de.../ qui.../que...	

→ **celui-ci** (celui qui est plus près ou qui est désigné en premier) ; **celui-là** (celui qui est le plus loin ou qui est désigné en second)

→ **celui (celle, etc.) de + nom**
Ma voiture est en panne. Je vais prendre celle de Marie.

→ **celui (celle, etc.) qui ... / que ... / où ...**
J'aime tous les romans de Simenon mais je préfère ceux qui se passent à Paris.

→ **ce qui ... / que ...**
Pierre peint des tableaux. J'aime beaucoup ce qu'il fait. Ce que je préfère, ce sont ses paysages !

5 Complétez avec « ce qui ... » ou « ce que ... ».

Visite chez une copine étudiante

• Qu'est-ce que tu veux boire ?
– ...... tu veux. Alors, tu es contente d'avoir ton studio ? Plus de parents. Tu fais ...... te plaît.
• C'est vrai mais ...... m'ennuie, c'est que ça coûte très cher. Tu ne peux pas imaginer tout ...... je dois payer : le loyer, les charges, l'électricité, le téléphone. Je n'y arrive pas.
– Même avec ...... tes parents te donnent ?
• Oui.
– Alors il faut trouver un petit boulot.
• C'est ...... je cherche.

Comparer

1 Lisez les phrases ci-dessus et celles du tableau. Notez les constructions qui sont nouvelles pour vous.

Utilisez les constructions et le vocabulaire ci-dessous pour comparer trois sportifs ou sportives.

S'entraîner – courir vite – sauter haut
Être performant, courageux, fort
Avoir de la volonté – avoir de bons résultats, réussir
Gagner des coupes, des médailles

2 Complétez en utilisant les expressions de la fin du tableau (progression et approximation).

Pedro est colombien. Il est en France depuis ...... six mois. Au début, il ne comprenait pas le français. Mais il travaille beaucoup et il comprend ....
Il hésite ...... à prendre la parole. ...... il fréquente des Français, ... il prend de l'assurance et ...... il a peur de faire des fautes.

3 Comparez les conditions de travail de ces trois commerciaux.

	Sabine	Cédric	Mélanie
Nombre de jours de voyage dans l'année	70	90	90
Salaire	3 700	3 700	3 500
Jours de congés supplémentaires	14	15	20

- Sabine voyage ...... Cédric.
- Mélanie a ...... jours de voyage que Cédric.
- Sabine gagne ...... Cédric. Mélanie gagne ...... que lui.
- Des trois, c'est Mélanie qui a ...... bon salaire.
- C'est Mélanie qui a ...... de congés supplémentaires.
- C'est Sabine qui en a ....

Les constructions comparatives

• La supériorité
Pierre est **plus** riche **que** François. Il est **meilleur** que lui.
Il a **plus** d'argent. Il en a **beaucoup plus (bien plus)**.
Il travaille **plus**. Il gagne **davantage**. Il gère **mieux** son argent.
De nous tous, Pierre est **le plus** riche.
C'est lui qui a **le plus d'**argent.
C'est lui qui travaille **le plus**.

• L'infériorité
François est **moins** riche **que** Pierre.
Il a **moins** d'argent. Il en a **beaucoup moins (bien moins)**.
Il travaille **moins** (**que** Pierre).
De nous tous, c'est François **le moins** riche.
C'est lui qui a **le moins d'**argent.
C'est lui qui travaille **le moins**.

• L'égalité
Marie est **aussi** travailleuse **que** Noémie.
Elle a **autant** d'activités **que** Noémie.
Elle travaille **autant qu'**elle.

• La progression
Pierre travaille **de plus en plus**. Il a **de moins en moins de** loisirs.
Plus il travaille, **plus** il est heureux.
Plus il travaille, **moins** il s'ennuie.
Dans son travail, il réussit **de mieux en mieux**.

• L'approximation
Combien coûte ce dictionnaire ?
Au moins 20 €. Oui, **plus ou moins** 20 €. **Au plus** 30 €.

À l'écoute de la grammaire

1 Elle n'a pas de préférence. Répondez pour elle.

- Quel est le spectacle que tu voudrais voir ?
– N'importe lequel. Celui que tu veux voir.
- Quels sont les acteurs qui te plaisent ?
– ......

2 C'est le meilleur téléphone mobile du marché. Confirmez-le.

- Il a beaucoup de mémoire.
– C'est celui qui en a le plus.
- Il est léger.

Les escaliers de la Butte

3 - Mise en scène

À la société Publimage, on prépare un film publicitaire.

Agnès : Cédric, tu peux venir une seconde... Je prépare le casting de la pub Klinor. J'ai fait une sélection de photos.
Cédric : La pub Klinor, c'est le jeune couple qui doit nettoyer les taches dans l'appartement, celle du bébé, du chien...
Agnès : Exactement. Tiens, voilà plusieurs garçons. Lequel tu préfères ?
Cédric : Celui-ci n'est pas mal... Celui-là, non, il est trop jeune... Lui non plus. C'est celui qui a fait la pub pour la boisson Punchy... Ce blond serait bien. Qu'est-ce que tu en penses ?
Agnès : Moi, celui que je préfère, c'est ce brun, Kamel, c'est lui qui a le plus de personnalité.

Cédric : Tu trouves ?
Agnès : Oui. Je le sélectionne ?
Cédric : Fais ce que tu veux. On verra bien ce qu'il est capable de faire au casting. Tu me montres aussi les filles ?

Quelques jours plus tard, après le casting.

Clémentine : Et voilà, on est pris !
Kamel : Ah, je n'y crois pas !
Clémentine : Sauf que tu as vu, on n'est pas très bien payé.
Kamel : Ça ne fait rien. Je t'invite au restau. On fera connaissance. Tu n'as pas une petite faim ?
Clémentine : Je meurs de faim.
Kamel : Qu'est-ce qui te ferait plaisir comme restau ?
Clémentine : Celui-là ira très bien.
Kamel : Ah non, je t'invite ailleurs que dans un kébab. Mais je te demande une seconde, il faut que je retire un peu de fric. *(il s'arrête devant une billetterie)* Mais ce n'est pas possible ! Il refuse de me donner de l'argent.
Clémentine : Allez viens, c'est moi qui t'invite. Tu n'as rien contre un kébab ?

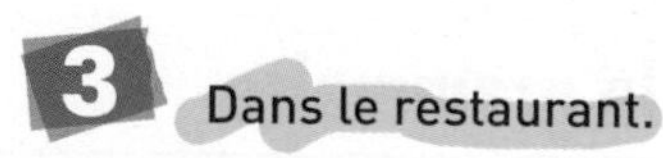
Dans le restaurant.

Le serveur : Je vous écoute.

Kamel : Tu fais beaucoup de castings ?
Clémentine : C'est obligé. Plus tu en fais, plus tu te fais connaître.

Kamel : Et tu en trouves ?
Clémentine : De plus en plus. Et je passe aussi le soir dans un cabaret à Montmartre.
Kamel : Mon rêve !
Clémentine : Tu fais des sketches ? Tu écris des textes ?
Kamel : Depuis toujours.
Clémentine : Il faudra me les montrer. Je peux peut-être te présenter au patron du cabaret.

L'après midi, Kamel téléphone à sa banque.

Kamel : Allô, Le Crédit du Centre ?

Quelques jours plus tard, au cabaret Le Troubadour à Montmartre.

Clémentine : Alors comment vous le trouvez ?
Le patron du Troubadour : Il a de l'avenir, ton copain.
Clémentine : Donc, vous le prenez ?
Le patron : On va faire un essai avec le public, mais je pense que ça marchera… En plus, j'ai une idée. Vous devriez faire quelque chose ensemble.
Clémentine : Un sketch à deux ?
Le patron : Un sketch, deux sketches, peut-être un spectacle ! Tu vois : le jeune de la banlieue qui vit avec une fille du 16ᵉ, les petits problèmes de la vie quotidienne…

Compréhension et simulations

1. *Scène 1*

a. Qu'apprenez-vous sur le produit Klinor et sur sa publicité ?
b. Notez les commentaires faits par Cédric et Agnès à propos de chaque photo.
Exemple : Photo 1 → pas mal …

2. Jouez la scène (à deux).

Avec un(e) ami(e), vous entrez dans un magasin pour acheter un nouveau téléphone portable (ou un nouveau vêtement, etc.). Regardez, commentez, choisissez.

3. *Scène 2.* Écoutez et répondez.

a. Que s'est-il passé depuis la scène précédente ?
b. Kamel et Clémentine sont-ils amis ?
c. Où Kamel veut-il inviter Clémentine ?
d. Peut-il le faire ?

4. *Scène 3*

a. Transcrivez le dialogue avec le serveur.
b. Qu'apprend-on sur Clémentine ?

5. *Scène 4.* Notez le résultat de chaque appel.

Appel 1 → C'est un faux numéro
Appel 2 → …

6. *Scène 5.* Imaginez la suite de la scène.

Exprimer une opinion

- Qu'est-ce que vous pensez de cet artiste ?
Comment le trouvez-vous ?
Quel est votre avis sur ce film ?
- Je pense qu'il est original.
Je crois qu'il plaira au public.
Pour moi (À mon avis), c'est un bon acteur.
- Je ne pense pas qu'il **soit** un grand acteur.
Je ne pense pas qu'il **puisse** jouer le rôle.
(subjonctif après un verbe d'opinion à la forme négative)

Prononciation

Les sons [z] et [s]

Grand choix de chemises
Vous aimez celle-ci ?
Plus ou moins.
Que pensez-vous de celle-là ?
Le tissu est très agréable
Je la voudrais moins étroite, plus ample et plus élégante
Essayez donc celle rose !
Rose ! Y pensez-vous !
Il faut oser le rose, monsieur. Avec votre costume sombre, elle sera très tendance !

QUESTIONS D'ARGENT

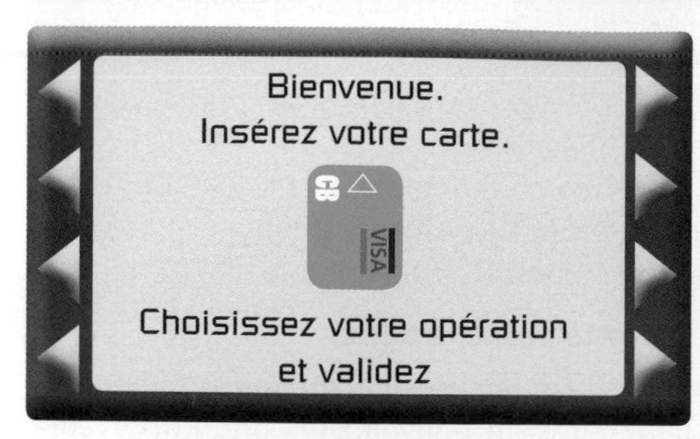

Composez votre code confidentiel à l'abri des regards indiscrets

Composez votre montant avec le clavier
Validez

50 € 100 € 150 €
200 € 250 € 300 €
autre montant

solde
récupérer votre carte
solde et relevé
retrait
recharger votre téléphone mobile

Pour obtenir vos billets retirez votre carte

Retirez votre carte
Merci et au revoir

Désirez-vous un ticket
oui non

Prenez vos billets

Vous voulez
- payer
- payer avec remise d'un reçu
- effectuer une autre commande

Vous désirez envoyer
- lettre DOM-TOM
- lettre service rapide
- écopli France service économique

Bonjour. Appuyez sur le bouton de votre choix
- vignette à 0,54
- carnet de timbres
- vignette montant au choix

envoyer une lettre
- en France
- à l'étranger

Appuyez sur la touche de votre choix
- départ immédiat
- échange de billet
- autre départ
- renouvellement d'abonnement
- retrait de dossiers et de billets électroniques

Pour se débrouiller avec l'argent

• À la banque
Ouvrir un compte / clôturer un compte – Verser de l'argent – faire un versement
Déposer de l'argent, un chèque de 500 € – faire un dépôt
Retirer de l'argent – faire un retrait au guichet, au distributeur
Faire un virement (depuis mon compte en Allemagne sur mon nouveau compte en France)
Être à découvert (avoir une somme négative sur son compte) – Approvisionner son compte
Un relevé de compte

• Les recettes
Gagner de l'argent – recevoir (toucher un salaire, un traitement (pour les fonctionnaires), une bourse, une allocation, etc. (voir p. 121)
Économiser – faire des économies
Placer de l'argent à la banque, faire un placement

• Les dépenses
Dépenser – faire des dépenses
Payer par chèque, par carte bancaire, en espèces
Choisir le prélèvement automatique (pour les factures de consommation d'eau et d'électricité)
Demander un crédit – acheter quelque chose à crédit

Comprendre les messages des distributeurs

1. Les messages du distributeur de banque et de la machine à affranchir sont dans le désordre. Remettez-les dans l'ordre.

2. Lisez le premier écran du distributeur de billets de train. Imaginez ce qui peut être écrit sur les écrans suivants.
Exemple : En cas de départ immédiat → Choisissez votre destination

Imaginer et rédiger le menu d'un distributeur

(Travail en petits groupes)

1. Imaginez un distributeur original (livres, repas complets, etc.).

2. Rédigez les instructions à suivre pour l'utiliser.

À savoir

• **Paiement en espèces :** méfiance !
En France, il n'est pas rare de voir des chauffeurs de bus, des petits commerçants ou des cinémas qui n'acceptent pas les billets de plus de 50 €.
Pour des sommes de plus de 20 €, la plupart des Français paient par chèque ou (de plus en plus) par carte bancaire.

• **Pas de pourboire... en principe :** en France, les services et taxes sont toujours compris dans le prix annoncé. Les pourboires ne sont pas obligatoires.
Mais certaines ouvreuses de théâtre vous le demanderont en vous disant qu'elles ne sont payées qu'avec les pourboires.
Certains Français donnent une petite somme aux serveurs et aux chauffeurs de taxi mais cette somme n'est pas calculée au pourcentage du prix. Pour un café de 1,80 €, on laisse par exemple les 20 centimes de monnaie.

• **Brut ou net :** si vous cherchez un petit boulot en France, vérifiez que le salaire qu'on vous propose est le salaire net. C'est ce que vous allez toucher après déduction des cotisations sociales (sécurité sociale, etc.) du salaire brut.

• **Prix TTC :** le prix des objets est toujours marqué TTC (toutes taxes comprises). Mais ce n'est pas toujours le cas pour le prix des services (prix de la réparation annoncée par le garagiste ou le plombier).

• **Loyer TCC** (toutes charges comprises) : au prix du loyer peuvent s'ajouter des charges importantes (pour l'ascenseur, le nettoyage, la consommation d'eau).

• **Les impôts :** les Français paient *un impôt sur le revenu* (selon ce qu'ils gagnent et leur situation familiale) et *une taxe d'habitation* augmentée de *la redevance audiovisuelle* (sauf s'ils ne possèdent pas de télévision). S'ils sont propriétaires de leur logement, ils paient aussi *une taxe foncière*.

Les dépenses

Les dépenses des habitants de quelques pays de l'Union européenne (en % du budget des ménages)

	France	Espagne	Royaume- Uni	Pologne
alimentation	14,4	16	12,2	19,4
alcool, tabac	3,3	3,2	3,9	2,8
habillement	4,5	5,9	6,1	4,4
logement	24,1	14,4	18,7	24,8
ameublement	5,9	5,8	6,4	4,5
santé	3,7	3,5	1,8	4,7
transport	14,7	12,2	15	10,5
communication	2,4	2,5	2,3	3,2
loisirs, culture	9	8,4	12,7	7,2
enseignement	0,6	1,6	1,4	1,7
hôtels, cafés, restaurants	7,6	19,6	11,4	2,9
autres	9,7	7,00	11,4	10

Eurostat, 2004

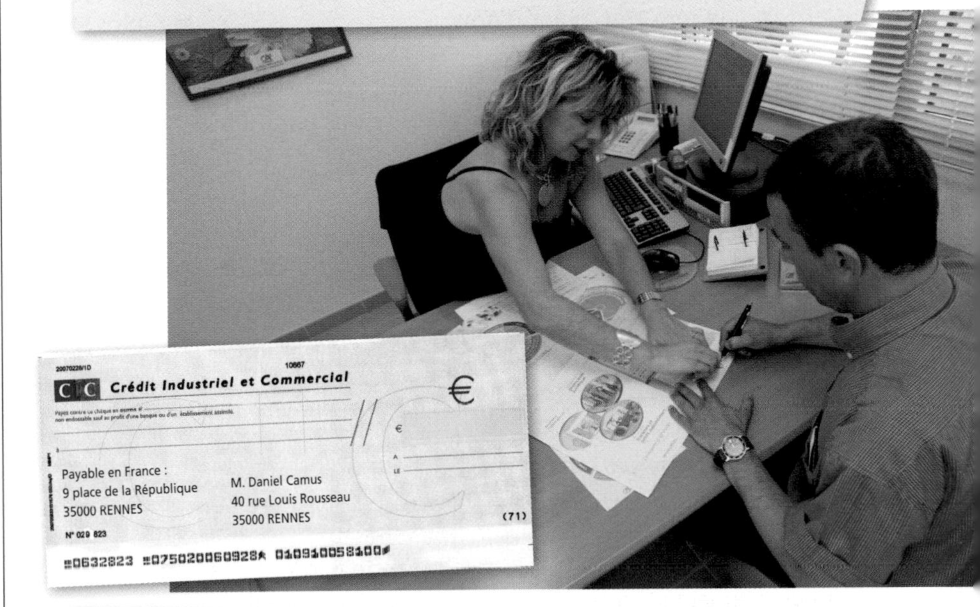

Ce qu'ils gagnent (salaire net par mois en euros)

Smic (salaire minimum) (concerne 2 millions de personnes)	1 000
Employé de ménage	1 200
Ouvrier qualifié – secrétaire	1 500
Plombier	2 200
Agent technique ou commercial	2 400
Professeur	2 400
Cadre administratif	3 500
Médecin	4 500

Les opérations bancaires

1. Lisez le vocabulaire de la page 112.

2. Écoutez. Dans chaque situation, identifiez l'opération bancaire.

Les Français et l'argent

a. Lisez les informations « À savoir ». Faites des comparaisons avec votre pays et les pays que vous connaissez.
b. Observez le tableau « Les dépenses ». Comparez les dépenses des Français avec celles des autres pays européens et avec les vôtres.
c. Quels types de dépenses souhaiteriez-vous pouvoir augmenter ?

TEST Pour quel métier êtes-vous fait ?

Pour chacune des 18 situations suivantes, entourez l'une des deux réponses possibles.

Ce que vous détestez le plus
- ♦ travailler seul
- ♣ parler de vous

D'habitude
- ♠ j'agis d'abord, je réfléchis après
- ■ je réfléchis avant d'agir

Votre loisir préféré
- ■ rechercher des informations sur Internet
- ♠ participer à une fête

Vous diriez
- ● plus je suis conseillé et dirigé, mieux je travaille
- ■ plus je suis autonome, plus je suis efficace

Ce que vous aimez le plus dans un groupe
- ♠ entraîner les autres
- ♥ apporter de nouvelles idées

On vous trouve
- ♣ terre à terre
- ♥ rêveur

Vous aimez les personnes
- ♠ entreprenantes
- ■ réfléchies

Quand il y a un problème
- ♠ vous faites face
- ♣ vous hésitez et vous perdez vos moyens

Quand vous avez du temps libre
- ♣ vous profitez du grand air
- ♦ vous allez voir des amis

Vous pensez
- ♥ plus il y a des règles, moins on avance
- ● plus il y a des règles, mieux ça marche

D'après vous, on est mieux informé
- ■ en lisant la presse
- ♦ en discutant avec des amis

Pour réussir, il vaut mieux
- ♦ être dans une ambiance détendue
- ● avoir des objectifs précis

Quand vous devez prendre la parole en public
- ♣ vous êtes mal à l'aise
- ♠ vous adorez

Quand vous étiez enfant, vous préfériez
- ♥ vous déguiser
- ♣ les jeux de Lego ou les puzzles

15 **Votre ordinateur ne marche pas très bien**
- ♦ vous appelez un ami
- ● vous cliquez sur aide

16 **Pour être efficace, vous préférez travailler**
- ● dans le calme
- ♥ sur des sujets passionnants

17 **Les livres que vous préférez**
- ♥ les romans
- ■ les essais sur l'actualité politique ou scientifique

18 **Pour vous, il vaut mieux**
- ● être honnête
- ♦ être utile aux autres

Comptez les symboles que vous avez obtenus.

Maximum de ♣ = Métiers techniques
➜ ingénieur ou technicien (environnement, mécanique, robotique, électronique) – artisan (maçon, plombier, peintre, menuisier, garagiste, réparateur) – artisan d'art – sportif ou professeur de sports – restaurateur

Maximum de ■ = Métiers de réflexion
➜ architecte – concepteur de produit – chercheur – économiste – psychologue, sociologue – musicien – journaliste – archéologue – météorologue

Maximum de ♥ = Métiers d'imagination
➜ écrivain – comédien – dessinateur – artiste – styliste – concepteur multimédia publicitaire – responsable marketing – organisateur d'événements – coiffeur

Maximum de ♦ = Métiers de la coopération
➜ professeur – bibliothécaire – attaché de presse – diplomate – directeur des ressources humaines – médecin – infirmier – responsable commercial – conseiller pour l'emploi ou l'aide sociale

Maximum de ♠ = Métiers de l'action
➜ animateur – agent immobilier – chef de chantier – chef de projet – consultant – policier – militaire – guide nature

Maximum de ● = Métiers de méthode
➜ métiers de la banque et de la finance – comptable – cadre dans une administration ou un commerce – informaticien – chercheur – jardinier – commerçant (boulanger, pâtissier, boucher, épicier, etc.) – agriculteur

Faites le test

1. Répondez aux questions collectivement ou par deux avec l'aide du professeur.

2. Lisez la liste des métiers qui correspond à votre symbole dominant. Donnez votre avis.

Le vocabulaire des métiers

La classe se partage les six listes de métiers.

1. Complétez la liste que vous avez choisie.
Exemple : autres métiers techniques : horloger

2. Pour chaque nom de métier :
a. Trouvez le féminin.
b. Trouvez les qualités qu'il faut avoir pour exercer ce métier.

Présentez le métier de vos rêves

Quel métier aimeriez-vous faire ? Pour quelles raisons ?

Pour parler des professions

• un métier – une profession – une activité – un emploi
Il est plombier. Il exerce le métier de plombier – Elle a un emploi d'assistante de direction
• être en activité – être au chômage (en recherche d'emploi) – être en congé (de maladie, de maternité) – être à la retraite

• masculin et féminin des noms de métier

1. le féminin est marqué par le suffixe
-ien / -ienne : un pharmacien / une pharmacienne
-ier / -ière : un épicier / une épicière
-er / -ère : un boucher / une bouchère
-eur / -euse : un vendeur / une vendeuse
-teur / -trice : un agriculteur / une agricultrice
-ant / -ante : un enseignant / une enseignante

2. le mot est le même au masculin et au féminin
C'est souvent le cas quand la lettre finale du masculin est « e » :
un / une pianiste, antiquaire, biologiste, stagiaire, architecte

3. il n'y a pas de féminin
un médecin / une femme médecin
un ingénieur / une femme ingénieur
En France, les recommandations officielles pour féminiser ces mots (une professeure – une auteure – une écrivaine) ne sont pas très suivies.

Apprécier l'importance des choses

C'est **trop** dangereux.
Il y a **trop de** risques.
Ce **n'**est **pas assez** bien payé.
Tu es **si** sensible **que** tu ne pourras jamais être un bon flic !

Ce n'est pas **si** dur **que** ça.
Je suis **assez** forte.
J'ai lu **tellement de** romans policiers **que** je connais déjà le métier.
Et il y a **tant de** délinquants **que** j'aurai toujours du travail !

1 Observez les phrases ci-dessus et lisez le tableau. Présentez les avantages et les inconvénients de ces professions en utilisant « trop », « très », « assez », « ne ... pas assez ».

Exemple : Médecins : les études sont très intéressantes, les activités sont assez variées mais ...
Médecin : études intéressantes – activités variées – beaucoup de stress – pas beaucoup de vacances
Bibliothécaire : travail enrichissant – rencontres intéressantes – on est toujours enfermé – on n'est pas très bien payé
Cuisinier : métier à la mode – études courtes – pas de temps libre – horaires différents des horaires normaux

2 Reliez les deux phrases en utilisant « si », « tellement », « tant ... que ».

Que pense-t-elle de son nouvel appartement ?
- Il y a beaucoup de bruit dehors. On ne peut jamais ouvrir les fenêtres.
- C'est très éloigné du lieu de travail. Elle a deux heures de trajet par jour.
- Le soir, les voisins crient. On ne s'endort pas avant minuit.
- L'ascenseur est souvent en panne. Il faut souvent prendre l'escalier.
- Il y a peu de placards. Les affaires sont encore dans les cartons.

Trop – assez – si – tellement – tant

1. L'appréciation. On a une référence à l'esprit.

• Trop
Le métier de professeur est **très** difficile (en général).
Il est **trop** difficile **pour** Paul.
(Il n'est pas difficile pour d'autres personnes)
Il faut **trop** étudier. – Il y a **trop de** devoirs à corriger.

• Ne ... pas assez
Le métier de comptable **n'**est **pas assez** actif (pour moi).
On **ne** voit **pas assez de** gens. On **ne** bouge **pas assez**.

• Assez
Il aime son travail. C'est **assez** intéressant. On gagne **assez d'**argent.

2. Importance et conséquence
Il est **si** malade (Il est **tellement** malade) **qu'**il ne pourra pas aller travailler.
J'ai **tellement de** travail, j'ai **tant de** choses à faire **que** je ne pourrai pas sortir ce soir.
Il mange **tellement qu'**il va finir par grossir.

3. Exclamation
Pourquoi n'allez-vous pas au Mexique ? C'est un pays **si** beau ! Il y a **tellement de** choses à voir !

Maîtriser les constructions « verbe + verbe »

1. Construction sans préposition
• Avec les verbes *vouloir, souhaiter, espérer, savoir, penser, aimer, détester, devoir, pouvoir*
Il souhaite partir demain. – Il pense arriver à 10 h.
N.B. – Quand les verbes ont un sujet différent, on utilise une construction avec « que ».
Je veux qu'il parte. – J'espère qu'il arrivera à 10 h.
• Cas des verbes exprimant une perception (*regarder – voir – écouter – entendre*)
J'ai écouté chanter Roberto Alagna. (J'ai écouté Roberto Alagna chanter à l'Opéra.)

2. Construction avec la préposition « à »
« à » exprime souvent un mouvement vers une action (*apprendre à – arriver à – réussir à – commencer à – continuer à – se préparer à*)
Elle se prépare à partir en voyage.

3. Construction avec la préposition « de »
« de » exprime souvent une rupture (*finir de – s'arrêter de – oublier de – venir de – avoir besoin de*)
Elle a oublié d'éteindre la lumière.

4. Cas des verbes qui expriment une demande
(*demander de – dire de – proposer de – permettre de – prier de*)
J'ai demandé à Julien d'éteindre la lumière.

1 Répondez en construisant le verbe entre parenthèses avec le verbe de la question.

Exemple : **a.** Je veux venir.
a. Tu viens à la piscine avec moi ? – Oui, ... (*vouloir*)
b. Tu nages ? – Oui ... (*savoir*)
c. Tu plonges ? – Non, ... (*apprendre*)
d. Tu as passé ton diplôme de nageur ? – Non mais ... (*se préparer*)
e. Tu fais toujours du basket ? – Non, ... (*s'arrêter*)
f. Tu fais toujours du tennis ? – Oui ... (*continuer*)
g. Tu as vu Amélie Mauresmo à la télé ? Elle jouait très bien. – Oui, je ... (*voir*)
h. On va faire un tennis. On emmène Patrick et Nathalie ? – D'accord, ... (*emmener*)

Opposer des idées

1 Observez les phrases ci-dessus. Montrez que les mots en gras opposent deux informations.

Pourtant → quelqu'un est entré / la porte était fermée
En revanche → ......

2 Indiquez les oppositions entre les phrases. Complétez avec les expressions du tableau.

- Julien n'aime pas les films policiers. ...... il est allé voir le film *Le Couperet* parce qu'il aime bien l'acteur José Garcia.
- Marie, ... adore les films policiers.
- ...... d'aller au cinéma, elle est restée chez elle.
- Elle avait mal à la tête ...... l'aspirine qu'elle avait prise.
- Elle a allumé la télé. Sur la première chaîne, le programme était nul. ...., sur la deuxième chaîne, il y avait un reportage très intéressant sur la Patagonie.

............., il y a eu une coupure d'électricité dix minutes après le début du reportage.

Expression de l'opposition

1. La deuxième information semble en contradiction avec la première
Il pleut. **Pourtant** Pierre est allé se promener.
Il est sorti **malgré** la pluie.

2. Les deux informations sont contraires
Il était fatigué après sa promenade ?
Au contraire, il était en pleine forme.

3. On oppose deux actions
Elle n'a pas travaillé. **En revanche**, elle est sortie.
(**Par contre**, elle est sortie)
Au lieu de travailler, elle est sortie.

4. Une action empêche une autre action
Elle voulait être avocate. **Malheureusement**, elle a échoué à son concours. **Heureusement**, elle a réussi le concours de notaire.

À l'écoute de la grammaire

1 Construction avec « trop (de) »

Il a participé à une fête. Il n'a pas été raisonnable. Critiquez-le.
- J'ai bu du vin.
- Tu en as trop bu !
- J'ai mal à la gorge. J'ai beaucoup chanté.
- Tu as trop chanté !
- ...

2 Construction avec « ne ... pas assez (de) »

Son ami l'a quittée. Elle a des regrets. Critiquez-la.
- Je n'ai pas beaucoup écrit à Florent.
- Tu ne lui as pas assez écrit !
- Je n'ai pas beaucoup appelé Florent.
- Tu ne l'as pas assez appelé !
- ...

Les escaliers de la Butte

4 - Sur le devant de la scène

Nadia est venu voir Kamel à Paris.
Ils vont visiter Barbizon.

Nadia : Tu as rencontré une autre fille ?
Kamel : Mais non, je t'assure !
Nadia : Pourtant, tu n'es plus le même.
Kamel : Nadia, je t'ai envoyé des méls, je t'ai appelée.
Nadia : Une fois par semaine, comme si tu étais obligé de le faire.
Kamel : J'ai tellement d'activités que je ne trouve pas le temps !
Nadia : C'est si difficile que ça d'y penser !
Kamel : Pourquoi tu ne t'installes pas à Paris ?
Nadia : Kamel, il y a tellement de différences entre nous que ça ne vaut pas la peine d'essayer. Moi, je rêve d'être médecin dans un village de la Loire. Toi, au contraire, tu aimes la ville, la nuit, les rencontres.
Kamel : Arrête avec les rencontres. Je te jure que je n'ai rencontré personne.
Nadia : Alors, ça ne va pas tarder !

En quittant le parking, Kamel a un accident.
Kamel : Excusez-moi. Je ne vous ai pas vu !
L'automobiliste : Il faut regarder en arrière quand on recule.
Kamel : Je sais, c'est de ma faute. Je suis totalement responsable.
L'automobiliste : Vous pensiez à autre chose. C'est normal, votre amie est tellement charmante !
Kamel : Ma voiture n'a rien.
L'automobiliste : Par contre, la mienne a l'aile gauche enfoncée. Ma roue est bloquée. C'est embêtant.
Kamel : On va faire le constat. Puis je vous réparerai ça. J'ai tout ce qu'il faut dans la voiture. Vous pourrez repartir.
L'automobiliste : En fait, j'ai de la chance d'être tombé sur vous !

Plus tard.

L'automobiliste : Et vous le faites où, ce spectacle ?
Kamel : Au Troubadour, à Montmartre. J'ai votre adresse. Je vous envoie une invitation.
L'automobiliste : Je viendrai avec plaisir.

Quelques jours plus tard. Après le spectacle du cabaret Le Troubadour.

Alain (l'automobiliste) : Alors là, toutes mes félicitations. Je me suis beaucoup amusé et le public aussi.

Kamel : Tant mieux.

Alain : Écoutez. J'ai une proposition à vous faire, à tous les deux. Vous savez que je travaille dans un service qui organise des tournées à l'étranger pour de jeunes artistes français...

Deux mois plus tard. Dans la Casbah d'Alger.

Kamel (il téléphone) : Allô, papa ! Devine d'où je t'appelle !

Le père : Je sais que tu es à l'étranger.

Kamel : Je suis à Alger, devant la maison où tu es né.

Le père : Elle a changé ?

Kamel : Comment veux-tu que je le sache ? C'est la première fois que je la vois !

Le père : Prends-la en photo.

Kamel : C'est déjà fait... Oh papa, la communication va couper. Ma batterie est morte. Je vous rappelle.

Le père : Ta mère t'embrasse. Ton frère et Nadia aussi.

Kamel : Qu'est-ce qu'elle fait, Nadia, chez vous ?

Compréhension et simulations

1. *Scène 1.* Commentez les affirmations suivantes :

a. Nadia et Kamel ne se sont pas vus depuis longtemps.
b. Kamel aime toujours Nadia.
c. Nadia aime toujours Kamel.
d. Kamel est sincère.
e. Kamel et Nadia ne sont pas faits l'un pour l'autre.

2. *Scène 2.* Écoutez la partie transcrite et la partie non transcrite.

a. Faites le dessin de l'accident. Expliquez comment il s'est produit.
b. Qu'apprenez-vous sur l'automobiliste ?

3. Jouez la scène (à deux).

Vous avez prêté votre appartement à un(e) ami(e). Quand vous rentrez, vous trouvez : un fauteuil cassé, la plante verte morte, etc.
Vous demandez des explications. Votre ami(e) raconte et s'excuse.
Utilisez le vocabulaire du tableau.

4. *Scènes 3 et 4*

Racontez l'histoire et imaginez la suite.

Exprimer la responsabilité

• Faire une faute
une faute – une erreur – une bêtise – une maladresse – faire quelque chose de mal

• Accuser – s'accuser
Je vous reproche de... Vous êtes responsable.
Vous l'avez fait exprès ?
Je suis responsable – J'ai eu tort
C'est de ma faute

• Se défendre
Je ne suis pas responsable – Je n'y suis pour rien – Ce n'est pas de ma faute – Je ne l'ai pas fait exprès

Prononciation

Le son [R]

Racontars
La boulangère l'a raconté à la bouchère.
Elle a eu tort.
Le docteur l'a répété au facteur.
C'est une erreur.
Le serrurier l'a rappelé au cafetier.
C'est fait exprès.
Et le notaire l'a redit à la presse.
Quelle maladresse !

constat amiable d'accident automobile

Ne constitue pas une reconnaissance de responsabilité, mais un relevé des identités et des faits, servant à l'accélération du règlement

à signer obligatoirement par les DEUX conducteurs

1. date de l'accident / heure	2. lieu (pays, n° dépt. localité)	3. blessé(s) même léger(s) non / oui *
4. dégâts matériels autres qu'aux véhicules A et B non / oui *	5. témoins noms, adresses et tél. (à souligner s'il s'agit d'un passager de A ou B)	

véhicule A

6. assuré souscripteur *(voir attest. d'assur.)*
Nom (majusc.)
Prénom
Adresse *(rue et n°)*
Localité *(et c. postal)*
N° tél. *(de 9 h. à 17 h.)*
L'Assuré peut-il récupérer la T.V.A. afférente au véhicule ? non / oui

7. véhicule
Marque, type
N° d'immatr. (ou de moteur)

8. sté d'assurance
N° de contrat
Agence *(ou bureau ou courtier)*
N° de carte verte *(Pour les étrangers)*
Attestation d'ass. ou carte verte } valable jusqu'au
Les dégâts matériels du véhicule sont-ils assurés ? non / oui

9. conducteur *(voir permis de conduire)*
Nom (majusc.)
Prénom
Adresse
Permis de conduire n°
catégorie (A, B, ...) délivré par
le
permis valable du au
(Pour les catégories C, C1, D, E, F et les taxis)

12. circonstances

Mettre une croix (x) dans chacune des cases utiles pour préciser le croquis.

A		B
1	en stationnement	1
2	quittait un stationnement	2
3	prenait un stationnement	3
4	sortait d'un parking, d'un lieu privé, d'un chemin de terre	4
5	s'engageait dans un parking, un lieu privé, un chemin de terre	5
6	s'engageait sur une place à sens giratoire	6
7	roulait sur une place à sens giratoire	7
8	heurtait l'arrière de l'autre véhicule qui roulait dans le même sens et sur la même file	8
9	roulait dans le même sens et sur une file différente	9
10	changeait de file	10
11	doublait	11
12	virait à droite	12
13	virait à gauche	13
14	reculait	14
15	empiétait sur la partie de chaussée réservée à la circulation en sens inverse	15
16	venait de droite (dans un carrefour)	16
17	n'avait pas observé un signal de priorité	17

indiquer le nombre de cases marquées d'une croix

13. croquis de l'accident

Préciser : 1. le tracé des voies - 2. la direction (par des flèches) des véhicules A, B - 3. leur position au moment du choc - 4. les signaux routiers - 5. le nom des rues (ou routes).

avenue de la liberté
pont
boulevard Talabot
feu
A
B
avenue Pompidou

10. Indiquer par une flèche le point de choc initial

11. Décrivez précisément les circonstances de l'accident.

Je roulais sur l'avenue Pompidou en direction de l'avenue de la Liberté.
Devant moi, le feu qui se trouve à l'angle du boulevard Talabot est passé à l'orange. J'ai freiné et me suis arrêté.
Le véhicule B qui me suivait a heurté violemment l'arrière de mon véhicule.
Sous le choc, mon véhicule a traversé le boulevard Talabot et a heurté le mur gauche du pont de chemin de fer.

Dégâts : tout l'arrière de mon véhicule est enfoncé ;
l'aile et la roue avant gauche sont endommagées.

Remplir un constat d'accident automobile

À faire à deux.

Observez le document ci-dessus. Lisez la description des circonstances de l'accident et regardez le schéma. Complétez le reste du constat (la partie remise au conducteur du véhicule B est la même que celle du véhicule A).

Récits d'incidents

1. Écoutez ces 3 récits. Pour chaque incident, complétez le tableau.

Type d'incident	
Victime	
Lieu	
Cause	
Conséquence	

2. Lisez le tableau de vocabulaire de la page 121.

Rédiger une déclaration pour une compagnie d'assurances

Vous avez été victime d'un accident, d'un vol, d'un incendie ou d'un autre incident. Vous écrivez à votre compagnie d'assurance pour le déclarer.

Résidents étrangers en France

Vous venez en France pour étudier, travailler, ou pour des séjours de longue durée.

Pensez à vous assurer.

Voici quelques informations sur vos droits et vos devoirs.

La Sécurité sociale

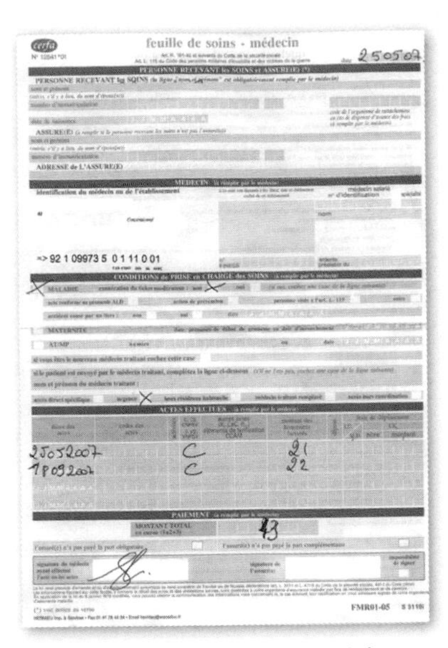
feuille de soins - médecin

La Sécurité sociale est un système public d'assurances qui couvre :
- la maladie (frais de visite chez le médecin, de médicaments ou de séjour dans un hôpital ou une clinique) ;
- la maternité : suivi et aide pour les futures mamans ;
- les besoins des personnes en difficulté. Selon vos revenus, vous pouvez bénéficier de différentes allocations (enfants, logement, etc.) ;
- la vieillesse : retraite ou minimum vieillesse.

La Sécurité sociale est financée par la CSG (contribution sociale généralisée) qui est prélevée sur tous les revenus.
Tous les étrangers qui résident en France ont droit à la Sécurité sociale.

Les autres assurances

L'assurance habitation
Si vous êtes locataire, vous devez souscrire une assurance habitation. Elle couvre le vol, l'incendie et les dommages que vous pouvez causer chez vous ou ailleurs (responsabilité civile).

L'assurance automobile ou moto
Quand vous conduisez en France, vous devez être en possession de votre permis de conduire, de la carte grise (titre de propriété du véhicule) et de la carte verte (assurance du véhicule).

D'après le site de l'Égide.

ALPHAssurances

Madame, Monsieur

Je vous informe que mon appartement situé 20 rue Picasso à Montreuil a été cambriolé entre le 8 et le 24 août dernier.

J'ai quitté mon appartement pour des vacances le 8 août à 9 h après avoir fermé la porte à clef. En rentrant chez moi le 24 à 15 h, j'ai trouvé la porte fermée mais j'ai eu des difficultés à l'ouvrir car la serrure était endommagée.

J'ai constaté la disparition de plusieurs objets. Vous trouverez ci-joint la liste de ces objets.

J'estime leur valeur totale à environ 5 000 €.

La carte vitale est la carte des assurés de la Sécurité sociale. Pour être bien remboursé par la Sécurité sociale, il est nécessaire d'être inscrit chez un médecin généraliste (votre médecin référent). C'est lui qui vous enverra si c'est nécessaire chez un spécialiste comme l'ORL (oto-rhino-laryngologiste). Mais la Sécurité sociale ne rembourse pas la totalité des frais médicaux. Il est donc conseillé d'adhérer à une assurance maladie complémentaire, par exemple une mutuelle.

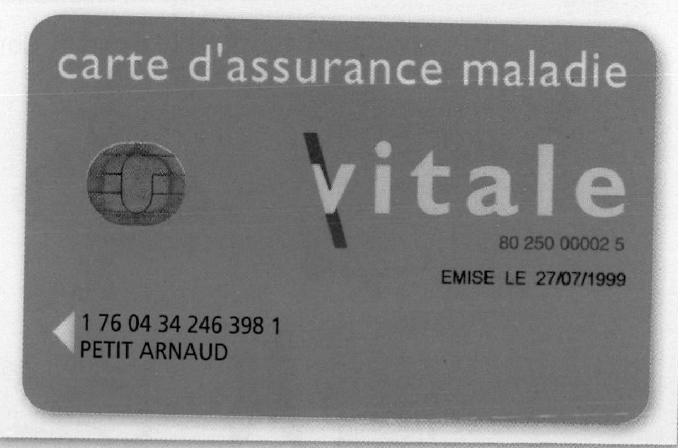

Accidents et incidents

- **La conduite** : conduire une voiture (un véhicule) – le conducteur – démarrer – avancer / reculer – accélérer / freiner – rouler – tourner – dépasser (doubler) une voiture – croiser – se garer – stationner
- **L'accident** : un accident de voiture, de moto
heurter un véhicule – rentrer dans un mur – renverser un cycliste
– **les dommages matériels** : avoir le pare-brise cassé – l'aile enfoncée – le moteur endommagé
– **les dommages corporels** : un blessé, etc.
- **Les autres incidents** : un vol – un cambriolage – etc.

Le document « Soyez bien assurés »

1. Vous avez l'intention de faire un voyage en France. Recherchez dans le document les informations correspondant à votre situation.

2. Faites des comparaisons avec les systèmes d'assurances de votre pays.

Évaluez-vous

1 Pensez-vous pouvoir gérer votre vie quotidienne dans un pays francophone ? .../10

Répondez « oui » ou « non ». Comptez les « oui » et notez-vous.

a. Vous savez vous débrouiller pour trouver un logement. ...
b. Quand il y a un problème d'entretien dans votre logement, vous savez l'expliquer à un professionnel ou à votre propriétaire. ...
c. Vous comprenez les instructions en français données par les billetteries automatiques. ...
d. Vous pouvez faire des opérations bancaires simples. ...
e. En cas d'erreur sur une facture ou dans une opération de paiement, vous savez réclamer. ...
f. Vous pouvez décrire un objet (vêtements, appareils, etc.). ...
g. Vous savez réclamer un objet que vous avez perdu. ...
h. Dans un supermarché, vous pouvez repérer ce que vous recherchez selon les indications figurant sur l'emballage. ...
i. Vous savez vous adresser à votre compagnie d'assurances et à la police en cas de vol, perte d'objet, accidents, sinistres, etc. ...
j. Vous pouvez remplir un constat d'accident de véhicule. ...

2 Vous savez trouver le professionnel qui résoudra votre problème. .../10

Trouvez dans la colonne de droite la rubrique des Pages jaunes qui correspond à votre problème.

Vos problèmes

a. Votre médecin vous a prescrit des piqûres.
b. Il y a une fuite au robinet de votre lavabo.
c. Votre lave-linge est en panne.
d. Vous avez perdu vos clés.
e. Votre enfant a de mauvaises notes.
f. Votre fenêtre se ferme mal.
g. Votre voiture ne démarre pas.
h. Votre ordinateur est en panne.
i. Les murs de votre salon sont sales.
j. Vous voulez emprunter des livres.

Rubriques des Pages jaunes

bibliothèques
électroménager (service après-vente)
garagistes
infirmières
informatique (réparateurs)
leçons particulières
menuisiers
peintres
plombiers
serruriers

Comptez un point par réponse juste.

3 Vous comprenez des ordres relatifs à la vie quotidienne. .../10

Associez l'ordre et le dessin. Comptez un point par réponse juste.

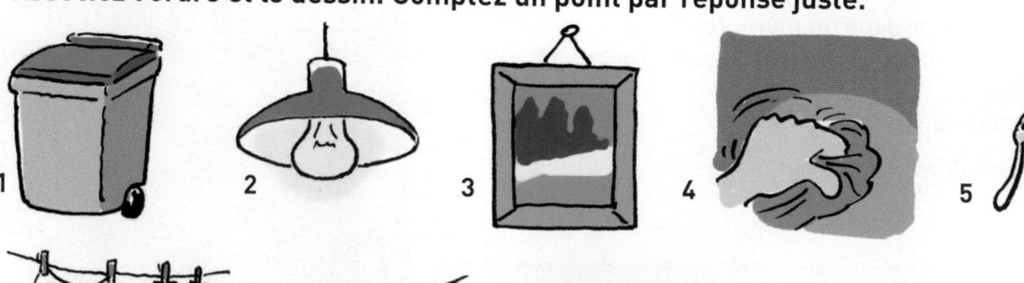

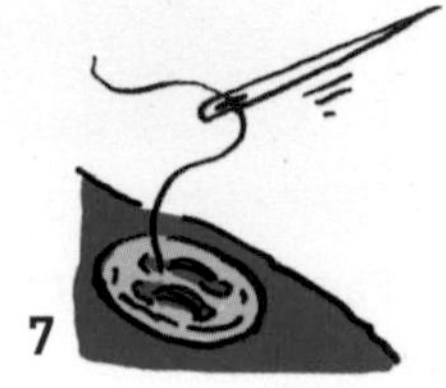

4 Vous comprenez des informations à propos de sport ou d'aventure. .../10

Alain Robert, le « Spiderman » français, escalade un pont à Lisbonne

Le grimpeur a déjà atteint à mains nues le sommet d'une cinquantaine de tours dans le monde.

Sans cordes ni mousquetons, Alain Robert, surnommé le « Spiderman » français, a escaladé lundi 6 août l'un des piliers du pont du 25-Avril, qui enjambe les deux rives du fleuve Tage à Lisbonne au Portugal. À sa descente, il a été aussitôt interpellé par la police locale. Il devra s'acquitter d'une amende de 120 €. Le grimpeur français n'a mis qu'une vingtaine de minutes pour atteindre le sommet de l'édifice, à 190 mètres.

Âgé de 45 ans, Alain Robert a déjà escaladé à mains nues une cinquantaine de tours dans le monde dont celles du quartier d'affaires de La Défense à Paris, mais aussi la tour Eiffel et la tour Montparnasse, ainsi que l'Empire State Building à New York. Le Taipei 101 à Taïwan, l'immeuble le plus haut de la planète avec 508 mètres, ne lui a également pas résisté.

Avant de s'attaquer à l'ascension d'édifices urbains, Alain Robert était considéré comme un des meilleurs spécialistes de la « grimpe » des falaises. Sa passion a failli lui coûter la vie en 1982 quand une chute l'a rendu invalide à 66%. À l'époque, les médecins étaient persuadés qu'il ne pourrait plus s'adonner à cette passion.

AFP et Reuters- www.lemonde.fr - le 06/08/2007.

Lisez le texte ci-dessus et répondez.

a. À quelle photo de la page 66 correspond cet article ?
b. De qui parle-t-on ?
c. Qu'a-t-il fait ?
d. Où ?
e. Quand ?
f. Comment l'a-t-il fait ?
g. A-t-il réussi ?
h. Avait-il le droit de le faire ?
i. L'avait-il déjà fait ?
j. Cela s'est-il toujours bien passé ?

Trouvez dans le texte les mots qui correspondent aux définitions suivantes :

• Paragraphe 1
(1) objet qui sert aux alpinistes
(2) monter une pente difficile
(3) partie d'un pont
(4) passer par-dessus
(5) arrêté (par la police)
(6) payer
(7) arriver à un but
(8) bâtiment

• Paragraphe 3
(9) le fait de monter une montagne
(10) handicapé
(11) occuper son temps à des loisirs

5 Vous pouvez réagir en cas d'incidents. .../10

Avec votre voisin(e), imaginez un dialogue pour chacun des trois épisodes de ces aventures aux sports d'hiver. Utilisez les phrases qui sont au-dessous de chaque dessin.
Lisez ou jouez ces dialogues à la classe et donnez-vous une note.

« À qui sont ces skis ? »

« N'aie pas peur ! »

« C'est de ma faute ! »

6 Vous comprenez des informations sur les conditions de vie de quelqu'un. .../10

Écoutez cette conversation. Clément parle de ses conditions de vie.
Dans la fiche ci-dessous, repérez les rubriques que vous pouvez compléter. Complétez-les.
Corrigez ensemble et notez-vous.

- **Nom :** ARCHAMBAUD
- **Prénom :** Clément
- **Âge :** ......

- **Habitation**

Type de quartier : ......

Logement :

Location : ☐ oui ☐ non
Nombre de pièces : ......
Étage : ......
Ascenseur : ☐ oui ☐ non
État de l'immeuble : ......
État du logement : ......
Loyer : ......
Charges : ......

- **Travail**

Profession : ......
Fonction : ......
Horaires par semaine : ......
Horaires quotidiens : ......
Salaire mensuel : ......

Trajet habitation / lieu de travail :

durée : ......
moyen : ......

- **Ressources**

Salaire : ......
Autres ressources :
allocation logement : ......
allocations familiales : ......
autres : ......

- **Dépenses**

Logement (tout compris) : ......
Nourriture : ......
Trajets : ......
Autres : ......

- **Somme restant pour les loisirs :** ......

7 Vous pouvez décrire un objet. .../10

Vous avez commandé une lampe par Internet. Vous en recevez une qui ne correspond pas à celle que vous avez demandée.
Vous faites un courriel pour réclamer. Dans ce courriel, vous indiquez les différences de dimensions, de couleur, de forme, de matière, etc., entre les deux lampes.
Lisez votre courriel à la classe et décidez ensemble d'une note.

Lampe de bureau – ampoule de 60 W max

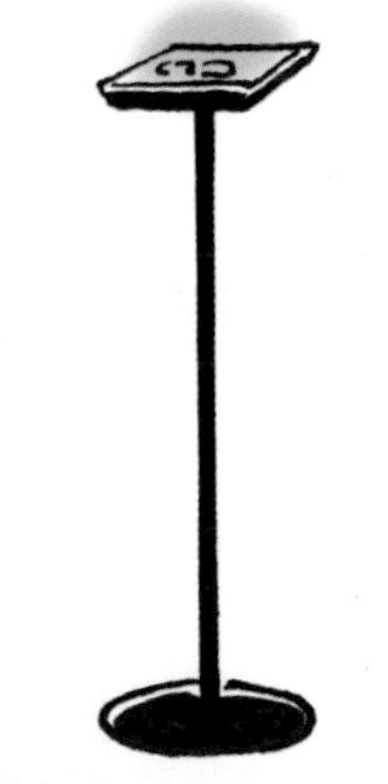

Lampe halogène sur pied.

8 Vous pouvez faire une déclaration en cas d'accident ou d'incident. .../10

Rédigez les phrases principales dans les deux messages suivants.
Indiquez les circonstances.
Écoutez le corrigé du professeur et notez-vous.

a. Vous ne trouvez plus votre carte bancaire. Vous envoyez un courriel au Service des cartes bancaires.
b. Un matin, vous découvrez qu'on a cassé la vitre de votre voiture et que certains objets qui étaient à l'intérieur ont disparu. Vous écrivez à votre compagnie d'assurances.

9 Vous utilisez correctement le français. .../20

a. Le subjonctif présent. Mettez les verbes entre parenthèses au subjonctif ou à l'indicatif.

Une famille en vacances

Les enfants, vous (*être*) en vacances. Il faudrait que vous nous (*aider*) un peu.

J'aimerais que vous (*faire*) votre lit et que vous (*ranger*) votre chambre. Il faut que j'(*aller*) faire les courses pour le pique-nique. Je veux que tout (*être*) parfait à mon retour.

Aujourd'hui, nous (*aller*) faire une randonnée au col de Porte. J'aimerais que nous (*partir*) à 10 heures. Là-haut, il (*faire froid*). Il faut que vous (*prendre*) des vêtements chauds. Paul, je regrette que tu ne (*pouvoir*) pas venir.

b. Complétez avec un pronom possessif.

Deux jeunes se vantent

Léo : Ma moto va à 160 km/h.
Tony : ...... fait du 180 km/h.
Léo : C'est moins bien que celle de mon frère. ...... fait du 200.
Tony : Mon frère est champion de boxe.
Léo : ...... est champion de judo.
Tony : Nous, à la maison, on a un écran plasma de 1 m.
Léo : Je crois que ...... fait 2 m. Il n'y a pas plus gros.
Tony : Si, j'ai des voisins. ...... couvre tout le mur.

c. Complétez avec un mot interrogatif.

Au marché

• Je voudrais 1kg de pommes.
– ...... vous préférez ? les Golden ou les Gala ?
• Les Gala. Il me faudrait aussi un melon. ...... vous me conseillez ?
– Ils sont tous bons, madame, et, pour le prix d'un, vous en avez deux. ...... vous choisissez ?
• Celui-ci et celui-là. Ensuite je voudrais des œufs.
– ...... grosseur ? Des gros, des moyens ?
• Des moyens, une douzaine. Voilà, ce sera tout.
– Très bien, ça fait 8€. Et je vous offre une rose. ...... vous préférez ?

d. Complétez avec un pronom démonstratif.

Projet de soirée

• Qu'est-ce qu'on fait ce soir ?
– ...... tu veux. On pourrait aller au cinéma.
• Pour voir quel film ?
– .... tu as envie de voir.
• Moi, ...'il me faut, c'est un bon film comique.
– Il y a *OSS 117* avec l'acteur Jean Dujardin, ... joue dans « Un gars, une fille ».
• Il est très bon. Je l'ai vu au théâtre avec Alexandra.
– ...... « Un gars, une fille » ?
• Exactement. Ils jouent « Deux sur la balançoire ». Une pièce de Feydeau.
– C'est une de ...... je préfère.

e. Complétez avec un mot de comparaison ou d'appréciation (*plus*, *trop*, etc.).

Nouvelle vie

« J'ai dirigé une petite entreprise pendant 15 ans. Mais l'an dernier, j'ai décidé d'arrêter.
C'était ...... difficile pour moi.
J'avais ...... de travail que j'y passais mes week-ends.
J'étais ...... stressé que même en vacances je pensais à l'entreprise.
J'ai demandé un poste dans l'administration de la région et je l'ai eu. Mon salaire n'est pas ...... élevé. Je suis passé de 5 000€ à 3 000€ par mois. Mais j'ai beaucoup ...... temps libre. Je peux enfin partir en week-end ! »

f. Expression de l'opposition. Complétez avec : *au lieu de, en revanche, malgré, pourtant*.

Un voisin mystérieux

• Je ne comprends pas. Notre voisin ne travaille pas, ... il a acheté une Renault Safrane.
– ...... chercher du travail, il va faire du jogging et il passe ses après-midi au café. Je le trouve bizarre. ...... mes sourires, il ne me regarde pas.
• Moi si. Il me dit bonjour quand il me croise. ...... il ne dit pas un mot de plus.

Évaluez vos compétences

	Test	Total
• Votre compréhension de l'oral	3 + 6	... / 20
• Votre expression orale	1 + 5	... / 20
• Votre compréhension de l'écrit	2 + 4	... / 20
• Votre expression écrite	7 + 8	... / 20
• La correction de votre français	9	... / 20
	Total	**.../100**

Projet : opération publicitaire

Le saviez-vous ? Chaque Français est confronté tous les jours à 60 messages publicitaires en regardant la télévision, 60 autres en écoutant la radio, 30 en lisant la presse, une cinquantaine dans la rue et les transports publics, sans compter ceux qu'il va trouver dans sa messagerie électronique et en surfant sur Internet. Dans les pages suivantes, vous allez découvrir quelques-uns de ces messages. Vous allez vous en inspirer et réaliser une opération publicitaire pour un produit de votre pays à l'intention d'un pays francophone.

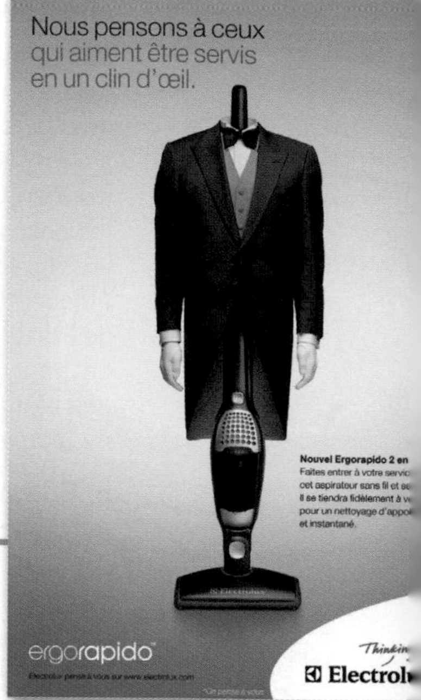

Seul ou en petits groupes, vous imaginerez successivement un slogan, un petit texte publicitaire, un projet d'affiche et le script d'un spot pour la télévision.

« La publicité, c'est la plus grande forme d'art du XXe siècle », M. Mac Luhan, philosophe.

« La publicité est le reflet exact des tendances de la mode, des habitudes, des désirs, des besoins, des engouements d'une population pendant un temps donné », C. Weill (journaliste) et F. Bertin (publiciste), *Belles de pub*.

Choisissez votre produit et imaginez son slogan

1. Choisissez un produit de votre pays que vous voulez faire apprécier aux Français (un objet, un plat, un vêtement, un lieu, etc.).
2. Lisez la liste des aspirations des Français. Recherchez en groupe des explications à ces aspirations.
3. Quelles aspirations les slogans ci-dessous cherchent-ils à satisfaire ?
4. Imaginez un slogan pour votre produit.

- Faire du ciel le plus bel endroit de la Terre
  Air France, compagnie aérienne
- Il vous prend par la douceur
  Velours noir (café)
- À ne pas confondre avec une voiture
  Renault Scénic (automobile)
- La vie, la vraie
  Auchan (hypermarché)
- Bic fait, bien fait *Bic (stylo)*
- Et si on prenait l'apéritif plus souvent ?
  Belin (biscuits)
- Prenez le temps d'aller vite
  SNCF (TGV)
- Deviens ce que tu es
  Lacoste (chemise)
- Ce que la nature nous offre notre recherche le révèle
  Ushuaïa (gel douche)
- Il y a tout pour moi
  Castorama (bricolage)
- Parce que vous le valez bien
  L'Oréal (produits de beauté)
- Déclarée source de jeunesse pour votre corps
  Évian (eau minérale)
- La victoire est en nous
  Adidas (chaussures de sport)

LES ASPIRATIONS DES FRANÇAIS

Voici les mots que les Français considèrent comme positifs :

Sécurité	Santé
Réalisation personnelle	Facilité
Naturel	Autonomie
Authentique	Temps libre
Évasion	Plaisir
Durable	Convivialité
Solidarité	Proximité
Équitable	

LES CINQ RÈGLES DU PUBLICITAIRE

Surprendre
Informer
Faire rêver
Rassurer
Consolider-Répéter

Rédigez un texte publicitaire

La légende raconte qu'il y a très longtemps, peut-être plus de mille ans, les Eaux d'un terrible orage partirent au fond de la terre de Quézac. On dit que, année après année, les Eaux de cet orage prirent ses forces à la pierre, et se chargèrent de bulles miraculeuses. Et on dit que si l'Eau rejaillissait un jour, elle apporterait gaieté et longue vie à quiconque la boirait.

Chypre de coeur

Si, en plein hiver, vous cherchez à vous changer les idées, à oublier la grisaille et la pluie, il y a en Méditerranée, une île qui vous attend : Chypre. Baignez vous en novembre dans des eaux cristallines à 22 degrés, célébrez les fêtes de fin d'année autour d'une piscine, dégustez des mezzé sur la terrasse d'une taverne en plein hiver.

Et sous ce ciel si bleu et ce soleil si doux, il y a des paysages fleuris, des villages, et des plages d'une rare beauté. Se promener, se baigner, partir pour la journée dans les montagnes. Vous êtes à Chypre, en hiver mais c'est l'été.

Pour être en été même en hiver
www.visitcyprus.com

Chypre, le soleil habite ici

1. Lisez ces textes publicitaires en vous aidant des définitions ci-contre.
2. Analysez ces textes publicitaires. Comment cherchent-ils à séduire les clients ?
3. Rédigez un texte publicitaire pour votre produit.

cristalline : transparente comme du cristal – *mezzé* : hors-d'œuvre traditionnels des pays de la Méditerranée orientale – *rejaillir* : sortir de terre à nouveau – *quiconque* : n'importe qui, tout le monde.

Faites un projet d'affiche

1. Commentez les publicités de ces deux pages : originalité du sujet, couleur, correspondance avec les aspirations des Français, etc.
2. Décrivez ou dessinez une affiche pour votre produit.

Imaginez votre spot publicitaire

1. Voici deux petits films publicitaires destinés à la télévision et aux salles de cinéma. Quels effets cherchent-ils à produire sur le spectateur ?
2. Imaginez un spot publicitaire pour votre produit.

Le spot publicitaire pour la boisson aux fruits Orangina.

La scène se déroule dans une salle de classe.

Le professeur : Pourquoi la première lettre d'Orangina est-elle un « O » ?... Parce que, en prononçant ce « O », la bouche prend elle aussi la forme d'un « O »... Exactement comme le goulot rond d'une bouteille d'Orangina... Et c'est pour cela qu'elle s'adapte si parfaitement à notre bouche et qu'elle en est le prolongement naturel.
L'étudiant : Mais tout cela n'explique pas pourquoi Orangina se termine par un « A ».
Le professeur : Mais parce que c'est ce que fait la bouche en terminant un Orangina, démonstration... Ah ! (*Il pousse un ah de satisfaction*)
Le directeur : Rejoignez-nous !

Le spot publicitaire pour la MAAF (compagnie d'assurances).

La scène se passe dans la compagnie d'assurances. Marcel, un client difficile, cherche toujours à piéger la MAAF. Aujourd'hui, il vient souscrire une assurance pour la voiture de sa fille.

Marcel : Appelez-moi le directeur !
Le directeur : Monsieur ?
Marcel : Ah ! Alors voilà. Ça, c'est ma fille. (*Il montre une photo de sa fille*)
Le directeur : Ravissante.
Marcel : Oui, bon, elle a 19 ans, ma fille.
Le directeur : Ah la jeunesse !
Marcel : Justement, l'assurance voiture : plus les conducteurs sont jeunes, plus c'est cher. Pourtant, plus ils sont jeunes et moins ils ont des sous, les jeunes. Et ça, ça vous échappe !
Le directeur : Les filles ayant moins d'accidents que les garçons, la MAAF n'applique pas de surprime aux jeunes conductrices.
Marcel : Ah bon ?
Le directeur : Autre chose ?
Marcel : Non.
Le directeur : Je peux ? (*Il prend congé du client*)
Marcel (seul) : Je l'aurai un jour, je l'aurai !

Les noms et les déterminants

Un homme averti en vaut deux.	les noms
Les petits ruisseaux font les grandes rivières.	les articles indéfinis
Il faut du temps, de la sueur et des larmes.	les articles définis
Le bonheur n'est pas de ce monde.	les articles partitifs
Petit à petit l'oiseau fait son nid.	les adjectifs démonstratifs
Chaque chose en son temps.	les adjectifs possessifs
	les adjectifs indéfinis

La formation des noms

À partir d'un verbe

→ pour nommer une action ou un état
-tion (noms féminins) : produire → *une production*
-sion (noms féminins) : permettre → *une permission*
-(e)ment (noms masculins) : établir → *un établissement*
-ture (noms féminins) fermer → *la fermeture*
-age (noms masculins) : hériter → *un héritage*
→ pour nommer la personne ou la chose qui fait l'action
-eur / -euse : servir → *un serveur / une serveuse*
-teur / -trice : produire → *un producteur / une productrice*
-ant / -ante : habiter → *un habitant / une habitante*

À partir d'un nom

→ pour nommer une profession ou un habitant
-ien / -ienne : une pharmacie → *un pharmacien / une pharmacienne*
l'Inde → *un Indien / une Indienne*
-ain / -aine : l'Afrique → *un Africain / une Africaine*
-ais / -aise : le Portugal → *un Portugais / une Portugaise*
-ier / -ière : la cuisine → *un cuisinier / une cuisinière*
→ pour nommer un arbre
-ier (noms masculins) : une cerise → *un cerisier*
→ pour nommer un système d'idées ou la personne qui a ces idées
-isme : social → *le socialisme*
-iste : le passé → *un passéiste*

À partir d'un adjectif

→ pour nommer une qualité ou un état
-(i)té (noms féminins) : beau → *la beauté*
-eur (noms féminins) : doux → *la douceur*
-ise (noms féminins) : gourmand → *la gourmandise*
-ie (noms féminins) : jaloux → *la jalousie*
-erie (noms féminins) : étourdi → *l'étourderie*
-esse (noms féminins) : poli → *la politesse*
-ude (noms féminins) : inquiet → *l'inquiétude*

Les articles

	masculin singulier	féminin singulier	pluriel
Les articles indéfinis sont utilisés pour identifier une personne, une chose, une idée.	**un** *Je voudrais* ***un*** *dictionnaire.*	**une** *Voici* ***une*** *étudiante.*	**des** *J'ai* ***des*** *amis à Paris.* **de** (devant adjectif + nom) *Elle a* ***de*** *beaux bijoux.*
Les articles définis sont utilisés pour préciser, pour nommer une personne, une chose unique ou pour généraliser.	**le** *Je voudrais* ***le*** *dictionnaire de Pierre.* **l'** (devant une voyelle ou « h ») *Voici* ***l'****amie de Pierre.*	**la** *Voici* ***la*** *sœur de Marie.*	**les** *Je connais* ***les*** *amis de Pierre.*
à + article défini	**au** *Je vais* ***au*** *théâtre.* **à l'** (devant une voyelle ou « h ») *Elle est* ***à l'****hôpital.*	**à la** *Elle est* ***à la*** *gare.*	**aux** *Il écrit* ***aux*** *amis de Pierre.*
de + article défini	**du** *Il revient* ***du*** *cinéma.* **de l'** *Elle arrive* ***de l'****école.*	**de la** *Voici l'amie* ***de la*** *secrétaire.*	**des** Voici la liste **des** étudiants.
Les articles partitifs sont utilisés avec les noms de choses ou de personnes qu'on perçoit comme indifférenciées ou non comptables.	**du** *Je prends* ***du*** *sucre.* **de l'** *Il voudrait* ***de l'****eau.*	**de la** *Elle boit* ***de la*** *bière.*	

L'absence d'article

On ne met pas d'article :
- devant un nom de personne (*François Martin*) ou de ville (*Madrid*)
- quand on fait une liste (*départ : 8 heures – visite du château – etc.*)
- sur une enseigne : *Pharmacie – Boulangerie*
- dans les constructions avec préposition quand le nom a une valeur générale : *une artiste de cinéma – une cuillère à café*
- dans certains titres : *Guerre et Paix* (Tolstoï)

Les adjectifs démonstratifs

	masculin	féminin
singulier	**ce** *ce restaurant* **cet** (devant une voyelle ou « h ») *cet hôtel*	**cette** *cette photo*
pluriel	**ces** *ces livres*	

Ils sont utilisés pour désigner ou montrer.
Regarde ***ce*** *beau manteau.*
Dans un texte, il permet de faire référence à un autre mot proche.
Elle a acheté un manteau. ***Ce*** *manteau lui va très bien.*

Les adjectifs indéfinis

La langue française peut représenter la quantité de deux manières :
- **comptable :** on se représente des personnes ou des choses différenciées ;
- **non comptable :** on se représente des personnes ou des choses comme des masses indifférenciées.

Représentation comptable

- **Articles définis et indéfinis – Adjectifs démonstratifs et possessifs – Adjectifs numéraux (un, deux, trois, quatre,** etc.)
- **Certains adjectifs indéfinis**

quelques – *Il a invité* ***quelques*** *amis.*
peu de – ***Peu de*** *personnes ont refusé.*
chaque – ***Chaque*** *personne a reçu une invitation.*
plusieurs – ***Plusieurs*** *personnes étaient malades.*
certain(e)(s) – ***Certains*** *couples ont dansé.*
la plupart – ***La plupart*** *des gens étaient contents.*

tous (toutes) – *Ils ont promis de refaire une fête* ***tous*** *les ans.*
aucun – *Il n'a goûté à* ***aucun*** *plat.*
pas un – ***Pas un*** *invité n'a trop bu.*

■ **Représentation non comptable**

- **Articles partitifs : du – de la – de l'**
- **Certains pronoms indéfinis**

peu de (pas beaucoup) – *Elle boit* ***peu de*** *vin.*
un peu de (une petite quantité) – *Je prends* ***un peu de*** *lait dans mon thé.*
beaucoup de – *Il boit* ***beaucoup d'****eau.*
tout (toute) – *Il a mangé* ***tout*** *le gâteau.*

Les adjectifs possessifs

Ils sont utilisés pour indiquer une appartenance.
Il a invité ***son*** *frère,* ***sa*** *sœur et* ***ses*** *amis.*
La construction « être + à + moi (toi, lui, elle, etc.) » indique l'appartenance à une personne.
Ce livre est ***à moi****. C'est* ***à moi****.*

	masculin singulier	**féminin singulier**		**pluriel masculin ou féminin**
à moi	**mon** *mon frère*	**ma** *ma sœur*	**mon** (devant voyelle) *mon amie*	**mes** *mes sœurs*
à toi	**ton** *ton livre*	**ta** *ta maison*	**ton** (devant voyelle) *ton idée*	**tes** *tes frères*
à lui, à elle	**son** *son père*	**sa** *sa mère*	**son** (devant voyelle) *son écharpe*	**ses** *ses parents*
à nous	**notre** *notre cousin*	*notre cousine*		**nos** *nos cousins*
à vous	**votre** *votre oncle*	*votre tante*		**vos** *vos enfants*
à eux, à elles	**leur** *leur fils*	*leur fille*		**leurs** *leurs enfants*

Le féminin des noms et des adjectifs

1. La marque du féminin est en général « e » : un joli portrait / une *joli****e*** image.
Ce « e » n'est pas prononcé après une voyelle.

2. Quand le nom ou l'adjectif est terminé par une consonne, le passage au féminin s'accompagne souvent de modifications d'orthographe et de prononciation.

- Prononciation de la consonne finale : court → *courte* – grand → *grande*
- Prononciation et doublement de la consonne finale : un chien → *une chienne* – bon → *bonne* – bas → *basse*
- Modification de la fin du mot :

-er → -ère : *un boucher* → *une bouchère* – léger → *légère*
-f → -ve : sauf → *sauve* – naïf → *naïve*
-eur → -euse : un vendeur → *une vendeuse*
-teur → -trice : un lecteur → *une lectrice*
-eux → -euse : sérieux → *sérieuse* – heureux → *heureuse*
-teur → -teuse : un menteur → *une menteuse*
-c → -que : public → *publique* – turc → *turque*

3. Cas difficiles

beau (*bel* devant une voyelle) → *belle* – nouveau (*nouvel* devant une voyelle) → *nouvelle*
vieux (*vieil* devant une voyelle) → *vieille* – mou (*mol* devant une voyelle) → *molle*

Le pluriel des noms et des adjectifs

1. La marque du pluriel est en général « s ». Ce « s » n'est pas prononcé sauf :
– entre l'article pluriel et le nom ou l'adjectif commençant par une voyelle : *les autres amis*
– entre l'adjectif et le nom commençant par une voyelle : *de jolies images*

2. Cas particuliers
• Finales ***-s***, ***-x***, ***-z*** inchangées : le gros nez → *les gros nez*
• Finales ***-al*** → ***-aux*** (sauf les noms *bal, carnaval, festival, récital, et les adjectifs fatal, final, natal*) : un journal régional → *des journaux régionaux*
• Finales ***-au***, ***-eau***, ***-eu*** → ajout de **« x »** (sauf *bleu*) : un beau feu → *de beaux feux*

Les mots qui représentent les noms (les pronoms)

Que **celui** qui n'a jamais péché lui jette la première pierre.	les pronoms personnels
La liberté s'arrête là où commence **celle** des autres.	**les pronoms démonstratifs**
On n'est jamais trahi que par **les siens**.	**les pronoms possessifs**
Chacun pour soi, Dieu pour **tous**.	**les pronoms indéfinis**

Les pronoms personnels

Les pronoms représentent les personnes ou les choses.

		je	tu	il - elle	nous	vous	ils - elles
Le nom représenté est introduit sans préposition.	*personnes*	**me**	**te**	**le - la l' (devant voyelle)**	**nous**	**vous**	**les**
	choses			**le - la - l'**			**les**
Le nom représenté est introduit par la préposition « à » (au, à la, aux).	*personnes*	**me**	**te**	**lui**	**nous**	**vous**	**leur**
	choses			**y**			**y**
Le nom représenté est introduit par la préposition « de » ou un mot de quantité.	*choses*			**en**			**en**
	personnes	**moi**	**toi**	**lui - elle - en**	**nous**	**vous**	**eux - elles - en**
Le nom représenté est précédé d'une préposition autre que « à » et « de ».	*personnes*	**moi**	**toi**	**lui - elle**	**nous**	**vous**	**eux - elles**

Remarques

1. Le pronom se place avant le verbe sauf dans les cas suivants :

a. Le pronom représente un nom de personne précédé d'une préposition autre que « à ».
J'ai besoin de Pierre. – J'ai besoin de ***lui****.*
Je pars avec Marie. – Je pars avec ***elle****.*

b. Le verbe est à l'impératif affirmatif.
*Nos amis sont seuls ce week-end. Invitons-****les****. Ne* ***les*** *laissons pas seuls.*

2. Cas des noms de personnes compléments indirects précédés de la préposition « à ».

a. Si le verbe exprime une idée de communication et d'échange.
Tu as écrit à Marie ? – Oui, je ***lui*** *ai écrit.*

b. Dans les autres cas.
Tu penses à Marie ? – Oui, je pense à ***elle****.*

3. Quand le nom représenté est introduit par « un (une) » ou un mot de quantité.
*Tu as un frère ? – Oui, j'****en*** *ai un.*
Il a beaucoup de temps libre ? – Il ***en*** *a beaucoup.*

Les pronoms démonstratifs

Ils servent à désigner une chose déjà nommée.
Quelle chemise préférez-vous ? ***Celle-ci*** *ou* ***celle-là*** *?*
(« ci » indique le plus proche ou ce qu'on désigne en premier)

Ils servent aussi à faire référence à un mot dans un texte.
Ni Pierre ni Paul ne sont venus. ***Celui-ci*** *(Paul) était malade.* ***Celui-là*** *(Pierre) en voyage.*

	masc. sing.	fém. sing.	masc. plur.	fém. plur.	neutre
Construction sans complément	**celui-ci / celui-là**	**celle-ci / celle-là**	**ceux-ci / ceux-là**	**celles-ci / celles-là**	**ça**
Construction avec compl. de nom ou proposition relative	**celui** de Pierre **celui** que je préfère	**celle** de... **celle** que...	**ceux** de... **ceux** que...	**celles** de... **celles** que...	**ce** que

Les pronoms possessifs

Ils représentent un nom et indique une idée d'appartenance.
C'est la voiture de Marie ? – Oui, c'est ***la sienne*** *(sa voiture).*

La chose possédée est...	masculin singulier	féminin singulier	masculin pluriel	féminin pluriel
à moi	le mien	la mienne	les miens	les miennes
à toi	le tien	la tienne	les tiens	les tiennes
à lui / à elle	le sien	la sienne	les siens	les siennes
à nous	le nôtre	la nôtre	les nôtres	les nôtres
à vous	le vôtre	la vôtre	les vôtres	les vôtres
à eux / à elles	le leur	la leur	les leurs	les leurs

Les mots qui servent à caractériser les noms

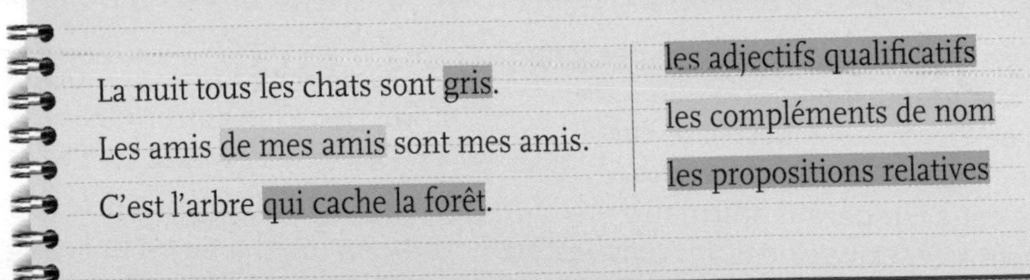

La place de l'adjectif

- L'adjectif qualificatif se place en général après le nom : *un film **policier***
- Quelques adjectifs courts et très fréquents se placent avant le nom :
  bon – meilleur – mauvais – grand – petit – vieux – jeune – beau – joli – demi – dernier – prochain
  *un **bon** livre – un très **vieux** film*
- L'adjectif qualificatif peut se construire avec des verbes comme « être », « paraître », « sembler ».
  *Elle est **fatiguée**. – Elle semble **malade**.*

Le complément du nom

La forme « préposition + nom » permet de préciser le sens d'un nom.

- La préposition **« à » (au, à la, aux)** est utilisée :
  - pour préciser une fonction : *une cuillère à café – une boîte aux lettres – une machine à laver*
  - pour décrire ou indiquer une composition : *une robe à fleurs – une tarte aux pommes*
- La préposition **« de » (du, de la, des)** est utilisée :
  - pour indiquer une appartenance : *le portefeuille de Pierre*
  - pour indiquer une origine : *un tableau de Picasso*
  - pour préciser la matière : *un pantalon de velours*
  - pour indiquer un lieu : *la salle de bains*
- La préposition **« en »** est utilisée :
  - pour préciser la matière : *un immeuble en pierre (un immeuble de pierre)*
  - pour préciser la forme ou la manière : *du sucre en poudre – les transports en commun – des vêtements en solde*

Les propositions relatives

Elles sont introduites par un pronom relatif.
Le choix du pronom relatif dépend de la fonction du mot qu'il représente.

Fonctions du pronom relatif	Pronoms relatifs	Exemples
Sujet	**qui**	*Daniel Auteuil est un acteur **qui** peut jouer tous les rôles.*
Complément d'objet direct	**que – qu'**	*En Corse, il y a un village **que** j'aime beaucoup.*
Complément de lieu	**où** (peut être précédé d'une préposition)	*La Bourgogne est la région **où** il passe ses vacances.* *C'est la région **par où** je passe quand je vais dans le Jura.*

Les mots et les constructions qui caractérisent les actions

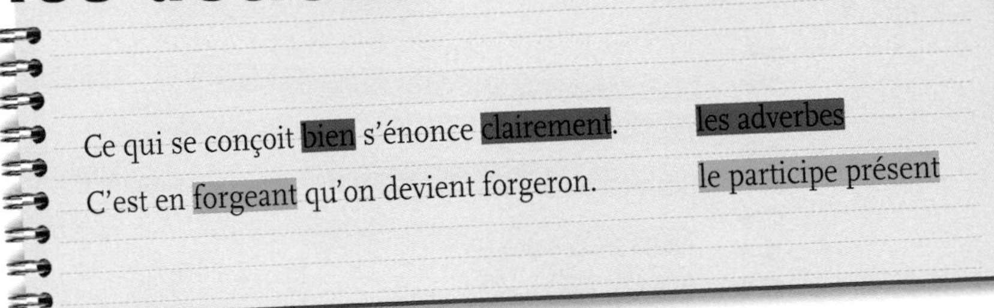

Les adverbes

a. **Formation des adverbes en *-(e)ment* à partir d'un adjectif**
– adjectifs terminés par « e » : simple → *simplement*
– adjectifs terminés par une consonne : pur → *purement*
– adjectifs terminés par une voyelle autre que « e » : joli → *joliment*
– adjectifs terminés par *-ent* ou *-ant* :
prudent → *prudemment*
suffisant → *suffisamment*

b. **Place des adverbes**

• L'adverbe qui caractérise un adjectif ou un autre adverbe se place devant ce mot.
*Il est **très** courageux.*

• L'adverbe qui caractérise un verbe se place :
– après le verbe conjugué à un temps simple :
*Elle travaille **énormément**.*
– entre l'auxiliaire et le participe passé si l'adverbe est court : *Elle a **bien** travaillé.*
– après le participe si l'adverbe est long :
*Elle a travaillé **courageusement**, **avec ténacité**.*

• Les adverbes qui indiquent d'autres circonstances (temps, lieu, cause, conséquence, etc.) ne suivent pas cette règle.
***Autrefois**, les gens ne partaient pas souvent en vacances.*

Le participe présent et le participe passé

1. Forme « en + participe présent » (gérondif)
*Il travaille **en écoutant** la radio* (en même temps).
***En tombant**, il s'est cassé la jambe* (parce que).

2. La proposition participe passé
***Construit au XVIIe siècle**, le château de Versailles est à 15 km de Paris.*

Les constructions interrogatives, négatives, comparatives

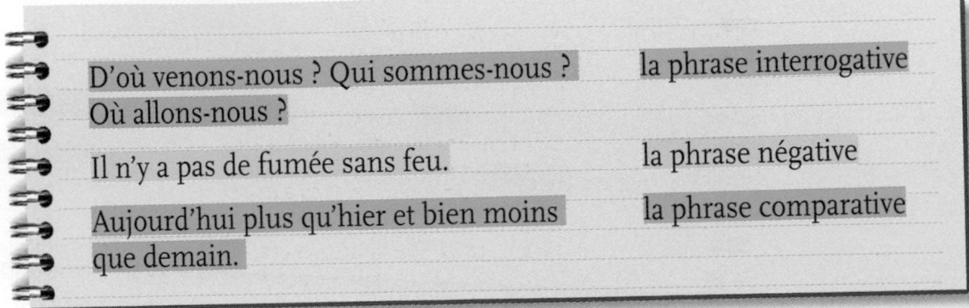

L'interrogation

1. L'interrogation porte sur toute la phrase
- Intonation : *Tu viens ?*
- Forme « Est-ce que » : ***Est-ce que** tu viens ?*
- Inversion du pronom sujet : *Viens-tu ? – Pierre vient-il ?*
- Interrogation négative : *Ne viens-tu pas ?*

2. L'interrogation porte sur le sujet
- Personnes (qui – qui est-ce qui) ***Qui** veut venir avec nous ?*
- Choses (qu'est-ce qui) ***Qu'est-ce qui** fait ce bruit ?*

3. L'interrogation porte sur le complément
→ direct
- Personnes (qui) ***Qui** invitez-vous ? – Vous invitez **qui** ?*
- Choses (que – qu'est-ce que – quoi) ***Que** faites-vous ? – **Qu'est-ce que** vous faites ? Vous faites **quoi** ?*

→ indirect
- Personnes (à qui – de qui – avec qui – etc.) ***À qui** parlez-vous ?*
- Choses (à quoi – de quoi – avec quoi – etc.) ***De quoi** avez-vous besoin ?*

4. L'interrogation porte sur un choix
- Quel (quelle – quels – quelles) *Quel acteur préférez-vous ? – **Dans quel** film ?*
  *– **Lequel** (laquelle, lesquels, lesquelles) préférez-vous ?*
- De quel livre avez-vous besoin ?
  – Duquel avez-vous besoin ?
- À quels sujets vous intéressez-vous ?
  – Auxquels vous vous intéressez ?
- Avec lequel, pour lequel, etc.

5. L'interrogation porte sur un lieu
***Où** allez-vous ? – **D'où** venez-vous ?*
***Jusqu'où** va la ligne de métro ?*
***Par où** passez-vous ? – **Chez qui** allez-vous ?*
À côté de qui / quoi habitez-vous ?

6. L'interrogation porte sur le moment ou la durée
- sur le moment

Quand... À quel moment...
En quelle année... En quelle saison...
- sur la durée

*– **Il y a combien de temps (Ça fait combien de temps)** que vous habitez ici ?*
*– **Combien de temps (d'années, de mois, etc.)** avez-vous vécu en Australie ?*
***Depuis combien de temps** habitez-vous ici ?*
***Depuis quand (quel jour)** est-il parti ?*

La négation

Cas général	**ne (n') ... pas...** *Elle* ***ne*** *sort* ***pas****. Elle* ***n'****aime* ***pas*** *la pluie.*
La négation porte sur un complément introduit par un article indéfini, un article partitif ou un mot de quantité.	**ne (n') ... pas de (d')** *Pierre* ***ne*** *fait* ***pas de*** *ski en février.* *Il* ***ne*** *prend* ***pas beaucoup de*** *vacances.*
Comme dans le cas précédent, la négation porte sur un complément précédé d'un article indéfini ou partitif, mais elle introduit une opposition.	**Ne (n') ... pas un (une, des, du, etc.)** *Ce* ***n'****est* ***pas du*** *vin. C'est* ***du*** *jus de fruit.* *Pierre* ***n'****a* ***pas un*** *frère. Il en a* ***deux****.*
Cas des constructions « verbe + verbe » et « auxiliaire + verbe »	Le « **pas** » se place après le premier verbe ou l'auxiliaire. *Elle* ***ne*** *peut* ***pas*** *partir en vacances Elle* ***n'****a* ***pas*** *fini son travail.*
Cas des constructions avec un pronom complément	Le « **ne** » se place avant les pronoms. *Il m'a demandé de l'argent. Je* ***ne*** *lui en ai* ***pas*** *donné.*
La négation porte sur l'infinitif.	« **ne pas** » + infinitif *Mets ce pull pour* ***ne pas*** *avoir froid.* *Je te demande de* ***ne pas*** *crier.*
La double négation	*Il n'aime* ***ni*** *le théâtre* ***ni*** *le cinéma.* ***Ni*** *la peinture* ***ni*** *la musique ne l'intéressent.*
Pronoms indéfinis négatifs	***Personne n'****est venu. Je* ***n'****ai vu* ***personne****.* ***Rien n'****intéresse Pierre. Il* ***ne*** *fait* ***rien****. Il* ***n'****a* ***rien*** *fait de la journée.* *Il a cherché à joindre ses amis au mois d'août.* ***Aucun (pas un) n'****était à Paris.* *Il* ***n'****en a vu* ***aucun****. Il* ***n'****en a* ***pas*** *vu un.*

Les constructions comparatives et appréciatives

	adjectifs et adverbes	noms	verbes
comparatif	Il est **plus**, **aussi**, **moins** grand que moi. Il est **meilleur** / **aussi bon** / **moins bon**. Il est **pire** / **aussi mauvais** / **moins mauvais**.	Il a **plus de** / **autant de** / **moins de** chance **que** moi.	Il parle **plus** / **autant** (**que** moi) / **moins**. Il parle **mieux** / **aussi** bien / **moins** bien.
superlatif	Marie est **la plus grande**. Ce plat est **le meilleur**.	C'est Pierre qui a **le plus de** chance.	C'est Marie qui parle **le plus**.
appréciatif	Elle est **tellement** gentille **que** tout le monde l'invite. Elle est **si** gentille **que**...	Il a **tellement de** chance **qu'**il gagne souvent. Il a **tant de** chance **que**...	Elle parle **tellement que** les autres ne l'écoutent plus. Elle parle **tant que**...

La conjugaison des verbes

Principes de conjugaison

1. Le présent de l'indicatif
• Les verbes en ***-er*** se conjuguent comme « regarder »
Cas particuliers
→ verbes en ***-yer*** (voir *essayer*)
→ verbes en ***-ger*** : nous mangeons (présent) – je mangeais, tu mangeais, etc. (imparfait)
→ verbes en ***-eler*** ou ***-eter*** : certains verbes comme *appeler* (j'appelle, nous appelons) ; d'autres comme *geler* (je gèle, nous gelons)
• Les autres verbes se terminent en général par : ***-s***, ***-s***, ***-t***, ***-ons***, ***-ez***, ***-ent***
Mais il y a des exceptions (*vouloir*, *pouvoir*).
Le tableau des pages suivantes donne le présent de tous les verbes.

2. Le passé composé
• Formation
avoir + **participe passé** : cas général
Il a dîné.
être + **participe passé** : cas des verbes *aller – arriver – décéder – descendre – devenir – entrer – monter – mourir – naître – partir – rentrer – retourner – rester – sortir – tomber – venir*, ainsi que des verbes pronominaux
Il est parti – Il s'est amusé.
• Accord du participe passé
→ avec l'auxiliaire *être* : accord avec le sujet du verbe.
*Les ami**es** de Pierre sont venu**es**.*
→ avec l'auxiliaire *avoir* : accord avec le complément d'objet direct si celui-ci est placé avant le verbe.
*J'ai vu les amies de Pierre. Je **les** ai appelé**es**.*

3. L'imparfait
Il se forme à partir de la 1re personne du pluriel du présent.
nous faisons → *je faisais, tu faisais, elle faisait*, etc.

4. Le futur
Les verbes en ***-er*** se conjuguent comme *regarder*.
Pour les autres verbes il faut connaître la 1re personne.

5. Le présent du subjonctif
Pour beaucoup de verbes, il se forme à partir de la 3e personne du pluriel du présent de l'indicatif.
ils finissent → il faut que *je finisse*...
Mais il y a des exceptions.

6. Le présent du conditionnel
Il se forme à partir de la 1re personne du singulier du futur.
j'irai → *j'irais, tu irais, il irait, nous irions*, etc.

7. L'impératif
On utilise les formes du présent de l'indicatif sauf pour *être*, *avoir* et *savoir* qui se forment à partir de la 1re personne du subjonctif.

avoir – être – regarder – se lever

	Présent	Passé composé	Imparfait	Futur
avoir	j'ai tu as il / elle a nous avons vous avez ils/ elles ont	j'ai eu tu as eu il / elle a eu nous avons eu vous avez eu ils / elles ont eu	j'avais tu avais il / elle avait nous avions vous aviez ils / elles avaient	j'aurai tu auras il/elle aura nous aurons vous aurez ils/elles auront
être	je suis tu es il /elle est nous sommes vous êtes ils/elles sont	j'ai été tu as été il/elle a été nous avons été vous avez été ils/elles ont été	j'étais tu étais il/elle était nous étions vous étiez ils/elles étaient	je serai tu seras il/elle sera nous serons vous serez ils/elles seront
regarder	je regarde tu regardes il/elle regarde nous regardons vous regardez ils/elles regardent	j'ai regardé tu as regardé il/elle a regardé nous avons regardé vous avez regardé ils ont regardé	je regardais tu regardais il/elle regardait nous regardions vous regardiez ils/elles regardaient	je regarderai tu regarderas il/elle regardera nous regarderons vous regarderez ils/elles regarderont
se lever	je me lève tu te lèves il se lève nous nous levons vous vous levez ils/elles se lèvent	je me suis levé(e) tu t'es levé (e) il/elle s'est levé(e) nous nous sommes levé(e) s vous vous êtes levé(e)(s) ils/elles se sont levé(e)s	je me levais tu te levais il/elle se levait nous nous levions vous vous leviez ils/elles se levaient	je me lèverai tu te lèveras il/elle se lèvera nous nous lèverons vous vous lèverez ils/elles se lèveront

	Subjonctif présent	Conditionnel présent	Impératif
avoir	que j'aie que tu aies qu'il/elle ait que nous ayons que vous ayez qu'ils/elles aient	j'aurais tu aurais il/elle aurait nous aurions vous auriez ils/elles auraient	aie ayons ayez
être	que je sois que tu sois qu'il/elle soit que nous soyons que vous soyez qu'ils/elles soient	je serais tu serais il/elle serait nous serions vous seriez ils/elles seraient	sois soyons soyez
regarder	que je regarde que tu regardes qu'il/elle/on regarde que nous regardions que vous regardiez qu'ils/elles regardent	je regarderais tu regarderais il/elle regarderait nous regarderions vous regarderiez ils/elles regarderaient	regarde regardons regardez
se lever	que je me lève que tu te lèves qu'il/elle se lève que nous nous levions que vous vous leviez qu'ils/elles se lèvent	je me lèverais tu te lèverais il/elle se lèverait nous nous lèverions vous vous lèveriez ils/elles se lèveraient	lève-toi levons-nous levez-vous

Les verbes irréguliers

Les principes généraux que nous venons de présenter et les tableaux suivants vous permettront de trouver la conjugaison de tous les verbes introduits dans cette méthode.

Exemples :

verbe *donner* : c'est un verbe en ***-er*** régulier. Il suit les principes généraux et ne figure donc pas dans les listes suivantes.

verbe *lire* : si on trouve ci-dessous « je lis ... nous lisons », c'est que les autres formes correspondent aux principes généraux : tu lis, il lit, etc.

Infinitif	Présent de l'indicatif	Futur	Passé composé	Subjonctif présent
accueillir	j'accueille, tu accueilles ... nous accueillons ...	j'accueillerai	j'ai accueilli	que j'accueille
agir	j'agis ... nous agissons ...	j'agirai	j'ai agi	que j'agisse
aller	je vais, tu vas, il va nous allons, vous allez, ils vont	j'irai	je suis allé(e)	que j'aille
appartenir	j'appartiens ... nous appartenons ...	j'appartiendrai	j'ai appartenu,	que j'appartienne,
applaudir	j'applaudis ... nous applaudissons ...	j'applaudirai	j'ai applaudi	que j'applaudisse
apprendre	j'apprends ... il apprend, nous apprenons ... ils apprennent	j'apprendrai	j'ai appris	que j'apprenne
asseoir (s')	je m'assieds ... il s'assied, nous nous asseyons ... ils s'asseyent	je m'assiérai	je me suis assis(e)	que je m'asseye
attendre	j'attends ... il attend, nous attendons ... ils attendent	j'attendrai	j'ai attendu	que j'attende
avertir	j'avertis ... nous avertissons ...	j'avertirai ... nous avertirons ...	j'ai averti ... nous avons averti ...	que j'avertisse
battre	je bats ... nous battons ...	je battrai	j'ai battu	que je batte
boire	je bois ... nous buvons ... ils boivent	je boirai	j'ai bu	que je boive
bouillir	je bous ... nous bouillons ...	je bouillirai	J'ai bouilli	que je bouille
choisir	je choisis ... nous choisissons ...	je choisirai	j'ai choisi	que je choisisse
comprendre	je comprends ... nous comprenons ... ils comprennent	je comprendrai	j'ai compris	que je comprenne
conduire	je conduis ... nous conduisons ...	je conduirai	j'ai conduit	que je conduise
connaître	je connais ... il connaît ... nous connaissons ...	je connaîtrai	j'ai connu	que je connaisse
coudre	je couds ... nous cousons ...	je coudrai	j'ai cousu	que je couse
courir	je cours ... nous courons ...	je courrai ... nous courrons	j'ai couru	que je coure
couvrir	je couvre	je couvrirai	j'ai couvert	que je couvre
craindre	je crains ... nous craignons ...	je craindrai	j'ai craint	que je craigne
croire	je crois ... nous croyons ... ils croient	je croirai	j'ai cru	que je croie
cuire	je cuis ... nous cuisons ...	je cuirai	j'ai cuit	que je cuise

Infinitif	Présent de l'indicatif	Futur	Passé composé	Subjonctif présent
découvrir	je découvre ... il découvre... nous découvrons ...	je découvrirai	j'ai découvert	que je découvre
défendre	je défends ... il défend ... nous défendons ... ils défendent	je défendrai	j'ai défendu	que je défende
descendre	je descends ... il descend ... nous descendons ... ils descendent	je descendrai	j'ai descendu	que je descende
devenir	je deviens ... nous devenons ... ils deviennent	je deviendrai	je suis devenu(e)	que je devienne
devoir	je dois ... nous devons ... ils doivent	je devrai	j'ai dû	que je doive
dormir	je dors ... nous dormons ...	je dormirai	j'ai dormi	que je dorme
écrire	j'écris ... nous écrivons ...	j'écrirai	j'ai écrit	que j'écrive
ennuyer (s')	je m'ennuie ... nous nous ennuyons ... ils s'ennuient	je m'ennuierai	je me suis ennuyé(e)	que je m'ennuie
entendre	j'entends ... il entend ... nous entendons	j'entendrai	j'ai entendu	que j'entende
envoyer	j'envoie ... nous envoyons ... ils envoient	j'enverrai	j'ai envoyé	que j'envoie
essayer	j'essaie ... nous essayons ... ils essaient	j'essaierai	j'ai essayé	que j'essaie
faire	je fais ... nous faisons, vous faites, ils font	je ferai	j'ai fait	que je fasse
falloir	il faut	il faudra	il a fallu	qu'il faille
finir	je finis ... nous finissons ...	je finirai	j'ai fini	que je finisse
guérir	je guéris ... nous guérissons ...	je guérirai	j'ai guéri	que je guérisse
joindre	je joins ... nous joignons ...	je joindrai	j'ai joint	que je joigne
lire	je lis ... nous lisons ...	je lirai	j'ai lu	que je lise
mentir	je mens ... nous mentons ...	je mentirai	j'ai menti	que je mente
mettre	je mets ... nous mettons ...	je mettrai	j'ai mis	que je mette
mourir	je meurs ... nous mourons ...	je mourrai	je suis mort	que je meure
offrir	j'offre ... nous offrons ...	j'offrirai	j'ai offert	que j'offre
ouvrir	j'ouvre ... nous ouvrons ...	j'ouvrirai	j'ai ouvert	que j'ouvre
paraître	je parais ... il paraît, nous paraissons ... ils paraissent	je paraîtrai	j'ai paru	que je paraisse
partir	je pars ... nous partons ...	je partirai	je suis parti(e)	que je parte
payer	je paie ... il paie, nous payons ... ils paient	je paierai	j'ai payé	que je paie
peindre	je peins ... nous peignons ...	je peindrai	j'ai peint	que je peigne
perdre	je perds ... il perd, nous perdons ... ils perdent	je perdrai	j'ai perdu	que je perde
pouvoir	je peux, tu peux, il peut, nous pouvons, vous pouvez, ils peuvent	je pourrai	j'ai pu	que je puisse

Transcriptions

On trouvera ci-dessous les dialogues des pages « Simulations » non transcrits dans les leçons, ainsi que les autres documents sonores.
La transcription des exercices des rubriques « À l'écoute de la grammaire » figure dans le livre du professeur.

Leçon 1

p. 11 – Écoutez le micro-trottoir

Le journaliste : C'est bientôt le 1er janvier. Pour la nouvelle année, prendrez-vous de grandes décisions ?
Personne 1 : Oui, j'arrêterai de jouer aux jeux vidéo. Avant, je jouais deux ou trois soirs par semaine. Maintenant, c'est tous les soirs. Le samedi, je peux passer la nuit devant mon ordinateur. Donc le 31 à minuit, j'arrête. L'année prochaine, je ferai du sport et je retrouverai les copains qui vont en boîte le samedi soir.
Personne 2 : Une grande décision pour l'année prochaine ? Oui. Je me marierai. Mon copain le veut bien. C'est moi qui hésitais. Mais on est ensemble depuis six ans, alors pourquoi pas se marier ? L'année prochaine, on fera la fête.
Personne 3 : Ben moi, je passerai mon diplôme d'informaticien. D'abord, j'espère que je réussirai. Puis je chercherai du travail et j'espère que ce ne sera pas trop difficile. Peut-être, il faudra partir d'ici, trouver un logement, de nouveaux amis. On verra. L'année prochaine c'est le mystère.
Personne 4 : Oui, j'ai pris une grande décision. L'année prochaine, je reste chez moi. Bien sûr, je sortirai pour travailler. Mais, je veux dire, je ne sortirai pas tous les soirs pour aller dîner au restaurant ou chez des copains, et tous les week-ends. Non, j'ai besoin de rester un peu tranquille, de profiter de mon appartement. Mais pas toujours toute seule évidemment !

p. 15 – Fin de la scène 3

Une collègue : Alors qu'est-ce que tu vas faire ?
Laura : Je pars.
La collègue : Réfléchis bien !
Laura : C'est tout réfléchi. Un poste de contrôleur, ça ne m'intéresse pas !
La collègue : Tu n'as pas peur d'être au chômage ?
Laura : Ne t'inquiète pas. J'ai un bon CV.
La collègue : Ça ne sera pas facile, tu sais.
Laura : Je suis sûre que je trouverai.
La collègue : Tu es optimiste. Tant mieux. Alors, bon courage !

Leçon 2

p. 23 – Fin de la scène 3

[...]
Laura : Je n'ai pas envie de chercher. J'ai envie de créer mon entreprise.
Tarek : Ça ne m'étonne pas. Tu y penses depuis longtemps.
Laura : Écoute... J'ai un projet. J'ai un peu d'argent et j'ai quelques contacts.
Tarek : À Grasse ?
Laura : Oui.
Tarek : Tu as raison. C'est maintenant ou jamais.
Laura : Mais, Tarek, si je pars, c'est avec toi. Si tu ne viens pas, je reste ici.
Tarek : C'est gentil ça... Alors, je viens.... si je peux travailler avec toi. Par exemple, je m'occuperai de la gestion.
Laura : Ça me va.

p. 25 – L'économie et le travail en France

2. Écoutez ces scènes. Faites-les correspondre avec un des points du document « Le travail en dix points ».

Scène a
Une femme : Ah, bonjour, Gérard. Dis-moi. Je fais un pot jeudi soir. Je compte sur toi.
Gérard : Tu fêtes une promotion ?
La femme : Non, je pars à la retraite.
Gérard : C'est pas possible !
La femme : Ben si, j'ai 57 ans. J'ai eu trois enfants. J'ai l'âge de partir.
Gérard : Vraiment, je ne te vois pas retraitée.

Scène b
Une femme : Qu'est-ce qu'il a, monsieur Rivière ? Il est tout le temps chez lui. Il est malade ?
Une autre femme : Non, il a perdu son travail. Il est au chômage.
Première femme : Ça fait longtemps ?
Deuxième femme : Deux mois. Il cherche mais il a 50 ans. Ça va être difficile.

Scène c
Un homme : Tu les prends quand, tes congés, cette année ?
Une femme : Je prends trois semaines en août, comme toujours. Et je vais prendre 15 jours en mars. On va aller faire un petit voyage.

Scène d
Un homme : Vous travaillez 35 heures par semaine. Pas plus ? Alors ça fait 7 heures par jour. Si vous commencez à 9 h, avec une heure pour déjeuner, vous êtes sortie à 17 h.
Une femme : Oh, mais ce n'est pas toujours comme ça. Quelquefois, je travaille 8 ou 9 heures dans la journée. Mais après, ça fait des journées de congé en plus.

Scène e
Une femme : Tu fais grève mardi ?
Un homme : Je ne sais pas. Il n'y en a pas beaucoup qui la font.
La femme : C'est important. C'est contre la fermeture de l'usine de Rennes. Tu es syndiqué ?
L'homme : Non.

Scène f
Un homme : Depuis que tu es chef de projet, tu gagnes combien ?
Une femme : 3 200.
L'homme : Net ou brut ?
La femme : Net.

Scène g
Un homme : Tu as de la chance, toi. Tu es professeur dans un lycée. Tu es fonctionnaire. Tu ne peux pas te retrouver au chômage.
Une femme : C'est vrai, mais dans le privé, il y a des gens qui ont fait moins d'études que moi et qui gagnent beaucoup plus.

Leçon 3

p. 29 – À l'écoute de la grammaire

1. Écoutez ces phrases. Notez le deuxième verbe. Indiquez s'il est au subjonctif ou à l'indicatif

Espoir
Je voudrais que Claudia vienne demain.
J'espère qu'elle me téléphonera.
Il faut que je lui dise tout.
Claudia ne sait pas que Myriam m'a quitté.
Elle croit que nous sommes toujours ensemble.
J'aimerais que nous allions au restaurant.
Non, je préfère que ce soit dans un café.
Il faut qu'elle sache.
Je pense qu'elle m'écoutera.

2. Différenciez le présent de l'impératif et le présent du subjonctif.

Avant le départ en week-end
Préparez-vous ! Il faut que vous vous prépariez !
Rangez vos affaires ! Il faut que vous rangiez vos affaires.
Va acheter du pain ! Il faut que tu ailles acheter du pain.
Fais des sandwichs ! Il faut que tu fasses des sandwichs.
Descendons les valises ! Il faut que nous descendions les valises.
Soyons à l'heure ! Il faut que nous soyons à l'heure.

p. 30 – Scène 1

Laura : Laura Mirmont, bonjour.
Leïla : Bonjour, Laura. C'est Leïla.
Laura : Ah, bonjour, Leïla. Comment ça va ?
Leïla : Ça va. Je suis toujours à Paris. Je travaille toujours au journal. Et toi ? Ça fait longtemps que je n'ai pas de tes nouvelles.
Laura : Ben, moi, je n'arrête pas.
Leïla : Tu es installée ? Tu as trouvé à te loger ?
Laura : Oui, on loue une maison à deux kilomètres de Grasse.
Leïla : Et Tarek ?
Laura : Il va bien. Il travaille avec moi, maintenant.
Leïla : Et le projet de bébé ?
Laura : Oh, c'est pour plus tard.
Leïla : Mais ton travail, ça marche ?
Laura : Ben, tu sais, on commence. C'est pas facile.
Leïla : Où vous en êtes ? Vous avez créé l'entreprise ? Vous produisez ?
Laura : On a créé des produits. Maintenant, il faut les commercialiser.
Leïla : Tu sais... J'appelais aussi parce que je dois venir faire un reportage dans ta région. C'est juste à côté de Grasse.
Laura : Ah, il faut passer nous voir.
Leïla : Je fais le reportage le vendredi 10. On pourrait se voir pendant le week-end.
Laura : Le week-end du 11, pas de problème.
Leïla : Tu me trouveras un petit hôtel ?
Laura : Non, on a une chambre d'amis.
Leïla : Ah, c'est super ! Je te rappelle dans quelques jours.
Laura : Alors, à bientôt. Ciao !
Leïla : Ciao.

p. 31 – Sons, rythmes, intonations

1. Écoutez et notez les mots dans le tableau.

c'est tôt ... le dos ... des livres ... tes affaires ...
Tu viens ? ... du pain ... vous êtes Paul ... il vous aide ...
le code ... la côte ... c'est vide ... il va vite.

p. 33 – Les vœux des jeunes

À l'occasion de l'élection présidentielle, on pose à quatre jeunes la question : « Que doit faire le nouveau Président ? »

a. *Une fille :* Il faudrait que les jeunes puissent trouver du travail plus facilement. Quand vous sortez de l'université ou d'une école, vous êtes qualifiée et les entreprises vous disent : « On ne vous prend pas parce que vous n'avez pas d'expérience. » Ce n'est pas normal... Comment je peux avoir de l'expérience si on ne me prend pas une première fois ? Il faut obliger les entreprises à prendre des jeunes.
b. *Un garçon :* On ne se sent pas en sécurité. Ça commence au collège. Le mois dernier, on m'a pris mon portable. Deux jeunes de mon âge. Si je ne le donnais pas, ça allait très mal pour moi. Le soir, quand on va en boîte, on est obligé d'être en groupe. Je ne veux pas voir de la police partout. Mais il faut faire quelque chose.
c. *Une fille :* Pour moi, le problème le plus important, c'est que notre monde est de plus en plus pollué. Il y a des plantes, des animaux qui disparaissent chaque jour. Le climat change. Un jour peut-être, le sud de la France deviendra un désert. Mais je ne sais pas ce qu'un

président de la République peut faire contre tout ça.
d. *Un garçon :* Il y a quelque chose qui n'est pas normal, c'est la différence entre les bas salaires et les hauts salaires. Les bas salaires sont trop bas et les hauts salaires sont trop hauts. Il ne faut pas qu'il y ait autant de différence. Ça, c'est un problème qu'on peut résoudre. Sur cette question, les députés peuvent être d'accord à 100 %.

Leçon 4

p. 38 – Fin de la scène 2

[...]
Tarek : L'Express : « Les parfums de Laura » !
Laura : C'est Leïla qui a écrit l'article.
Tarek : Écoutez ce titre : « Une invention qui va changer le monde ».
L'employé : Il est de qui, du *Monde* ?
Tarek : Exactement...
Laura : Et on a aussi des messages... de Novadécor.
Tarek : Les peintures et papiers peints ?
Laura : Oui, ils veulent qu'on se rencontre.
Tarek : Leïla avait raison. Ça marche.

p. 39 – Sons, rythmes, intonations

Écoutez. Classez les mots dans le tableau selon l'intonation.

Quoi ? ... Ah ! ... Oh !... Bien ... Tiens ! ... Non ... Super ! ... Non ! ... C'est nul ... Ça alors ... Parfait ! ... Quelle surprise ... C'est pas possible ... Je rêve ou quoi !

p. 40 – Écoutez une histoire

Notez la succession des faits (1) Découverte...

H : Tiens, écoute. Il n'y a pas que des mauvaises nouvelles dans le journal. Il y a trois copains qui ont trouvé un tableau de Léonard de Vinci !
F : Où ça ?
H : Dans une vente de vieux objets... dans un village des Cévennes, au sud du Massif central. Ils ont vu un vieux tableau, couvert de poussière. Ça représentait une mère avec deux enfants. Ça paraissait intéressant. Et ils l'ont acheté.
F : Tous les trois ?
H : Oui, ils l'ont acheté, à trois, pour 228 €.
F : Mais ils savaient que c'était un Léonard de Vinci ?
H : Non, ils pensaient que c'était un tableau comme les tableaux qu'il y a dans les églises, tu vois. Puis, il y en a un qui l'a pris chez lui, qui l'a lavé et il a vu que c'était vraiment un très beau tableau. Alors, il l'a photographié et il a envoyé la photo à une spécialiste hollandaise. Et tout de suite, la spécialiste est venue voir le tableau et elle a dit que c'était peut-être un Léonard de Vinci. Ça, c'était il y a dix ans... Et après, il y a eu beaucoup d'expertises en Italie...
F : Et donc le tableau est authentique ?
H : Oui, non, enfin, les experts ne sont pas totalement sûrs, mais le tableau a beaucoup de succès. Actuellement, il est exposé à Tokyo...

Bilan – Évaluez-vous

p. 42 – Test 4 – Vous comprenez des informations portant sur des projets et des changements

Le maire d'une ville de la région Languedoc-Roussillon parle de l'avenir de sa ville.
Notez ce qui va changer.

« Chers amis... Il faut savoir que dans les dix prochaines années, la population de notre ville augmentera de 20 000 habitants. Je dis bien 20 000 nouveaux habitants. Les nouveaux résidents viendront de toute la France, mais aussi des pays de l'Europe du Nord.
Notre ville doit donc être une ville moderne. Pour diminuer le nombre de voitures dans le centre, nous allons construire 1 500 places de parking. Nous allons aussi développer notre tramway.
Pour les nouveaux arrivants, il faudra des logements. Nous allons restaurer les vieux logements du centre-ville. Nous avons aussi un projet de développement d'un nouveau quartier au nord de la ville.
Nous pensons bien entendu aux enfants et aux jeunes. Nous créerons des classes dans les écoles pour qu'elles accueillent les enfants à partir de 2 ans. Et nous développerons notre université.
Enfin, nous créerons un nouveau jardin public dans le centre-ville et un grand parc pour des activités sportives au nord de la ville, à côté du nouveau quartier. »

p. 44 – Test 6 – Vous comprenez une annonce

Trouvez l'annonce qui peut intéresser chaque personne.

1. *Jeune homme :* Je suis invité à une fête, samedi soir. J'ai bien envie d'y aller. Mais c'est à Paris. Je ne veux pas dépenser 120 euros de train.
2. *Jeune fille :* J'ai trouvé un boulot. Dans une agence d'assurance. Il y a un seul problème. C'est à 25 km d'ici. Il faut que j'achète une voiture.
3. *Femme :* J'ai un problème. J'avais une jeune fille qui gardait mes enfants. Elle était très bien. Mais elle quitte la région.
4. *Jeune fille :* Je cherche un petit boulot pour le mois de septembre, les deux dernières semaines. Si tu vois quelque chose... Tu sais que je parle anglais et italien.
5. *Homme :* Tu sais la nouvelle ? Ils m'envoient six mois en Australie. Il faut que je travaille mon anglais.

p. 44 – Test 8 – Vous pouvez réagir à une information

Réagissez à ce que disent ces personnes.

1. J'ai un travail bien payé mais je m'ennuie. Je crois que je vais partir.
2. Demain, j'ai mon examen. Bon, j'ai bien travaillé mais j'ai un peu peur.
3. C'est la catastrophe ! Ce week-end, je dois garder mes trois neveux. Il y en a un qui a 10 ans. Lui, ça va. Mais les autres sont petits, 3 et 5 ans...
4. C'est bête. Hier soir, on passait *Terminator* à la télé. J'adore ce film. Mais je n'ai pas regardé le programme et j'ai fait autre chose.
5. Je ne comprends pas. Pierre est malade, il tousse. Mais il continue à fumer.

p. 44 – Test 11 – Vous connaissez la société française

Répondez à ces questions sur la société française.

a. À quel âge est-ce qu'on entre au collège, en France ?
b. Pour entrer à l'université, quel examen doit-on passer ?
c. Dans les écoles publiques françaises, on n'enseigne pas de religion. C'est vrai ?
d. Est-ce qu'on peut faire des études supérieures sans passer par l'université ?
e. Quand on travaille, on a combien de semaines de vacances dans l'année ?
f. Combien y a-t-il de régions en France ?
g. Un département, c'est plus grand ou plus petit qu'une région ?
h. Est-ce que le président de la République dirige le gouvernement ?
i. Qui élit le président de la République ?
j. Pouvez-vous citer deux grands journaux nationaux ?

Leçon 5

p. 55 – Scène 2

Harry : Alors il y aura qui à cet anniversaire ?
Karine : Bon, il y aura mes trois copines : Anne-Sophie qui habite en Irlande et qui est styliste, Odile qui est agent immobilier et Liza qui est médecin.
Harry : Et côté garçons ? Il n'y aura pas Alex ?
Karine : Ben non, il n'est plus avec Liza. Mais il y aura Patrick, le mari d'Anne-Sophie, et Louis, le copain d'Odile.
Harry : Je les connais ?
Karine : Tu as vu Patrick au mariage de Liza.
Harry : Je ne m'en souviens pas.
Karine : Mais si, il est irlandais. Il est dans l'informatique.
Harry : Et Louis, qu'est-ce qu'il fait ?
Karine : Il est aussi dans l'informatique.
Harry : Quatre jours avec deux informaticiens, tu me vois !
Karine : Tu leur parleras de ton travail de photographe.
Harry : Mais j'y pense... [...]

p. 57 – Micro-trottoir

Le sondeur : Bonjour, c'est pour une enquête sur les rencontres. Je peux vous demander où vous avez rencontré votre ami(e) ou votre compagne ou votre compagnon ?
Première jeune fille : Moi, Corentin, je l'ai rencontré dans une chorale. C'était l'an dernier quand je me suis installée à Paris. J'arrivais de Clermont-Ferrand. Je ne connaissais personne ici. Alors, comme j'aime bien le chant, je me suis inscrite dans une chorale. Après les répétitions, on allait prendre un pot. Et puis un soir, il m'a raccompagnée en voiture...
Premier garçon : Moi, c'est banal. J'ai fait la connaissance d'Alexia chez des amis. On ne s'est pas beaucoup parlé pendant la soirée mais on est sortis au même moment. Alors on a commencé à discuter devant l'ascenseur. On a échangé nos numéros de portable. Le lendemain, je l'ai rappelée...
Deuxième jeune fille : C'était dans le train sur le trajet Paris-Nantes. Il était assis à côté de moi. Tout de suite il m'a plu. On a parlé. Je lui ai dit que j'allais souvent travailler à la bibliothèque universitaire. Deux jours après, j'étais à la bibliothèque, il est passé comme par hasard.
Deuxième garçon : J'ai rencontré ma copine aux sports d'hiver, à Courchevel. J'étais parti seul avec l'agence du tourisme universitaire. Le premier soir, je l'ai repérée. Je l'ai trouvé jolie et je me suis débrouillé pour m'asseoir à table à côté d'elle. Elle était sympa. Le soir, on est allés en boîte et voilà.
Un homme : C'était à une exposition au Louvre. Aux expositions, j'y vais toujours seul car personne ne veut m'accompagner... Et tout le temps il y a des filles seules, elles aussi. Et un jour, je vois une fille qui me plaisait vraiment. Alors je me suis dit : « Qu'est-ce que je risque ? » et ça a marché. Elle était allemande, je parlais un peu allemand. On ne s'est plus quittés.
Troisième jeune fille : Un jour, avec une copine, on s'est inscrites à un *speed dating*. C'était pour rigoler, pas pour rencontrer quelqu'un. Le troisième type que j'ai vu, j'ai « flashé », et lui aussi. On a décidé d'aller prendre un pot ensemble sans continuer...

Leçon 6

p. 63 – Scène 4

Jean-Philippe : Et voilà le travail : gâteau aux trois chocolats !
Tous : Bravo ! Magnifique !

Harry : Tu es un chef !
Anne-Sophie : Moi, je ne résiste pas au chocolat !
Patrick : Et moi, le chocolat ne me résiste pas.
Harry : Alors bon anniversaire, les filles !
Tous (chantent) : « Joyeux anniversaire... »
Jean-Philippe : Allez, je vous sers.
Liza : Pas pour moi, merci.
Jean-Philippe : Tu n'en veux pas ?
Liza : Excuse-moi mais j'ai horreur du chocolat au lait.
Jean-Philippe : Il y a plein de chocolat noir.
Liza : J'aime mieux un fruit.
Jean-Philippe : Alors ça vous plaît ?
Anne-Sophie : Eh bien, c'est particulier.
Harry : Moi aussi, j'y trouve un goût.
Anne-Sophie : Un goût de salé.
Jean-Philippe : Laissez-moi goûter... Mais c'est vrai, ça, il est salé. Si c'est une plaisanterie elle n'est pas drôle.
Odile : Jean-Philippe, dans le frigo, il y avait deux plaquettes de beurre : du doux et du salé. Tu ne t'es pas trompé ?

p. 65 – Les fêtes en France – Exercice 2

H : Moi, je suis de Metz en Lorraine et une des grandes fêtes là-bas, c'est la Saint-Nicolas.
Ça a lieu le premier samedi ou le premier dimanche de décembre. Il y a un défilé avec des musiques et saint Nicolas sur un char qui distribue des bonbons et des sucreries aux enfants, et derrière saint Nicolas, il y a le Père Fouettard qui donne des coups de bâton aux enfants qui n'ont pas été sages. Enfin, il fait semblant, bien sûr. C'est vraiment la grande fête avec un feu d'artifice et tout... Et puis la tradition, c'est le pain d'épice en forme de saint Nicolas. Les gens s'en offrent.
F : Nous, en février, pour Mardi gras, on fait toujours sauter les crêpes, c'est la tradition. Mes parents le faisaient et je continue avec mes enfants. Ils aiment bien ça. La tradition, c'est qu'on fait sauter la crêpe d'une main en tenant un peu d'or dans l'autre main... une pièce d'or ou un bijou. Comme ça, on a du bonheur toute l'année.
H : Non, on ne fait pas de réveillon pour Noël... Nous, on fête toujours Noël en famille, pour le déjeuner.
Et c'est toujours le même menu : des huîtres ou du saumon et une dinde farcie aux marrons. Et puis au dessert, une bûche de Noël... Le réveillon, on le fait le soir du 31 décembre avec les amis avec foie gras au menu et on fait la fête jusqu'à 2 ou 3 heures du matin.

p. 65 – Les fêtes en France – Exercice 3

1. Bonne fête, maman !
– Merci, ma chérie.
2. Bonjour, madame Duval... Au fait, bonne année !
– Bonne année à vous aussi, monsieur Guiraud.
Mes meilleurs vœux à Madame.
– Je lui dirai. Merci.
3. Ah, c'est moi qui ai la fève ! C'est moi, la reine.
– Et tu choisis qui comme roi ?
4. Dis-moi, tu sais que demain il y a une grève du métro ?
– Ah non, ce n'est pas vrai !
– Allez, c'est un poisson d'avril !
5. Bon ben, à l'année prochaine. Bonnes vacances et joyeux Noël !

Leçon 7

p. 71 – Scène 4

[...]
Anne-Sophie : Alors, c'est un homme ou une femme ?
Jean-Philippe : Une femme, sans hésitation.
Anne-Sophie : Si c'était un personnage politique ?
Jean-Philippe : Ce serait une reine.
Karine : Une reine autoritaire.
Anne-Sophie : Et si elle avait un amoureux ?
Karine : Il serait étranger.
Anne-Sophie : Si c'était une plante ?
Odile : Une plante carnivore.
Anne-Sophie : Une boisson ?
Patrick : De la bière.
Anne-Sophie : Et un animal ?
Karine : Un serpent.
Liza : Ou un crocodile.
Anne-Sophie : Bon, si c'est comme ça, je préfère aller me coucher... [...]

p. 73 – Écoutez des blagues

F : Tu la connais celles des deux militaires qui discutent. Et il y en a un qui demande à l'autre : « Pourquoi tu es entré dans l'armée ? ». L'autre répond : « Ben parce que je suis célibataire et que j'aime la guerre. » Alors le premier lui dit : « Ben moi, c'est parce que je suis marié et que j'aime la paix. »
H : Quand deux fonctionnaires se rencontrent le matin au bureau à 9 heures, tu sais ce qu'ils se disent ?... « Ah, tiens, toi aussi, tu as des insomnies ? »
F : Tu connais celle du docteur qui appelle son patient : « Bon, j'ai reçu les résultats de vos analyses. J'ai deux nouvelles à vous annoncer.
Une mauvaise et une encore plus mauvaise. »
Alors le patient complètement assommé dit : « Je vous écoute. » – « Eh bien la mauvaise, c'est qu'il ne vous reste que 24 heures à vivre et la seconde, c'est que j'essaie depuis hier de vous contacter pour vous l'annoncer. »
H : C'est un Belge qui est devant un distributeur de boissons et derrière lui, il y a un Français qui attend son tour. Le Belge met deux euros dans la machine, prend sa bouteille de bière. Puis il remet deux euros et reprend une bouteille, il remet deux euros et comme ça pendant cinq minutes. Alors le Français lui dit : « Vous n'en avez pas assez ? »
Alors le Belge : « Ben non, il n'y a pas de raison. Je gagne. Alors je continue à jouer. »
F : Nous, on raconte des blagues sur les Belges. Les Belges, eux, c'est sur les Français... Tu sais pourquoi les autoroutes françaises ne sont pas éclairées ?... Ben il y a pas besoin parce que les Français se prennent toujours pour des lumières... Et tu sais comment on appelle quelqu'un qui parle trois langues ?
H : Un polyglotte.
F : Un trilingue, et quelqu'un qui parle deux langues ?
H : Un bilingue.
F : Et quelqu'un qui parle une seule langue ?...
H : Ben... un monolingue ?
F : Un Français.

Leçon 8

p. 78 – Scène 2

Karine : Anne-Sophie, tu peux nous ouvrir ?
Anne-Sophie : Qu'est-ce que vous voulez ?
Karine : On a dit quoi pour te fâcher ?
Anne-Sophie : Que j'étais un serpent, une plante carnivore, je ne sais quoi encore !
Karine : Mais on n'a pas voulu dire ça Anne-Sophie !
Odile : Tu as mal compris. Le personnage du portrait, ce n'était pas toi, c'était Cléopâtre !
Anne-Sophie : Comment Cléopâtre ?
Odile : Ben oui, Cléopâtre, reine d'Égypte, le pays des crocodiles.
Liza : Cléopâtre, amoureuse de César, un étranger. Morte à cause d'un serpent.
Anne-Sophie : Je suis sûre que vous vous moquez de moi.
Karine : Je te fais remarquer que tu te moques souvent de nous.
Odile : Et à la fin, c'est pénible.
Anne-Sophie : Eh bien aujourd'hui, je ne serai pas pénible. Allez-y sans moi dans cette grotte.

p. 78 – Scène 3

Jean-Pierre : Écoutez ! On entend quelque chose... Oh, eh...
Une voix : Oh, eh !
Liza : C'est l'écho.
Harry : Mais non !... On est là !
La voix : Oh, eh !

p. 81 – Les témoignages.

1. Sur le témoignage de David

C'est vrai qu'en France, le petit déjeuner n'est pas considéré comme un repas. En général, dans une famille, chacun a ses habitudes et ses horaires.
Mais si on reçoit des amis ou des gens de la famille, là on fait un effort, on va acheter des croissants ou des pains au chocolat et on attend que tout le monde soit prêt pour prendre le petit déjeuner.

2. Sur le témoignage de Sonja

En matière de repas en France, on trouve tous les cas de figures. Ça dépend de l'âge, si on est seul ou en famille... Il n'y a pas vraiment de règle...
On peut inviter des amis autour d'un couscous ou d'une choucroute. On y ajoute un dessert et on ne sert pas obligatoirement du fromage.
Une chose est sûre, on dîne plus tôt que les Espagnols et plus tard que les Anglais et les Allemands.

3. Sur le témoignage de Karol

C'est vrai pour le pain et la carafe d'eau est obligatoire. Mais il faut quelquefois la demander au serveur... Et même la demander plusieurs fois.
C'est curieux, le serveur vous entend toujours quand vous demandez une bouteille d'Évian, jamais quand c'est une carafe d'eau.

4. Sur le témoignage d'Amparo

Ce n'est pas parce qu'on parle plusieurs fois par jour à quelqu'un qu'on va passer du « vous » au « tu ».
On ne tutoie pas ses voisins ou sa boulangère.
Mais c'est en train de changer. Les jeunes se tutoient plus facilement.

5. Sur le témoignage de William

C'est vrai pour beaucoup de Français : quand on se dit bonjour le matin, on se serre la main. Mais bon, ça dépend aussi des personnalités. Ce qui est sûr, c'est qu'on se fait plus la bise qu'avant.
Même les hommes, entre amis, se font la bise.

p. 81 – Une belle table

a. Je mets l'assiette à potage sur l'assiette principale ?
b. Et la serviette, je la mets à côté de l'assiette ?
c. À droite de l'assiette, je mets d'abord le couteau pour les entrées puis l'autre couteau puis la cuillère ?
d. Je pose les fourchettes dents vers le haut ?
e. L'assiette à pain, je la pose à droite de l'assiette ?
f. Le verre à champagne, je le mets à droite ?

Bilan 2

p. 82 – Test 3

A. – Allô, Jérémy, c'est Amandine.
J. – Ah, bonjour, Amandine ! Ça va ?
A. – Oui... Je t'appelais pour te demander... Est-ce que ça te dirait d'aller faire un tour en montgolfière ?
J. – En montgolfière ! C'est génial, ça !

A. – Tu en as déjà fait ?
J. – Non justement.
A. – On s'est décidé avec les copains. On doit faire ça le dimanche 8 avril, de dix heures à seize heures. Et il reste deux places. Ça t'intéresse ?
J. – Évidemment que ça m'intéresse.
C'est où le rendez-vous ?
A. – À La Roque-Gageac. C'est à 40 km.
J. – Il y aura qui ? Maéva ?
A. – Non, elle fait un stage à Paris. Mais il y aura Lucas, Jade, Renaud, Flore. Romain devait venir mais il s'est cassé la jambe.
J. – Ah bon. Je ne le savais pas... Ben, écoute, c'est d'accord. Merci pour la proposition. Comment on fait ?
A. – Nous, la voiture sera pleine. Tu peux venir avec ta voiture ?
J. – Sans problème.
A. – Pour y aller, c'est facile. Tu vas jusqu'à Sarlat. Tu traverses Sarlat. À la sortie, tu prends à droite la route de Vézac...
J. – Ça va, je vois.
A. – Après Vézac, tu fais un kilomètre et tu arrives à un croisement. À droite, c'est la direction Castelnaud, à gauche, la direction La Roque-Gageac. Tu longes la Dordogne sur quelques kilomètres et tu vas voir un panneau « Tour en montgolfière ».

p. 84 – Test 5

1. Le feu d'artifice, c'est le 13 au soir ou le 14 ? Je ne sais jamais. – **2.** Un petit brin de muguet, madame ! Ça porte bonheur. – **3.** Je vous présente mes meilleurs vœux pour la nouvelle année. – **4.** Bon, tu as ta liste de fournitures ? Alors, qu'est-ce qu'il faut ? Deux cahiers de 24 cm sur 32... – **5.** Ah, il est très bien décoré, votre sapin. – **6.** Tu as vu ? Cette année, le 1er et le 8 mai tombent un jeudi. Ça va faire deux ponts ! – **7.** Tu sais que le Palais de l'Élysée est ouvert le week-end prochain ? C'est l'occasion d'aller le voir. – **8.** Il y a Jean-Raphaël qui fait une soirée crêpes. Il faut y aller costumé. Je me demande si j'y vais. – **9.** Quelles fleurs on prend pour la tombe de grand-père ? Les jaunes ou les rouges ? – **10.** Il faut acheter des cloches et des œufs en chocolat pour les enfants.

Leçon 9

p. 94 – Scène 2

[...]
Kamel : ... Alors pas de panique, tout ira bien.
La mère : Quand je pense que ton père et moi, on a travaillé comme des dingues pour que tu fasses ces études d'économie !
Kamel : Je sais, maman, et je vous remercie.
Mais j'ai envie de choisir ma vie.
Le père : D'accord, mais ne viens pas nous demander de t'aider !
Kamel : Rassurez-vous, je ne vous demanderai rien.

p. 96 – Exercice 1

Marie : Bon, on va faire le point. Le Téléthon, c'est le samedi 5 décembre. Il faut faire les annonces dans la presse. Alors chaque responsable va me dire ce que son groupe a l'intention de faire. D'accord ?... Tu commences, Aurélien ?
Aurélien : Oui. Donc moi, c'est le groupe des rollers. On sera sur le boulevard Victor-Hugo de 14 h à 16 h et on fera une démonstration en musique avec des figures un peu spectaculaires.
Marie : Bérengère ?
Bérengère : Nous, on a regroupé 50 personnes qui font du jogging et on va faire le tour du centre-ville pendant 24 heures, de samedi midi à dimanche midi.
Aurélien : Tous ensemble ?
Bérengère : Mais non, on va se relayer. Chacun va courir 30 minutes.
Marie : Monsieur Renaud. D'abord, merci d'être venu. On est content d'avoir un prof avec nous.
M. Renaud : Voilà, avec des copains qui sont, comme moi, passionnés de voitures anciennes et qui ont une belle voiture des années 30 ou 40, on va organiser des promenades en ville.
Marie : C'est sympa et c'est quand ?
M. Renaud : Tout le samedi de 10 h à 18 h.
Marie : Julien ?
Julien : Alors moi, je représente le club d'escalade. On va proposer des descentes en rappel de la tour du château. On va faire ça samedi de 14 h à 16 h.
Marie : Tout le monde peut y participer ?
Julien : Oui, tout le monde. Enfin, tous les gens qui se sentent capables.
Marie : C'est parfait. Je vais faire un petit article pour les journaux, la radio et la télé.

Leçon 10

p. 102 – Scène 1

[...]
Loïc : On est arrivé... Entre... Voilà, c'est ici. Je te présente Arthur, l'autre colocataire.
Arthur : Salut !
Kamel : Salut !
Loïc : Je te fais visiter l'appartement ?
Kamel : D'accord, et puis j'aurais quelques questions à vous poser.
Arthur : Comme quoi ?
Kamel : Par exemple... si vous fumez.
Arthur : Non, ni moi, ni Loïc.
Kamel : Et vos soirées, c'est plutôt copains ou plutôt bouquins ?
Loïc : Attends, on n'est pas des moines !

p. 105 – *Le Couperet*

« Cette semaine, je vous conseille *Le Couperet*, de Costa-Gavras, un suspense policier qui a pour toile de fond un problème de société. Bruno Davert, José Garcia, excellent, est cadre supérieur dans une usine de papier depuis quinze ans. Tout marche bien pour lui. Il habite une jolie maison avec sa femme, Karine Viard, toujours aussi naturelle, et ses deux enfants. Mais un jour, catastrophe, l'entreprise délocalise et supprime du personnel. Bruno Davert se retrouve au chômage.
Il envoie des CV, passe des entretiens, persuadé qu'avec sa qualification il ne tardera pas à trouver du travail. Mais deux ans plus tard, il est toujours sans emploi. C'est alors que naît dans son esprit une horrible idée. Il aura le poste de directeur des produits dans l'entreprise Arcadia. Pour cela, il suffit de tuer celui qui occupe le poste et tous les candidats qui risquent d'être recrutés pour le remplacer.
Il crée une fausse entreprise, une simple boîte postale, fait paraître une offre d'emploi correspondant au poste qu'il souhaite, reçoit des candidatures et sélectionne les meilleures. Il y en a cinq.
Davert devra donc tuer six fois.
La police réussira-t-elle à retrouver ce meurtrier en série ? Bien sûr, je ne dévoilerai pas la fin.
Je dirai seulement qu'elle est inattendue. »

Leçon 11

p. 110 – Scène 3

Le serveur : Je vous écoute.
Kamel : Qu'est-ce que tu prends ?
Clémentine : Un kebab, des frites... On peut avoir de la salade avec ?
Le serveur : Bien sûr, salade verte et tomates ?
Clémentine : Parfait.
Le serveur : Et comme sauce ? Mayonnaise, pimentée, sauce blanche ?
Clémentine : C'est quoi la sauce blanche ?
Le serveur : C'est du yaourt avec du concombre, de l'ail et de la menthe.
Clémentine : Alors sauce blanche.
Le serveur : Et pour vous ?
Kamel : La même chose.
Le serveur : Et comme boisson ?
Clémentine : Je prendrais bien une bière.
C'est la fête aujourd'hui !
Kamel : Moi aussi.
Le serveur : Très bien.
Kamel : Et tu fais beaucoup de castings ? [...]

p. 111 – Scène 4

1. *Kamel :* Allô, le Crédit du Centre ?
Une voix de femme : Ah, je crois que vous faites erreur.
Kamel : Excusez-moi, madame.
2. *Répondeur de la banque :* Bienvenue sur le service accueil du Crédit du Centre. Pour consulter vos comptes tapez 1...
Veuillez composer votre numéro de compte.
Vous êtes débiteur de la somme de 50 euros 54 centimes.
3. *Répondeur de la banque :* Bienvenue sur le service accueil du Crédit du Centre. Pour consulter vos comptes, tapez 1, pour être informé sur nos crédits et nos assurances, tapez 2, pour effectuer une opération, tapez 3, pour parler à un conseiller, tapez 4... Vous voulez parler à un conseiller. Tous nos conseillers sont occupés. Le temps d'attente est de – 10 – minutes. Merci de patienter ou de rappeler ultérieurement.
4. *Répondeur de la banque :* ... Pour parler à un conseiller, tapez 4... Béatrice Duval, bonjour.
Kamel : Je voudrais parler à M. Guibert, qui s'occupe de mon compte.
Mme Duval : Ah, il est absent jusqu'à lundi prochain. Je peux vous aider ?
Kamel : Non ça va, merci. Je rappellerai lundi.

p. 113 – Les opérations bancaires – Exercice 2

a. *H :* Je voudrais déposer ce chèque.
F : Vous avez des formulaires sur l'étagère.
Vous remplissez le formulaire, vous le mettez dans l'enveloppe avec votre chèque et vous mettez l'enveloppe dans la boîte, là, vous voyez ?
b. *H :* Allô, monsieur Balmel ? C'est Éric Reynaud. Je vous appelle parce que j'ai vu que mon compte était dans le rouge.
F : Vous pouvez me rappeler votre numéro de compte ?
c. *H :* Bonjour, je voudrais ouvrir un compte.
F : Vous êtes français ? Vous êtes ressortissant d'un pays d'Europe ?
d. *F :* Je voudrais demander un prêt.
H : Quel type de prêt ? Immobilier, automobile, étudiant ?

e. *H :* Bonjour. Est-ce que je peux retirer de l'argent depuis un compte en banque à l'étranger ? J'ai perdu ma carte bancaire.
F : Quelle est votre banque ? Elle est en zone euro ?
H : Non, je suis à la Banamex, au Mexique.

► Leçon 12

p. 118 – Scène 2

Kamel : Voilà, j'ai rempli ma partie.
Lisez-la et signez si vous êtes d'accord.
L'automobiliste : Donc... Vous quittiez un stationnement... Vous reculiez... Vous avez heurté l'avant gauche de ma voiture... C'est bien ça...
Je signe... J'espère que vous n'aurez pas de problème avec votre patron.
Kamel : Ce ne serait pas très grave.
L'automobiliste : Il n'est pas important pour vous, ce boulot ?
Kamel : Je ne fais pas que ça. Je suis surtout comédien.
L'automobiliste : Mais c'est intéressant ça !
Et vous jouez ?
Kamel : Ben oui, j'ai écrit un spectacle et je le joue...
Enfin, on est deux sur scène.
L'automobiliste : Et vous le faites où, ce spectacle ? [...]

p. 120 – Récits d'incidents – Exercice 1

1. *F :* Écoute. C'est incroyable ce qui m'est arrivé. J'étais dans ma voiture sur le boulevard Gambetta, au feu rouge qui est devant les marches de la médiathèque... Tu vois où c'est... Donc j'attendais tranquillement et tout à coup j'ai vu un jeune sur un skate sauter sur le capot de ma voiture, traverser le boulevard et disparaître dans une petite rue.
Tu sais, il était parti de l'entrée de la médiathèque et au lieu de descendre les marches avec son skate, il a fait un saut sur ma voiture. Je veux dire, j'ai eu mon capot enfoncé et mon pare-brise cassé.
2. *H :* Entre Noël et le jour de l'An, on est allés à Paris pour la semaine. Mais je vous dis pas le retour sur Lyon : une tempête de neige juste comme on traversait le Morvan... J'ai jamais vu ça ! Les voitures, les camions bloqués sur l'autoroute ! Impossible de bouger ! Toute la nuit on a attendu ! On était gelés !
3. *F :* Vous savez pas ce qui est arrivé à mon fils, hier ? Je le vois arriver de l'école pieds nus ! Sans ses chaussures ! Il me dit : « Maman, je me suis fait voler mes Adidas. » Je veux dire, ça s'est passé en plein jour, sur le chemin de l'école. Des grands l'ont entouré et l'ont racketté : « Tu nous donnes tes Adidas et tu ne discutes pas. » Remarquez, je vais vous dire, ça, c'est son oncle. Pour Noël, il lui a offert des Adidas à 200 € ! On n'a pas idée !

► Bilan 3

p. 122 – Test 3

a. Adrien, range ton étagère, s'il te plaît. – **b.** Damien, tu peux sortir la poubelle ? – **c.** Maman, il faudrait me recoudre ce bouton. – **d.** On doit accrocher ce tableau. – **e.** Allume le four, s'il te plaît. – **f.** Vous pouvez mettre le couvert, les enfants ? – **g.** Il faudrait quelqu'un pour essuyer la poussière. – **h.** François, tu pourrais étendre le linge ? – **i.** Cette ampoule ne marche pas. Il faut la changer. – **j.** Qui c'est qui doit mettre la vaisselle dans le lave-vaisselle aujourd'hui ? C'est toi, Anne-Lise ?

p. 124 – Test 6

Clément : Ça y est. J'ai trouvé un logement.
Une amie : Où ça ?
C. : Dans le XIIe, près du bois de Vincennes.
A. : Il y a de beaux immeubles, par là.
C. : Oui mais ce n'est pas le cas du mien. Il est vieux, pas très propre... et pas d'ascenseur. C'est un peu gênant, tu vois, parce que mon appartement est au 5e étage. Mais bon, j'ai deux pièces, le loyer n'est pas très cher...
A. : Tu paies combien ?
C. : 500 € et seulement, 100 € de charges.
Mais le chauffage est individuel.
A. : Tu as de la chance parce qu'à ce prix-là, on ne trouve rien.
C. : Ben oui, c'est une amie de ma mère qui me le loue. Cela dit, quand je compte l'électricité et les impôts, ça fait 800 € par mois à sortir pour le logement.
A. : Tu es toujours dans la boulangerie ?
C. : Ben oui, c'est mon métier. Je travaille pour un boulanger dans le XVIe.
A. : Ce n'est pas près de chez toi.
C. : On ne peut pas tout avoir : un logement pas cher et le boulot à côté. Mais ça va. J'y vais en scooter. À 5 heures du matin, tu sais, ça va vite.
J'y suis en 20 minutes.
A. : Tu commences à 5 heures !
C. : Ben oui. Je bosse de 5 heures à midi, 5 jours par semaine. Des fois, c'est le dimanche. Mais bon, ça laisse du temps libre et ce n'est pas trop mal payé.
A. : Et tu gagnes combien ?
C. : 1 400 € net mais souvent, je fais des heures supplémentaires. J'arrive à 1 600.
A. : Donc tu te débrouilles avec ça.
C. : 800 € pour le logement, 200 € pour la nourriture, 200 € pour les autres frais... Il me reste 300, 400 €.
Ça va !

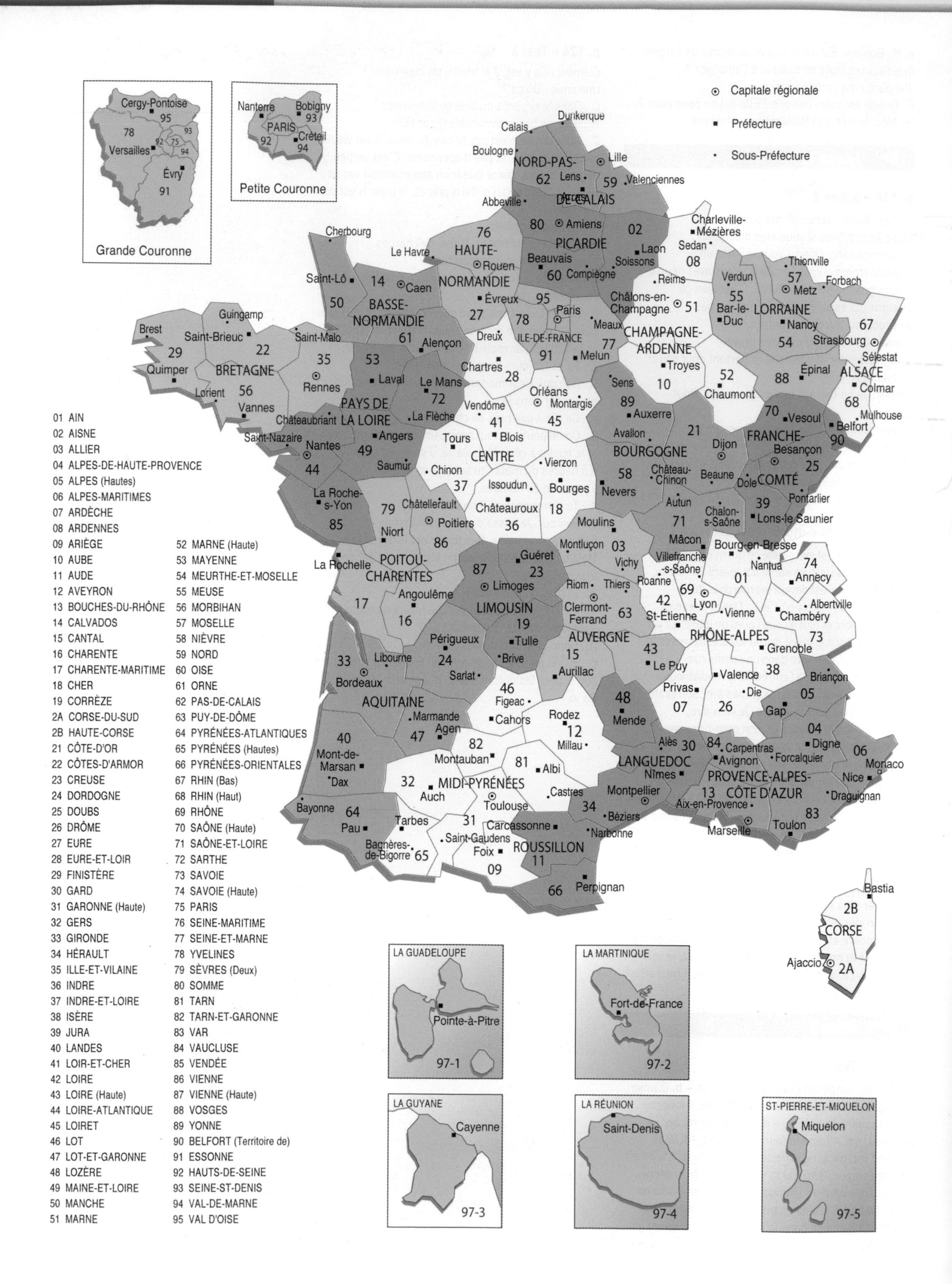

Grande Couronne
Cergy-Pontoise 95
78 Versailles
93 92 75 94
Évry 91
Petite Couronne
Nanterre Bobigny 93
PARIS
92 Créteil 94
Capitale régionale
Préfecture
Sous-Préfecture
NORD-PAS-DE-CALAIS
Dunkerque
Calais
Boulogne
Lille
Lens
Arras
Valenciennes
59
62
Abbeville
PICARDIE
80 Amiens
02
Laon
Soissons
Beauvais
60 Compiègne
HAUTE-NORMANDIE
76
Le Havre
Rouen
Évreux
27
BASSE-NORMANDIE
Cherbourg
Saint-Lô
14 Caen
50
61
Alençon
ÎLE-DE-FRANCE
95
78
Paris
Meaux
77
91
Melun
Dreux
CHAMPAGNE-ARDENNE
Charleville-Mézières
Sedan
08
Reims
Châlons-en-Champagne 51
Troyes
10
52
Chaumont
LORRAINE
Thionville
57
Metz
Forbach
Verdun
55
Bar-le-Duc
Nancy
54
88
Épinal
ALSACE
67
Strasbourg
Sélestat
Colmar
68
Mulhouse
BRETAGNE
Brest
29
Quimper
Guingamp
Saint-Brieuc
22
Saint-Malo
35
Rennes
Lorient
56
Vannes
PAYS DE LA LOIRE
53
Laval
Le Mans
72
La Flèche
Châteaubriant
Saint-Nazaire
Nantes
44
Angers
49
Saumur
La Roche-s-Yon
85
CENTRE
Chartres
28
Orléans
Montargis
45
Vendôme
41
Blois
Tours
Chinon
37
Vierzon
Issoudun
Bourges
18
Châteauroux
36
BOURGOGNE
Sens
89
Auxerre
Avallon
21
Dijon
Nevers
58
Château-Chinon
Beaune
Autun
71
Chalon-s-Saône
Mâcon
FRANCHE-COMTÉ
70
Vesoul
Belfort
90
Besançon
25
Dole
39
Pontarlier
Lons-le-Saunier
POITOU-CHARENTES
79
Châtellerault
Poitiers
Niort
86
La Rochelle
17
Angoulême
16
LIMOUSIN
87
Guéret
23
Limoges
19
Tulle
Brive
AUVERGNE
Moulins
Montluçon 03
Vichy
Riom
Thiers
Clermont-Ferrand
63
15
Aurillac
43
Le Puy
RHÔNE-ALPES
Bourg-en-Bresse
Nantua
01
74
Annecy
Villefranche-s-Saône
Roanne
69
Lyon
42
St-Étienne
Vienne
Albertville
Chambéry
73
Grenoble
38
Valence
Privas
07
26
Die
AQUITAINE
33
Libourne
Bordeaux
Périgueux
24
Sarlat
Marmande
Agen
47
40
Mont-de-Marsan
Dax
Bayonne
64
Pau
MIDI-PYRÉNÉES
46
Figeac
Cahors
Rodez
12
Millau
82
Montauban
81
Albi
32
Auch
Toulouse
Castres
31
Tarbes
Saint-Gaudens
Bagnères-de-Bigorre
65
Foix
09
LANGUEDOC-ROUSSILLON
48
Mende
Alès
30
Nîmes
Montpellier
34
Béziers
Narbonne
Carcassonne
11
66
Perpignan
PROVENCE-ALPES-CÔTE D'AZUR
Briançon
05
Gap
04
Digne
Forcalquier
84
Carpentras
Avignon
06
Monaco
Nice
Draguignan
13
Aix-en-Provence
83
Marseille
Toulon
CORSE
Bastia
2B
Ajaccio
2A
LA GUADELOUPE
Pointe-à-Pitre
97-1
LA MARTINIQUE
Fort-de-France
97-2
LA GUYANE
Cayenne
97-3
LA RÉUNION
Saint-Denis
97-4
ST-PIERRE-ET-MIQUELON
Miquelon
97-5
01 AIN
02 AISNE
03 ALLIER
04 ALPES-DE-HAUTE-PROVENCE
05 ALPES (Hautes)
06 ALPES-MARITIMES
07 ARDÈCHE
08 ARDENNES
09 ARIÈGE
10 AUBE
11 AUDE
12 AVEYRON
13 BOUCHES-DU-RHÔNE
14 CALVADOS
15 CANTAL
16 CHARENTE
17 CHARENTE-MARITIME
18 CHER
19 CORRÈZE
2A CORSE-DU-SUD
2B HAUTE-CORSE
21 CÔTE-D'OR
22 CÔTES-D'ARMOR
23 CREUSE
24 DORDOGNE
25 DOUBS
26 DRÔME
27 EURE
28 EURE-ET-LOIR
29 FINISTÈRE
30 GARD
31 GARONNE (Haute)
32 GERS
33 GIRONDE
34 HÉRAULT
35 ILLE-ET-VILAINE
36 INDRE
37 INDRE-ET-LOIRE
38 ISÈRE
39 JURA
40 LANDES
41 LOIR-ET-CHER
42 LOIRE
43 LOIRE (Haute)
44 LOIRE-ATLANTIQUE
45 LOIRET
46 LOT
47 LOT-ET-GARONNE
48 LOZÈRE
49 MAINE-ET-LOIRE
50 MANCHE
51 MARNE
52 MARNE (Haute)
53 MAYENNE
54 MEURTHE-ET-MOSELLE
55 MEUSE
56 MORBIHAN
57 MOSELLE
58 NIÈVRE
59 NORD
60 OISE
61 ORNE
62 PAS-DE-CALAIS
63 PUY-DE-DÔME
64 PYRÉNÉES-ATLANTIQUES
65 PYRÉNÉES (Hautes)
66 PYRÉNÉES-ORIENTALES
67 RHIN (Bas)
68 RHIN (Haut)
69 RHÔNE
70 SAÔNE (Haute)
71 SAÔNE-ET-LOIRE
72 SARTHE
73 SAVOIE
74 SAVOIE (Haute)
75 PARIS
76 SEINE-MARITIME
77 SEINE-ET-MARNE
78 YVELINES
79 SÈVRES (Deux)
80 SOMME
81 TARN
82 TARN-ET-GARONNE
83 VAR
84 VAUCLUSE
85 VENDÉE
86 VIENNE
87 VIENNE (Haute)
88 VOSGES
89 YONNE
90 BELFORT (Territoire de)
91 ESSONNE
92 HAUTS-DE-SEINE
93 SEINE-ST-DENIS
94 VAL-DE-MARNE
95 VAL D'OISE

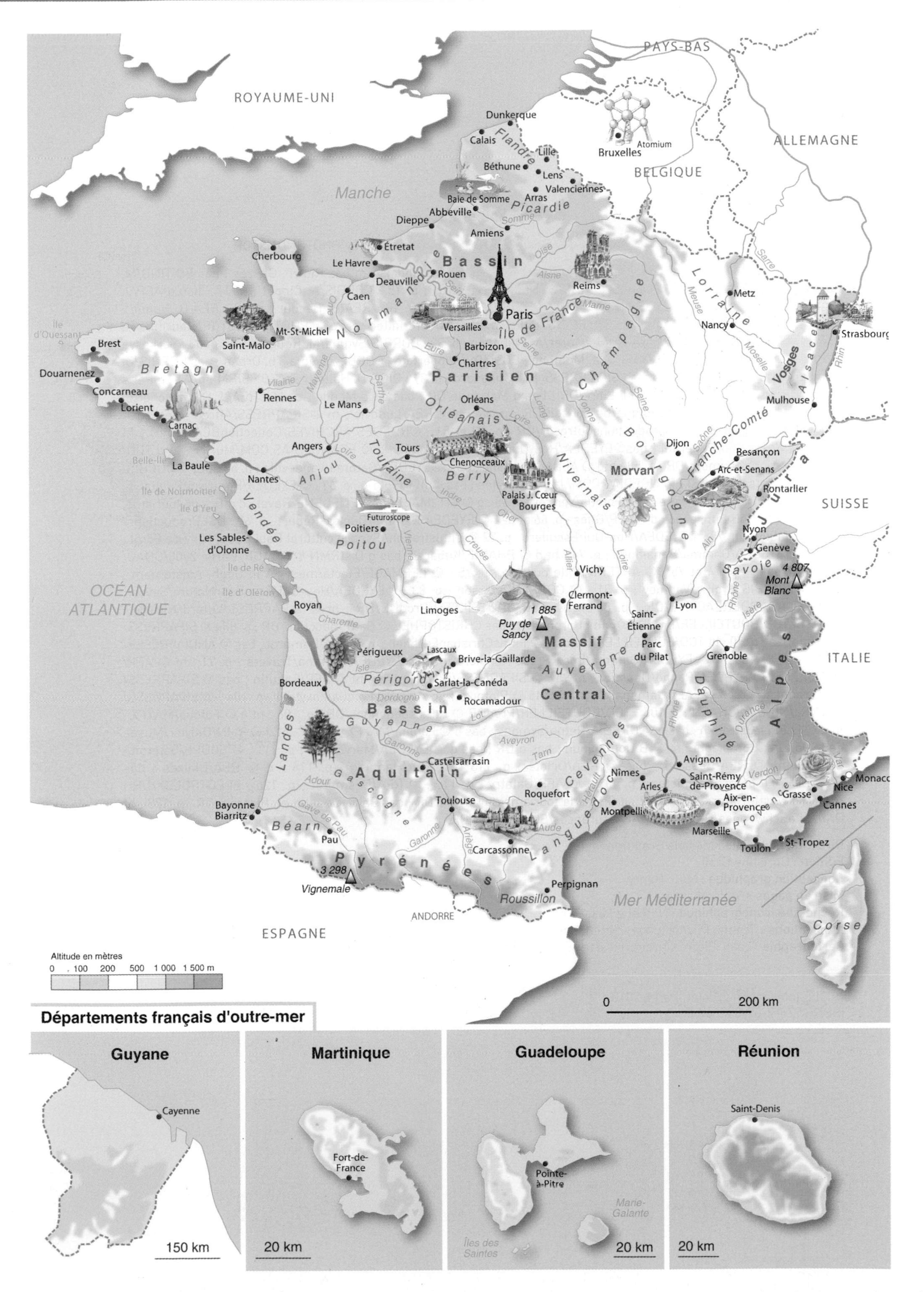
ROYAUME-UNI
PAYS-BAS
ALLEMAGNE
BELGIQUE
Bruxelles
Atomium
SUISSE
ITALIE
ESPAGNE
ANDORRE
Monaco
Manche
OCÉAN ATLANTIQUE
Mer Méditerranée
Île d'Ouessant
Belle-Île
Île de Noirmoutier
Île d'Yeu
Île de Ré
Île d'Oléron
Dunkerque
Calais
Flandre
Lille
Béthune
Lens
Valenciennes
Arras
Baie de Somme
Picardie
Abbeville
Dieppe
Somme
Amiens
Étretat
Le Havre
Cherbourg
Deauville
Rouen
Caen
Bassin
Parisien
Normandie
Oise
Aisne
Reims
Marne
Paris
Île de France
Versailles
Seine
Eure
Barbizon
Chartres
Champagne
Lorraine
Metz
Nancy
Meuse
Moselle
Sarre
Vosges
Alsace
Rhin
Strasbourg
Mulhouse
Mt-St-Michel
Saint-Malo
Brest
Douarnenez
Bretagne
Concarneau
Lorient
Carnac
Rennes
Vilaine
Mayenne
Sarthe
Le Mans
Orne
Orléans
Orléanais
Loire
Loing
Yonne
Angers
Tours
Touraine
Chenonceaux
Berry
La Baule
Nantes
Anjou
Indre
Cher
Palais J. Cœur
Bourges
Nivernais
Morvan
Bourgogne
Dijon
Saône
Franche-Comté
Besançon
Arc-et-Senans
Pontarlier
Jura
Nyon
Genève
Vendée
Futuroscope
Poitiers
Poitou
Vienne
Creuse
Allier
Les Sables-d'Olonne
Vichy
Clermont-Ferrand
Savoie
4 807
Mont Blanc
Royan
Charente
Limoges
1 885
Puy de Sancy
Massif
Central
Auvergne
Saint-Étienne
Parc du Pilat
Lyon
Ain
Rhône
Isère
Grenoble
Alpes
Dauphiné
Durance
Périgueux
Isle
Lascaux
Brive-la-Gaillarde
Périgord
Sarlat-la-Canéda
Bordeaux
Dordogne
Rocamadour
Bassin
Aquitain
Guyenne
Lot
Landes
Garonne
Aveyron
Tarn
Cévennes
Castelsarrasin
Gascogne
Adour
Roquefort
Avignon
Nîmes
Arles
Saint-Rémy-de-Provence
Aix-en-Provence
Provence
Verdon
Var
Grasse
Nice
Cannes
Bayonne
Biarritz
Gave de Pau
Béarn
Pau
Toulouse
Ariège
Aude
Hérault
Montpellier
Languedoc
Marseille
Toulon
St-Tropez
Carcassonne
Pyrénées
3 298
Vignemale
Perpignan
Roussillon
Corse
Altitude en mètres
0 100 200 500 1 000 1 500 m
0 200 km
Départements français d'outre-mer
Guyane
Cayenne
150 km
Martinique
Fort-de-France
20 km
Guadeloupe
Pointe-à-Pitre
Marie-Galante
Îles des Saintes
20 km
Réunion
Saint-Denis
20 km

Créditsphotographiques

Couverture : ht g © Beau Lark/CORBIS ; ht d © Beau Lark/CORBIS ; bas © Onoky/PHOTONONSTOP

p. 9 : ht PHOTONONSTOP/J. Loic ; ht m REA/Planet Reporters/L. Brandajs ; m bas REA/P. Gleizes ; bas EDITING/M. Bertrand ; p. 11 : ht AFP/A. Poujoulat ; m DR ; bas AFP/P. Verdy ; p. 15 : CORBIS/A. Clopet ; p. 17 : bas g AFP/J. F. Monnier ; ht d ANDIA PRESSE/MEGE ; m d CORBIS/O. Franken ; p. 18 : REA/B. Decout ; p. 19 : REA/B. Hanne ; p. 23 : EYEDEA/Hoa-Qui/B. Wojtek ; p. 25 : REA/G. Rolle ; p. 26-27 : Marc Tallec ; p. 26 : g PHOTONONSTOP/Mauritius ; d AFP/P. Verdy ; p. 31 : EYEDEA/HOA-Qui/Explorer/A. Philippon ; p. 32 : CORBIS/Sygma/M. Rougemont ; p. 33 : Sarkosy : AFP/J. Demarthon ; Chirac : GLOBEPIX/X. Mouthon ; COSMOS/Popperfoto ; CORBIS/Sygma/Th. Orban ; bas CORBIS/O. Franken ; p. 34 France 5/DR ; p. 35 : SIPA PRESS/TF1/Chognard ; p. 39 : BIOS/D. Halleux ; p. 40 : BIPM ; p. 41 : g Paris Match/DR ; m L'Express/DR ; g Midi Libre/DR ; bas g Marianne/DR ; bas d Le Monde ; p. 46 : REA/J. Cl. Moschetti ; p. 47 : RATP/Département juridique/bd conseil/DR ; p. 49 : ht ©REA/Ludovic ; m ©SIPAPRESS/Alfred ; bas TCD/BOUTEILLER/ProdDB © Lesproductionsdutrésor/DR ; p. 50 et 51 : ©RUEDES ARCHIVES/CollectionBCA ; p. 54 : ht © EYEDEA/Hoa-Qui/Repérant ; bas©EYEDEA/Hoa-Qui/Guichaoua ; p. 57 : g © FRANCEDIAS.COM/Murier ; ht d TCD/BOUTEILLER © Gaumont/DR ; p. 58 : htg © ALDAGDelphine ; basd©EYEDEA/Gamma/Vandeville ; p. 59 : htg © CORBIS/Keystone/Ruetschi ; md © FRANCEDIAS.COM/Jarry-Tripleton ; bas © AFP/Solaro ; p. 62 : © EYEDEA/Hoa-Qyui/Roulland ; p. 64: g © EYEDEA/Top/Riviere ; d © Fotolia/Vericel ; p. 65 : g © CIT'IMAGES/CIT'ENSCENE/Ravel ; d office de tourisme, Bourges © B. Poisson ; p. 66 : d ©AFP/Guez ; p. 66 et 67 : © EYEDEA/Gamma/Duclos-Robert ; p. 67 : DSLProductions/FredericdaSilva ; p. 70 : ©EYEDEA/Hoa-Qui/Escudero ; p. 72 © L'Illustration/ Espace culturel Paul Bedu, Milly-la-Forêt ; p. 73 : © EYEDEA/Gamma/Benainous ; p. 74 : ht d © PHANIE/Kubacsi ; bas g DistRMN © ADAGP, Paris, 2008/CNAC/MNAM/Rzepka ; p. 74 et 75 : © ARTEDIA/Ville ouverte ; p. 75 : © LEEMAGE/Electa/musée Van Gogh, Amsterdam ; p.79: © CORBIS-Sygma/Vauthey ; p. 81 : © CORBIS/Peterson ; p. 83 : ©EYEDEA/Hoa-Qui/GrandeurNature/Sevos ; p. 84 : LAGARDEREACTIVE/DR ; p. 86 : g © TCD/BOUTEILLER/ProdDB/DR ; ht © SIPAPRESS/Villard/Niviere ; p. 87 : ht TCD/BOUTEILLER/ProdDB©FilmsCorona/DR ; bas CHRISTOPHEL © CaltProduction/DR ; p. 88 : © SIPAPRESS/InterfotoUsa ; p. 90 : ht TCD/BOUTEILLER/ProdDB © FilmsChristianFechner ; m © REA/Damoret ; bas © ANDIAPRESSE/Larbi – p. 90 : bas g © EYEDEA/Gamma/Imaz Press Reunion ; ht d © EYEDEA/Gamma/Travers ; p. 91 : ht © AFP/Guillot ; bas © EYEDEA/Rapho/Desmier ; p. 95 : © SIPAPRESS/Haley ; p. 96 : ht © AFP/Sakutin ; bas © SIPAPRESS/AP/Cironneau ; p. 97: © AFP/Yamanaka ; p. 99 : M6 © Plotnikoff ; p. 102 : © Fotolia/Foxytoul ; p. 104 : © SIPAPRESS/OH/NRJ/NIKO/TSCHAEN ; p. 105 : TCD/BOUTEILLER/ProdDB © K.G.Productions/DR ; p. 106 : ht g © Fotolia/MAXFX ; ht d © Fotolia/Ostroukh ; bas g © OREDIA/Retna/Symons ; bas d © Fotolia/MAXFX ; p. 107 : ht d © RMN/Ollivier/Musée de la voiture, Compiègne; m © B.Domenjoud ; bas d DR ; bas g © EYEDEA/MaryEvans ; p. 111 : © SCOPE/Galeron ; p. 112 : ht © REA/Bessard ; bas © REA/Ortola ; p. 113 : © REA/Hanning ; p. 114 : g © REA/Gleizes ; bas © EYEDEA/Top/Jarry-Tripleton ; p. 115 : © AFP/Galatry ; p. 119 : © REA/Desmaret ; p. 126 : ELECTROLUX/DR ; p. 127: g NestleWatersFrance/DR ; d Office de tourisme de Chypre/DR ; bas Saint-Quentin en Picardie/DR ; p. 128 : ht OranginaSchweppes/DR ; bas MAAFAssurances/StudioVirgul/DR.

Direction éditoriale : Michèle Grandmangin
Édition : Christine Grall
Conception graphique : Marc Henry
Mise en pages : Nada Abaïdia
Recherche iconographique : Nathalie Lasserre
Illustrations : Jeanne Puchol (pages Simulations) – Jean-Pierre Foissy (pages Ressources)
Cartographie : Jean-Pierre Crivellari (carte p. 149) – Paco (icônes sur la carte p. 149)

ISBN : 978-2-09-038567-0

N° d'éditeur : 10190863 - Septembre 2012
Imprimé en France par I.M.E. - 25110 Baume-les-Dames